D0717626

HET BEWIJS

Opgedragen aan Jeremiah C. Lanphier en de zes andere gelovigen die op 23 september 1857 bijeenkwamen om te bidden in het geloof dat God hun gebeden om een opwekking zou verhoren.

JACK CAVANAUGH
& BILL BRIGHT

HET BEWIJS

ROMAN

Vertaald door Gerrit Veldman

Postbus 5018, 8260 GA Kampen
www.kok.nl

Oorspronkelijk verschenen onder de titel *Proof* bij Howard Publishing Co., Inc.
3117 North 7th Street, West Monroe, Louisiana 71291-2227, USA

Vertaling Gerrit Veldman
Omslagillustratie Getty Images
Omslagontwerp Douglas Design
ISBN 90 297 1814 5
ISBN-13 978 90 297 1814 1
NUR 302

Proloog

'Verontschuldigt u mij, rechter.'

'Hmm?'

'Uw afspraak van tien uur is hier.'

Rechter Harrison Quincy Shaw wierp een blik op de pendule. Het was nog maar tien over half tien. Hij fronste. 'Hij is vroeg.'

'Zij, meneer,' verduidelijkte de bediende.

'Zij?' Rechter Shaw trok een wenkbrauw op.

'Ja, meneer.'

'Ben je daar zeker van?'

De vraag bracht de huisknecht in verwarring. Hij staarde neer op de geschuurde houten vloer. 'Ik geloof dat ze een vrouw is, meneer.'

Dat vond de rechter vermakelijk. 'Weet je het zeker, Hendricks?'

'Bijna helemaal, meneer.'

Rechter Harrison wierp opnieuw een blik op de klok. 'Zeg haar dat ze moet wachten.'

'Ja, meneer.' De bediende stapte achteruit en sloot zachtjes de deur.

Rechthoeken van ochtendzon, in de vorm van de raamkozijnen, strekten zich lui uit over de vloer en verwarmden de kamer.

Rechter Shaw ging weer verder met zijn ochtend-schriftlezing. De bijbel op zijn schoot lag open bij Galaten. Hij las een pericoop. Hij nam hem niet op. Hij las hem opnieuw. En nog kon hij zich niet herinneren wat hij gelezen had. De inspiratie was weg.

Geïrriteerd gooide hij het boek op zijn bureau. Hoe dichter hij bij de zestig kwam, hoe meer routine er in zijn leven kwam. Rechter Shaw hield van routine, net als de meeste mannen die hij kende. Routine gaf het leven van een man een schijn van orde en vrede. Ieder die de routine van een man verstoorde, was net zo dom als iemand die een sluimerende grizzlybeer opporde met een stok. Mannen begrepen dat; zij respecteerden de routine van een andere man. Maar vrouwen leken de behoefte van een man aan routine noch te begrijpen noch te respecteren. Zonder erover na te denken porden ze de grizzlybeer op. En dan leken ze te schrikken als hij begon te grommen. Ze deden verbaasd, alsof ze niets verkeerds gedaan hadden.

'Hendricks!' riep hij.

De huisknecht verscheen opnieuw.

'Laat haar binnen.'

Even later ging de deur van de studeerkamer open.

'Juffrouw Nellie Bly,' kondigde Hendricks aan.

De rechter stond op. Zijn stijve knieën klaagden. Met een lengte van één meter drieënnegentig had hij meer tijd nodig om zich op te richten dan de meeste mensen. In zijn volle lengte torende hij boven zijn vrouwelijke gast uit. Zij stak haar hand uit. Die verdween totaal in de zijne.

'U bent vroeg,' gromde de grizzlybeer.

De hand van juffrouw Bly vloog naar haar borst. 'Ja? Ik hoop van harte dat ik u niet gestoord heb.'

Rechter Shaw zei niets; hij bood haar gewoon een stoel aan.

Hendricks ging de kamer uit en sloot de deur achter zich.

Juffrouw Bly begon al te praten nog voor ze helemaal zat. 'Ik dank u voor uw tijd, edelachtbare. Zoals u waarschijnlijk weet, schrijf ik voor de *Pittsburgh Dispatch*. Vooral verhalen over mensen.'

'Waarom denkt u dat ik dat zou weten?' zei rechter Shaw terwijl hij weer in zijn bureaustoel ging zitten.

Sinds ze de kamer was binnengekomen had juffrouw Bly dezelfde gezichtsuitdrukking gehad, alsof een beeldhouwer een hoofd gemaakt had met de titel *Hartelijkheid* en het op haar schouders gezet had. Nu wankelde het beeld. Wat was dat toch met schrijvers, dat ze ervan uitgingen dat iedereen bekend was met hun werk?

Maar het strekte juffrouw Bly tot eer dat ze niet over haar teleurstelling bleef tobben. 'Hoe dan ook,' ging ze verder, 'mijn redacteur benaderde mij twee dagen geleden...'

Hij hield zijn hoofd schuin. 'Hoe oud bent u?'

'Pardon?'

'Was dat een moeilijke vraag?'

Juffrouw Bly kneep haar lippen samen. Ze keek naar de lege pagina van haar aantekeningenblok voor ze reageerde. 'Met alle respect, edelachtbare, het is niet beleefd om een vrouw te vragen hoe...'

'Ik trek mijn manieren pas aan na tien uur. U bent vroeg. Beantwoordt u gewoon mijn vraag. Hoe oud bent u?'

'Achttien, edelachtbare.'

Rechter Shaw staarde de kamer door. Zijn geest schoot door voorbije jaren. *Dezelfde leeftijd*, dacht hij. *Dezelfde lengte.* De overeenkomsten waren intrigerend.

'Zoals ik zei, edelachtbare...'

Hij glimlachte. *Dezelfde energie en vasthoudendheid.*

'... mijn redacteur dacht, en ik was het daarmee eens...'

Ze is ronder, maar ze heeft dezelfde kwieke ogen, het teken van een kwieke geest. En dat kan gevaarlijk zijn voor een vrouw, vooral als ze ook nog een scherpe tong heeft.

'... dat het verhaal van uw vrouw een goede column zou zijn voor onze krant. Sterker nog, ik hoop dat het het eerste zal zijn van een serie verhalen over prominente vrouwen uit de geschiedenis van Pittsburgh. Als u het goedvindt, zou ik u graag een paar vragen over haar willen stellen.'

'Wat weet u over mijn vrouw?'

Juffrouw Bly glimlachte. 'Uw vrouw is mijn inspiratiebron. Toen ik voor het eerst...'

'Uw inspiratiebron? Hoezo?'

De ogen van de verslaggeefster straalden ergernis uit, maar ze hield haar mond.

De rechter grinnikte in zichzelf. *Dat* was helemaal niet zoals Tori.

'Zoals ik zei, edelachtbare, toen ik voor het eerst geïnteresseerd raakte in schrijven, las ik alles wat ik in handen kon krijgen, vooral kranten, want ik ben geïnteresseerd in journalistiek. Ik las elk artikel op elke pagina. Zelfs de overlijdensberichten. Daar zag ik voor het eerst dat uw vrouw was overleden. Er stond dat ze voor de *New York Herald* had geschreven. Dat intrigeerde mij, gezien het feit dat vrouwen in die tijd geen verslaggever mochten zijn. Ik deed wat onderzoek. Uw vrouw was een opmerkelijke vrouw, edelachtbare.'

'Hoe uitgebreid hebt u de tijden onderzocht?'

'De tijden?'

'De tijden, juffrouw Bly. Mensen leven niet in een vacuüm.'

Ze verstijfde. 'Ik weet dat, edelachtbare.'

'Goed, wat hebt u gevonden?'

Nellie Bly slikte moeilijk. 'Wat ik bedoelde, edelachtbare, is dat ik weet dat mensen niet in een vacuüm leven. Ik heb niet echt de tijden onderzocht waarin uw vrouw leefde.'

'Dan weet u niets over haar, juffrouw Bly.'

De verslaggeefster kronkelde in haar stoel als een studente die bezig was te zakken voor een mondeling tentamen geschiedenis. 'Ik heb ook niet gezegd dat ik de tijden niet kende.'

De rechter sloeg zijn armen over elkaar. 'Vertel eens.'

'Wel, ik weet bijvoorbeeld dat er in het midden van de jaren vijftig een periode van onrust is geweest. Dat de slavernij een onderwerp was dat grote verdeeldheid zaaide...'

De rechter waaide het weg met zijn hand. 'Afschaffing van de slavernij, de oorlog, ja, ja. Wat nog meer?'

Juffrouw Bly onderzocht het plafond alsof ze hoopte inspiratie van boven te krijgen. Ze klaarde op. 'De debatten tussen Lincoln en Douglas... en er werd goud ontdekt in Californië.'

Hij keek dreigend. 'Niet over het hele land, juffrouw Bly. Alleen het deel dat betrekking heeft op mijn vrouw.'

'Ik... ik weet niet precies wat u bedoelt, edelachtbare, tenzij u doelt op de rol van vrouwen.'

De rechter zuchtte diep. 'Geestelijk, juffrouw Bly. Wat weet u van de geestelijke toestand van het land in het midden van de jaren vijftig?'

Ze keek verbaasd. 'Bedoelt u religieuze geschiedenis? Dominees en zo?'

'Ik bedoel, juffrouw Bly, hoe was de geestelijke toestand van het land in die tijd?'

'Goed?'

De rechter viel achterover in zijn stoel.

Ze probeerde het opnieuw. 'Niet goed?'

'1857, juffrouw Bly.'

De verslaggeefster zocht in haar geheugen, terwijl ze voortdurend met haar hoofd schudde.

'Fulton Street,' zei de rechter.

Dat hielp haar ook niet.

'De oude North Dutch Church.'

Juffrouw Bly had er genoeg van. Ze ging verzitten in haar stoel. 'Verontschuldigt u mij, edelachtbare, maar als we terug kunnen gaan naar uw vrouw...'

'Geen wonder dat het er zo voorstaat met ons land als onze burgers onbekend zijn met de grote bezoeken van God!' verklaarde de rechter. 'Juffrouw Bly, als u niets weet over de opwekking van 1857-1858, dan weet u niets over mijn vrouw.'

Een tijdlang sprak geen van beiden.

'23 september 1857,' zei de rechter.

Juffrouw Bly keek hem aan.

Hij wees naar haar notitieblok. 'U schrijft niet.'

'Meneer?'

'23 september 1857. Schrijft u dat op.'

Ze schreef het op.

'Fulton Street. Twee minuten voor twaalf. De ochtend was begonnen als elke andere ochtend zonder enige aanwijzing van de gewichtige gebeurtenissen die spoedig plaats zouden vinden. We waren een generatie die op zoek was naar een ziel, juffrouw Bly. De unitariërs zochten daarnaar via de logica en de rede; de transcendentialisten keerden zich naar binnen. Het ene utopische gezelschap na het andere kwam op, hopend een ideale samenleving te scheppen. Wie van ons in de kerk bleef, bad om een opwekking. We hongerden daarnaar, juffrouw Bly. We hadden gelezen over vroegere tijden toen Gods Geest Zichzelf met macht en kracht geopenbaard had in Amerika – de Grote Opwekking in de jaren dertig en veertig van de achttiende eeuw, de Yale-opwekkingen in de jaren negentig en de opwekking in het Burned-Over District in New York in 1825. We baden dat God het opnieuw zou doen. En Hij deed het, juffrouw Bly. Hij deed het en Hij begon op 23 september 1857.'

Terwijl rechter Harrison Shaw zichzelf in een vertelhouding zette en begon te vertellen, nam Nellie Bly zijn woorden op in haar aantekeningenboek. Later, toen ze het interview uitschreef, gebruikte ze het verhaal als kadertekst.

Twee minuten voor het middaguur.

Een lange, achtenveertig jaar oude zakenman zit alleen in een zaal boven in de oude North Dutch Church in Lower Manhattan. Er ligt een stapel strooibiljetten aan zijn voeten.

Gebedssamenkomst
12.00 – 13.00 uur
Blijf 5, 10 of 20 minuten
of het hele uur als u daar de tijd voor hebt

Er ligt een vermoeidheid over hem van het soort dat dieper gaat dan vermoeide voeten of pijnlijke benen.
Drie maanden lang had Jeremiah C. Lanphier door de straten in de omgeving van de kerk gelopen om bijbels, traktaten, pleidooien voor geheelonthouding en strooibiljetten te verspreiden in het kader van een systematische campagne. Hij was ingehuurd door de beheerders van de North Dutch Church en hij bezocht elk huis en sprak met alle mensen. Hij wilde de religieuze toestand van alle gezinnen in de buurt bepalen. Hij had geen speciale training voor zijn onderneming gehad. Geen eerdere ervaring. Hij was een koopman, geen dominee. De beslissing om zijn zaak los te laten en het werk van God te doen voor een aanmerkelijk lager salaris was niet gemakkelijk voor hem geweest.
Toen hij eenmaal besloten had, echter, was Lanphier met enthousiasme aan zijn taak begonnen. Een van zijn meer succesvolle ideeën was om afspraken te maken met hotels en pensions om hun gasten een gebedsruimte te bieden. Kamermeisjes legden in alle kamers kleine kaartjes neer met de tijden van de kerkdiensten. Als er dan gasten een dienst kwamen bijwonen, hoefden ze alleen maar te zeggen in welk hotel ze verbleven en een portier zou hen naar een kerkbank leiden die speciaal gereserveerd was voor wie in dat hotel of pension verbleef.
De doordeweekse gebedssamenkomst had ook een goed idee geleken. Maar nu is hij daar niet meer zo zeker van.

Tien over twaalf
Lanphier slaakt een zucht.
Hij weet dat de buurt rond Fulton Street en William Street veranderd is sinds de North Dutch Church achtentachtig jaar gele-

den gebouwd werd. In die dagen werden de straten bevolkt door gezinnen; nu ziet men er vooral bedrijven. Het idee van een gebedssamenkomst voor zakenlieden leek logisch. Waarom kooplieden, arbeiders, klerken, vreemdelingen en andere zakenlieden geen gelegenheid geven om hun drukke dag te onderbreken en God aan te roepen? Ze konden komen en gaan wanneer ze wilden.
Lanphier heeft uitnodigingen en plakkaten laten drukken. Meer dan een maand lang heeft hij alle zaken in de omgeving bezocht. Het antwoord dat hij heeft gekregen is bemoedigend. 'Dat is wat deze stad nodig heeft!' heeft iedereen hem gezegd.
Toch tikken de minuten weg en hij is nog steeds de enige persoon in de zaal.

Tien voor half één.
Met zijn ellebogen op zijn knieën en zijn handen gevouwen, laat Lanphier zijn hoofd hangen.
Het idee van een gebedssamenkomst voor zakenlieden is geboren uit zijn eigen gebedsleven. Meer dan eens is hij thuisgekomen in zijn huis bij de kerk, vermoeid tot op het bot en ontmoedigd door de weinige vooruitgang die hij geboekt had.
Nu, terwijl zijn stem het enige geluid is in de zaal, herhaalt Lanphier de woorden die tot hem kwamen op de dag dat hij zich overgaf aan het werk van God:

> Aan Uw dienst, o Heer, wil ik mij verbinden
> dat niets van Uw kruis mij ooit scheid'!
> Daarin zal 'k mijn roem en vreugde vinden,
> kracht om te overwinnen altijd!

Half één
Hij staat op. Er komt niemand, *zegt hij tegen zichzelf.*
Hij gaat weer zitten. Nee, ik zal het uur uitzitten. Ik heb aangekondigd dat de zaal een uur lang open zou zijn voor gebed en zo zal het zijn.

Even later kraakt de trap. Er komt een man de zaal binnen. Hij zegt dat hij komt om te bidden.
Er komt nog een man.
Dan nog een en nog een en nog een, totdat er zes zijn.
Ze bidden en spreken af dat ze de volgende woensdag terugkomen.

Rechter Harrison Shaw leunde voorover in zijn stoel. Hij begon opgewonden te raken. 'De volgende woensdag kwamen er twintig tot dertig mensen bidden. De week daarna dertig tot veertig. Opwindend, maar nog niet wereldschokkend. Toen...'

Hij trok een la van zijn bureau open. Het eerste wat hij eruit haalde was een roze dameswaaier.

Juffrouw Bly glimlachte toen zij hem zag.

De blik van de rechter bleef even op de waaier rusten. Hij legde hem opzij en groef dieper tot hij vond wat hij zocht. Er viel een dossiermap boven op het bureau.

'Deze spreken uw taal.' Hij opende de map. Er zat een verzameling krantenknipsels in. Hij koos er een paar uit. 'De *New York Times*.'

Juffrouw Bly nam het artikel aan en las het met belangstelling.

Tijdens hun werk komen kooplieden, klerken en werklieden dag na dag samen om te bidden... Er is een theater omgebouwd tot kapel, kerken van alle denominaties zijn open en dag en nacht vol mensen.

De rechter gaf haar een ander. 'Dit is van *Harper's Weekly*.'

De christelijke kerken van het land zitten nu midden in een buitengewone opwekking, de grootste misschien wel die ze ooit gekend hebben. De beweging is zo groot dat het de algemene aandacht trekt... De meest onverschillige en meest ongelovige toeschouwers, zelfs zij die helemaal niet in Christus geloven, kunnen niet anders dan toezien, al is het maar uit verwondering, hoe het hart van bijna het hele land in beweging gezet wordt door één geestelijke impuls.

'Ook van *Harper's Weekly*,' zei de rechter, 'een standaardrubriek genaamd *The Lounger*.'

'Ik ken de columns van *The Lounger*.' Juffrouw Bly pakte het artikel aan.

Zelfs The Lounger *kan niet anders dan de algemene belangstelling voor de grote religieuze beweging van het moment opmerken. Als er op het middaguur in de drukste zakencentra van de stad zwermen mannen zich in allerlei richtingen haasten en een toeschouwer ontdekt dat ze niet naar de bank gaan en dat ze zich helemaal niet haasten om hun spaartegoed te redden, maar hun ziel; en wanneer hij voor het eerst in zijn leven ziet dat in een christelijke gemeenschap de christelijke kerken niet zes van de zeven dagen gesloten zijn, maar open; dat ze niet op één dag bezocht worden door een paar decoratieve luisteraars, maar meerdere keren per dag volgepropt worden met een menigte van gretige en geestdriftige mensen, dan zal hij natuurlijk hetzelfde doen als* The Lounger *– de menigte volgen en het toneel in zich opnemen.*

'En niet alleen in New York,' zei de rechter. Hij las hardop plaatsnamen op terwijl hij het ene na het andere verslag oppakte. 'Philadelphia. Chicago. Omaha City. Cleveland. St. Louis. Louisville. Baltimore. Hartford, et cetera.' Hij gaf een handvol knipsels aan juffrouw Bly.

Ze las één auteursnaam hardop. 'T.E. Campbell, het pseudoniem van uw vrouw.'

Kop na kop verscheen voor Nellie Bly, terwijl ze door de krantenknipsels bladerde.

New Haven, Connecticut – De grootste kerk van de stad twee keer per dag gevuld voor gebed
Albany, New York – Wetgevers van de staat gaan neer op hun knieën
Schenectady, New York – Het ijs op de Mohawk gebroken voor het dopen

'Uw vrouw was nogal geïnteresseerd in de geestelijke opwekking,' zei juffrouw Bly. 'Was dat misschien iets wat u beiden deelde?'

Rechter Shaw knikte. 'Ik was een van de zes mannen die aanwezig waren bij die eerste gebedssamenkomst in Fulton Street.'

'Hebt u elkaar zo ontmoet? In de kerk?'

De rechter leunde achterover in zijn stoel en vouwde zijn handen comfortabel op zijn buik. 'Juffrouw Bly, hebt u ooit gehoord van de rechtszaak die de kranten brachten als *De staat New York versus de North Dutch Church*?'

Er vormde zich een verwarde uitdrukking op het gezicht van de verslaggeefster.

'James Kittredge Jarves was de aanklager in die zaak. Ik voerde de verdediging.'

Juffrouw Bly trok haar wenkbrauwen op. 'U nam het op tegen de vader van uw vrouw?'

De rechter glimlachte. 'Ze was toen mijn vrouw nog niet. De uitkomst van dat proces zou onze toekomst bepalen. Ziet u, juffrouw Bly, ik had haar vader beloofd dat ik als ik het proces zou verliezen, niet met zijn dochter zou trouwen. En om te winnen, moest ik in een New Yorkse rechtbank niet alleen bewijzen dat de Heilige Geest bestond, maar ook dat Hij achter de buitengewone gebeurtenissen van die tijd zat.'

1

Harrison Shaw trok aan de mouwen van zijn rokkostuum. Eigenlijk was het niet zijn rokkostuum. Het was van de Newboys' Lodge in Brooklyn. Alle jongens gebruikten hem voor belangrijke gelegenheden. Isaäc Hirsch had hem gedragen bij zijn bar mitswa. Murry Simon was erin getrouwd. Murry – of misschien zijn bruid – had het geluk gehad dat het zijn maat had. Isaäc had dat geluk niet gehad. Toen hij hem gedragen had, hadden de mouwen ver over zijn vingers gehangen. Hij had eruitgezien alsof hij een verkleedpartijtje had en het kostuum van zijn vader had aangetrokken. Harrison had het tegenovergestelde probleem. De mouwen kwamen nog niet in de buurt van zijn polsen. Hij trok er opnieuw aan voor hij zijn hand uitstrekte naar de klopper op de deur.

Holle koperen leeuwenogen staarden hem aan. De mouw van zijn kostuum gleed naar de bovenkant van zijn arm toen hij de kaak van de leeuw opnam om te kloppen. Het metaal was koud. Hij rilde – niet van de kou van koper in de vroege winter, maar van een nerveuze opgewondenheid. Dit was de eerste keer dat hij zo ver de stad in was. Het was een intimiderende reis geweest, lopend langs het ene statige herenhuis na het andere. 'Millionaire Row,' noemde men het. Als de jongens van het tehuis hem nu eens konden zien.

Nerveus schoof hij zijn hand in zijn broekzak en voelde aan een enkele munt. Een zilveren dollar uit 1831 met een snee in de rand. Het was al zijn geluksmunt zo lang hij zich kon herinneren.

De klink rammelde. De deur ging open.

Er verscheen een dienstmeisje. Ze was zo klein dat ze eerst

naar zijn buik keek en toen haar ogen omhoog bewoog, op de manier waarop ze naar de spits van een kerktoren zou kijken.

'Bezorgen aan de achterkant,' zei ze en ze sloot de deur.

Harrison stond opnieuw oog in oog met de koperen leeuw. De leeuw grijnsde naar hem.

Hij klopte voor de tweede keer en dit keer boog hij zich voorover om met het dienstmeisje te praten op haar eigen niveau.

De deur ging open.

'Ik ben geen loopjongen,' flapte hij eruit. Hij sprak de woorden zo snel uit – om ze eruit te hebben voor zij de tijd had om de deur weer dicht te doen – dat ze eruit kwamen als één woord: 'Ikbengeenloopjongen.'

Zijn woorden troffen een man van middelbare leeftijd in een overjas.

'Gefeliciteerd, meneer,' zei de huisknecht, terwijl hij op hem neerkeek.

Kreunend rees Harrison in zijn volle lengte op. De bediende, voornaam en met grijze slapen, stak zijn hand uit met de palm naar boven.

Harrison greep de hand van de bediende en schudde die. 'Prettig u te ontmoeten. Ik heet Harrison Shaw. Ik word verwacht.'

De bediende staarde naar Harrisons hand alsof het een vis van drie dagen oud was. 'Uw visitekaartje, meneer.'

'O! Mijn visitekaartje!' Harrison trok schaapachtig zijn hand terug. Hij voelde in zijn zakken, zelfs al wist hij dat daar geen visitekaartjes te vinden waren.

De bediende bleef bewegingloos staan. Er hadden duiven op zijn arm kunnen landen.

'Eh... waar ik woon gebruiken we niet vaak visitekaartjes,' zei Harrison.

'Dat is schokkend, meneer.'

'Als u het gewoon even navraagt aan meneer Jarves. Ik weet zeker dat mijn naam ergens op een lijst staat. Of ik zou naar huis kunnen rennen om een briefje van mijn voogd te halen... een introductiebrief... bedoel ik, als u echt iets op papier nodig hebt.'

De bediende deed zijn hand naar beneden en stapte achteruit. Met een diepe zucht zei hij: 'Deze kant uit, meneer.'

Eerder die morgen, toen Harrison, nog midden twintig, uit bed gestapt was, had hij geweten dat de gebeurtenissen van die dag heel goed de koers van zijn professionele carrière in New Yorks rechtssysteem van eten of gegeten worden konden bepalen. Hij had hard gewerkt om zover te komen en vandaag zou hij heel goed het loon op zijn werk kunnen krijgen waar hij zo lang van gedroomd had. Als hij geweten had dat de stap over de drempel van dit herenhuis aan Fifth Avenue hem langs een serie stroomversnellingen zou doen schieten in een boot zonder riemen, dan had hij die stap niet zo gretig gezet.

Nooit eerder in zijn leven had Harrison in zo'n hal gestaan. Vier brede witte Korinthische zuilen staken uit naar de hemelen. Letterlijk. Boven zijn hoofd keken cherubs misprijzend op hem neer vanaf katoenen wolken tegen een gewelfde blauwe lucht. Hij staarde omhoog en draaide zich in een cirkel rond. Zijn voeten gleden moeiteloos over een vloer die zo glad was als glas.

Plotseling merkte Harrison dat hij en de cherubs alleen waren. De huisknecht was doorgelopen. Hij rende om hem in te halen.

Harrison volgde zijn escorte in een stevige pas door twee kamers, die allebei groter waren dan de gemeenschappelijke ruimte in Newboys' Lodge, toen door een gang met tapijt op de vloer en aan beide wanden portretten van goed geklede mensen die afkeurend op hem neerkeken toen hij voorbijging.

De bediende opende deuren die reikten van de vloer tot het plafond en gebaarde Harrison een zitkamer in. 'Wacht u hier. Niets aanraken.' De massieve deuren gingen dicht.

Harrison was alleen in een kamer die op een museum leek. Hij was niet verbaasd. Jimmy Wessler had hem gewaarschuwd dat rijke mensen graag veel vreemde en ongebruikelijke dingen verzamelden, niet alleen schilderijen en beelden van oude Grieken zoals de meeste mensen dachten. Jimmy wist die dingen omdat zijn oom advocaat was voor rijke mensen in Albany.

Twintig minuten lang bleef Harrison stevig staan waar de huisknecht hem achtergelaten had. Hij verdroeg zonder gemopper het gekriebel van de nauwe opstaande kraag terwijl hij zijn hoofd heen en weer draaide. Toen werd zijn nieuwsgierigheid hem te sterk en hij trok steeds dichter naar een gladde ronde tafel om beter te kunnen kijken naar een witte porseleinen olifant. Direct naast de olifant stond een oosters schaakspel van jade; en daarnaast een vaas beschilderd met een kruipende zwarte jaguar. En voor Harrison het wist was hij het interieur van de kamer binnengedrongen. Maar hij raakte niets aan.

Links van hem waren ramen die reikten van de vloer tot het plafond, met aan weerskanten rode fluwelen gordijnen. Achter de ramen was een kleine boomgaard van bomen met kale takken. Er viel een zacht licht op hem en op het vreemde assortiment verzamelstukken in de kamer.

Zich er pijnlijk van bewust dat hij geen geld had om iets te vervangen dat hij zou breken, navigeerde Harrison door de warboel in de kamer. Hij zigzagde om geborduurde voetensteunen, plompe sofa's en stoelen, kleine tafels beladen met kleinoden en kasten volgestouwd met porseleinen en glazen dieren heen.

Er hingen olieverfschilderijen aan de muur aan lange draden die tot het plafond reikten. Meest landschappen. Metalen plaatjes op de lijsten gaven zowel de namen van de schilderijen als van de schilders aan. *De levensreis* door Thomas Cole greep hem met zijn afbeelding van een jongeman, die met de helmstok stevig in zijn hand over de rivier van het leven voer. De vooruitstekende kin van de jongeman en zijn opbollende kleren suggereerden avontuurlijkheid en vastberadenheid. In de verte achter hem bevond zich een schitterend kasteel. Een engelachtig wezen keek van de oever op hem neer. De jonge man ging zo op in zijn einddoel, dat hij de schuimende zee en het ruwe water voor hem niet opmerkte.

Er waren meer interessante schilderijen in de kamer, maar die waren niet zo dramatisch. Er waren er verscheidene van Frederick Church met Zuid-Amerikaanse tonelen en een landschap van Asher B. Durand dat op een prominente plaats hing. Harrison had nog nooit eerder van een van deze schilders gehoord.

Naast het schilderij van Durand hing een kale houten lijst zonder schilderij. In de lijst bevond zich een stuk papier met een vouw en geel van ouderdom. Een brief, geschreven in het Frans. De handtekening fascineerde hem: de markies van Lafayette. Er schoot een rilling van opwinding door Harrison heen toen hij zich realiseerde dat hij centimeters verwijderd was van een bladzijde uit de correspondentie die was neergeschreven door de hand van een echte held uit de Onafhankelijkheidsoorlog. Een verwant van Jarves misschien?

Iets anders ving zijn blik. Iets laag op een tafel. Harrison draaide zijn hoofd om en zag een opgezette vogel die vanonder een glazen bol naar hem opkeek. In zijn ogen was een moorddadige glans als of hij plotseling door de dood gegrepen was en nog vol wraakgevoelens zat.

Het schepsel was klein en grijs met zwarte strepen rond zijn ogen, zodat het leek alsof hij een masker droeg. Zijn ogen waren met een hypnotiserende kracht op hem gevestigd en heel even kende Harrison de hulpeloze sensatie die een prooi voelt als hij weet dat hij gaat sterven. Het moment was meer dan zenuwslopend.

Harrison week ver van de tafel weg. De ogen van de vogel leken hem te volgen.

Nu hij erover nadacht, was het hele huis een beetje zenuwslopend – de glurende engelen in de hal, de strakke portretten in de gang, de verstarde vogel onder het glas. Het onbestemde gevoel was meer dan dat hij gewoon niet gewend was aan het vertoon van weelde. Het was een onderliggende donkere angst voor de plaats. Hij merkte opeens dat hij snakte naar frisse lucht – frisse *buitenlucht.*

Maar hij kon niet zomaar vertrekken. Meneer Bowen en de jongens thuis in het tehuis rekenden op hem. Wat zou hij hun vertellen – dat hij bang werd en wegrende voordat het gesprek begonnen was?

Hij haalde diep adem, nam wat afstand van de vogel en zocht naar iets wat hem wat afleiding kon geven. Iets zonder ogen.

Hij merkte dat hij naar beneden keek naar nog een glazen bol. Er bungelde een zakhorloge in aan een gouden ketting. Het was duidelijk van sentimentele waarde voor meneer Jarves, want het horloge zag er wel duur uit, maar het was beschadigd. Op de achterkant zaten krassen; een deel van het kristal was bedekt met roet. De wijzers van het horloge stonden stil om zestien minuten over één.

Toen Harrison zich voorover boog om er beter naar te kijken, merkte hij dat er iets nieuws in de kamer was. Iets dat er niet geweest was toen hij er binnen was gekomen. Hij was er zeker van. Een geur. Wat hem intrigeerde was dat de geur duidelijk niet paste in dit museum vol stoffige tapijten en oud hout en enge opgezette vogels onder glazen bollen.

De deurklink rammelde. De massieve deuren zwaaiden open. De huisknecht die hem in de kamer gebracht had, keek Harrison wantrouwend aan. Harrison stak zijn handen op om aan te geven dat hij niets had aangeraakt.

Alles aan de bediende zei: *Volg mij*. Het onder woorden brengen zou overbodig geweest zijn. De bediende draaide zich om en Harrison stapte plichtsgetrouw achter hem aan.

Hun reis was kort. Ze stapten door de gang waar de huisknecht een tweede paar dubbele houten deuren opende. 'Meneer Harrison Quincy Shaw,' kondigde hij aan terwijl hij opzij stapte.

Harrison liep de grootste bibliotheek binnen die hij ooit in zijn leven gezien had. Drie verdiepingen met boeken vulden de omtrek van de kamer en maakten klein door hun enorme aantal. Elk niveau kon bereikt worden via een van de drie paar ronde trappen. Harrison herkende de titels die het dichtst bij hem stonden. Niet dat hij ze gelezen had. Dit waren de boeken die geciteerd werden door de schrijvers die hij las.

Net voorbij het midden van de kamer zaten vier mannen samengeschoold bij een bureau. Ze zaten met hun ruggen naar hem toe. Ze spraken fluisterend en gaven geen aanwijzing dat ze zich ervan bewust waren dat hij was aangekondigd. Omdat hij niet wist wat hij moest doen, keek Harrison even naar de bediende, die zich geen zorgen leek te maken over hun gebrek aan reactie. Dus maakte Harrison zich ook geen zorgen. Hij trok aan de mouwen van zijn kostuum.

Vanuit de samenscholing kwam een stem, sterk en met gezag. 'Laten we verder gaan.'

De vier mannen draaiden zich om om naar Harrison te kijken. Ze droegen identieke zwarte pakken – allemaal met mouwen die lang genoeg waren om hun polsen te bedekken – en ze hadden identieke gezichtsuitdrukkingen, die de indruk wekten dat ze hun persoonlijkheden net weer hadden ingeleverd. Van de vier was er een opmerkelijk korter dan de anderen. Een ander had ruige witte bakkebaarden.

De toekomst van Harrison Shaw lag in hun handen.

2

Harrison voelde zich als een proefmonster onder een microscoop. Hij beantwoordde de serieuze starende blik van de vier mannen in het zwart, maar niet zonder problemen. Meneer Brown had hem op dit moment voorbereid. *Een man altijd in de ogen kijken, Harrison. Een man die de blik van een andere man niet kan verdragen is zwak, hij schaamt zich voor zichzelf of hij heeft iets te verbergen.*

Of hij is buiten zichzelf van angst, dacht Harrison. Zijn blik ging van man tot man. Harrison vroeg zich af wie van de vier de beruchte J.K. Jarves was.

Juist op dat moment stapten de mannen als een gordijn opzij – twee naar de ene kant en twee naar de andere kant – en daar, gezeten aan de tafel achter hen, was een vijfde man, die gezien zijn houding onmiskenbaar de baas was over alles wat hij zag.

Het gladgeschoren gezicht van J.K. Jarves onthulde een kaak van graniet. Zijn ogen stonden strak en hard, harder dan die van de koperen leeuw op de voordeur. Zijn stoel schuurde over de vloer toen hij oprees in zijn indrukwekkende lengte. En toen de man begon te spreken, kreeg Harrison een flits van begrip van hoe het moest zijn om voor God te staan op de dag des oordeels.

'Doet u een stap vooruit,' zei de stem.

Het verzoek was simpel. Het opvolgen ervan was echter niet zo simpel. Intimidatie is voor het geheugen wat een spons is voor een schoolbord en zomaar opeens was Harrison het verschil vergeten tussen vooruit en achteruit. Hij was er zeker van dat hij zijn voeten opdracht gaf om vooruit te gaan. Maar op de een of andere manier stapte hij achteruit, op de tenen van de huisknecht die op een bepaald moment blijkbaar achter hem was gaan staan.

Harrison mompelde een verontschuldiging en in een tweede poging stuurde hij zijn wankele knieën vooruit.

'U bent Harrison Shaw?' zei de stem.

Het was een belachelijke vraag. Een open deur – zo noemden ze dat in elk geval in het tehuis. Een vraag die eigenlijk geen vraag was. Een vraag met een antwoord dat zo duidelijk was, dat hij nooit gesteld zou moeten zijn. Jimmy Wessler was een meester in open deuren. Hij kon aan iemand die een half opgegeten broodje in zijn hand hield vragen waar hij op liep te kauwen. Of aan iemand die op een krant zat: 'Ben jij daarin aan het lezen?'

Harrison kon het niet helpen dat hij het grappig vond. Hier was hij, op het sollicitatiegesprek van zijn leven, en de eerste vraag die hem gesteld werd was een open deur. Hij was aangekomen op de afgesproken tijd voor Harrison Shaw. Hij was aangekondigd als Harrison Shaw. Ze hadden de papieren van Harrison Shaw voor zich liggen op het bureau. Wie zou hij anders zijn dan Harrison Shaw? Als Jimmy Wessler dezelfde vraag gesteld had, zou Harrison gezegd hebben: 'Nee, ik ben president Buchanans papegaai.' Echter, het was niet Jimmy Wessler die voor hem stond. Het was J.K. Jarves, zonder twijfel de meest gevierde advocaat in New York. Dus slikte Harrison moeilijk en zei: 'Ja, meneer. Ik ben Harrison Shaw.'

Maar er zijn impulsen die jou regeren; jij regeert hen niet. En voor Harrison zichzelf kon tegenhouden, voegde hij eraan toe: 'En u bent J.K. Jarves?'

Die woorden waren net vieze varkens. Ze gleden over zijn lippen, al deed hij nog zo zijn best om ze tegen te houden.

Hij betreurde ze onmiddellijk. De vier advocaten die even daarvoor nog als gordijn gediend hadden, fronsten allemaal naar Harrison. De man achter het bureau keek dreigend naar hem met die stalen ogen, die een gat in Harrison boorden, groot genoeg om een locomotief door te laten. Na een ongemakkelijke stilte waar geen einde aan leek te komen, ging hij achter het bureau zitten en begon een stapeltje papier te bestuderen dat Harrison herkende als zijn sollicitatiebrief voor de betrekking van J.K. Jarves' juridische stagiair.

Een tijdje werd er niets gezegd. Jarves las. De vier gordijnmannen keken toe hoe hij las. De huisknecht, die wat afstand had geschapen tussen hemzelf en Harrison, keek toe hoe Jarves las. Harrison keek toe hoe hij las. De man was het middelpunt van de wereld. Al het leven straalde van hem uit in concentrische cirkels.

Een minuut later klikte de deur achter Harrison in het slot. Hij zag dat de huisknecht vertrokken was.

Jarves nam een pen en gebruikte die om zich systematisch door het document te leiden. Hij begon aan een serie vragen. 'U bent zesentwintig jaar oud?'

'Ja, meneer.'

Jarves krabbelde een aantekening op de sollicitatiebrief. 'U hebt Washburn School of Law bezocht?'

'Ja, meneer.'

Jarves keek op. 'Waar is Washburn precies?'

'Brooklyn.'

'Werkelijk? Hmm.' Jarves keek weer naar het document. Hij schreef iets op. 'Er staat dat u als beste van uw jaar bent afgestudeerd.'

'Ja, meneer.'

'Hoeveel studenten stonden er ingeschreven?'

'Veertien, meneer. Nee, vijftien. Teddy Green is op tijd teruggekeerd van de boerderij van zijn vader om het eindexamen af te leggen. Wij dachten geen van allen dat hem dat zou lukken.'

Jarves staarde Harrison aan. 'Teddy Green is dus teruggekeerd?'

'Ja, meneer.'

'Dat was ons nog niet gerapporteerd. Nu kunnen we allemaal opgelucht ademhalen.'

Een van de gordijnmannen – die met de bakkebaarden – grinnnikte.

Nu de inleidende vragen gesteld waren, werd Harrison meer dan een uur lang beschoten met vragen, zowel persoonlijke als juridische. De vier gordijnmannen lazen om de beurt voor uit opstellen die hij op Washburn geschreven had. Ze bestreden zijn logica, zijn conclusies, soms allebei. Harrison verdedigde zijn stellingen.

'U hebt toch wel in de gaten,' zei een van de gordijnmannen, 'dat het een weergaloze eer zou zijn als u zou worden uitgekozen voor deze stage?'

'Het is al een eer om alleen maar in aanmerking te komen,' reageerde Harrison.

'Is dat zo?' Bakkebaard naderde Harrison. De man had een air van verwaandheid over zich. Hij deed geen poging om zijn oordeel over Harrison te verbergen. 'Hebt u in de gaten hoe een grote eer het voor u is om hier te staan? Om te staan op dezelfde plaats als kandidaten van Princeton en Harvard en Yale? Om in aanmerking te komen samen met mannen die eervol zijn afgestudeerd, als beste van hun jaar, aan de beste juridische opleidingen in Amerika?'

Voorzover Harrison wist, was Bakkebaard een rechter aan het Hooggerechtshof van de staat. Ondanks Harrisons eerdere vergissingen, begreep hij dat het aankwam op zelfbeheersing en discretie.

'Een man kan niet meer doen dan het beste halen uit de kansen die hij krijgt,' stelde Harrison. 'Ik heb niet de kans gekregen om de scholen te bezoeken die u genoemd hebt. Ik heb, door het offer van een goede vriend, het voorrecht gekregen om Washburn te bezoeken. Ik heb er alle vertrouwen in dat we daar dezelfde wet bestudeerd hebben als in Princeton en Harvard en Yale. Meneer, ik geloof dat ik het in de rechtszaal tegen alle andere sollicitanten kan opnemen.'

'Goed gezegd,' riep Jarves vanachter zijn bureau.

Harrison voelde een brok voldoening van het soort dat hij zich voorstelde te zullen voelen als in de rechtszaal een rechter zou besluiten in zijn voordeel.

'Er is nog maar één ding dat gezegd moet worden,' voegde Jarves eraan toe. Hij keek naar de gordijnmannen en toen naar Harrisons mouwen. 'Mooi kostuum.'

De huisknecht werd geroepen en Harrison werd teruggeleid op dezelfde manier als waarop hij binnengekomen was. Hij had geen illusies over de uitkomst van het gesprek. Hij troostte zich met de gedachte dat de ervaring hem een paar mooie verhalen had opgeleverd die hij aan de jongens van het tehuis kon vertellen, niet in de laatste plaats over de opgezette vogel onder de glazen bol.

Juist toen ze in de hal aankwamen, kwam er een schreeuw van een vrouwenstem van achter uit het huis. Geen angstige gil, maar een alarmkreet.

De hand van de huisknecht verstarde op de deurklink.

Voor Harrison het wist, werd hij omgeven door een troep bedienden die hem allemaal boos aanstaarden.

Een vrouwelijke bediende stapte op hem toe. 'Het zakhorloge van de meester is weg!'

De vier gordijnmannen kwamen aangerend.

'Het zakhorloge is weg!' vertelde ze hun.

J.K. Jarves zelf arriveerde.

'Uw zakhorloge, meneer,' rapporteerde ze voor de derde keer, 'die in de zitkamer onder de glazen bol. Het is weg!'

Alle ogen gingen naar Harrison.

De huisknecht die hem begeleid had stond tussen hem en

de deur. Aan de andere kant van Harrison waren twee rijen dreigende blikken.

Harrison wist dat hij het horloge niet opgepakt had, maar toch voelde hij zich schuldig. Ze staarden hem aan en wachtten op iets van een reactie. Hij had een sterke neiging om te bekennen.

Wat moest hij zeggen? Ontkennen dat hij het horloge meegenomen had, was precies wat iemand zou doen die schuldig was.

Hij kreeg de kriebels onder hun starende blikken. Zijn handen gingen naar zijn zakken. Zou hij ze binnenstebuiten keren en laten zien dat hij het horloge niet had? Maar dan, waarom zou hij dat doen? Waarom dachten ze dat hij degene was die het horloge had meegenomen?

Juist op dat moment voelde Harrison een onbekende bult in de zak van zijn kostuum. Zijn vingers voelden een dikke ronde vorm. En op dat moment wist hij precies hoe de opgezette vogel zich voelde. Hij was geschikt voor een plaats onder een glazen bol.

'Weet u iets over het vermiste horloge, meneer Shaw?' vroeg Jarves.

'Doorzoek zijn zakken!' riep Bakkebaard.

De huisknecht deed een stap in zijn richting.

Hun acties kwamen iets te snel, alsof ze het samen ingestudeerd hadden.

'Dat is niet nodig,' zei Harrison. Hij greep in zijn zak en haalde het horloge tevoorschijn.

Een dienstmeisje gaapte hem aan. De gordijnadvocaten lieten eenstemmig hun ontzetting horen. Iedereen praatte tegelijk. Te midden van dat alles was Harrison er zeker van dat hij iemand hoorde giechelen.

'Laat de politie komen,' eiste J.K. Jarves.

Niemand bewoog. Ze leken allemaal te wachten op Harrisons reactie.

'Ja,' reageerde Harrison. 'Ja, snel, laat de politie komen. Haast je.'

Iedereen viel stil. Ze staarden hem aan. Het was duidelijk niet de reactie die ze verwachtten.

Harrison wendde zich tot de huisknecht. 'Heb je meneer Jarves niet gehoord? Schiet op, man! Laat de politie komen!'

De huisknecht weifelde, onzeker wat hij moest doen. Hij keek naar meneer Jarves voor instructies.

J.K. Jarves liep naar Harrison toe. 'Een interessante reactie. Waarom bent u zo gretig om gearresteerd te worden?'

'Gretig om gearresteerd te worden?' riep Harrison. 'Zeker niet. Wat denkt u dat ik ben? Een sukkel?'

'Waarom moeten we dan de politie laten komen?'

'Om onrecht te voorkomen.'

'Onrecht?'

'Zeker, onrecht. Het ziet er niet naar uit dat er eerlijk naar mij geluisterd zal worden in dit gedoe, vandaar het onrecht. Ik verdedig mij liever voor een objectieve instantie.'

De oudere advocaat grinnikte wrang. Een arrogant gegrinnik. Het gegrinnik van een schaakgrootmeester die zijn volgende slachtoffer maakt. 'Verdedigen?' zei Jarves. 'Er valt niets te verdedigen, meneer Shaw. Kijk om u heen. Al deze getuigen hebben gezien dat u het horloge uit uw zak haalde.'

'Dat is waar,' gaf Harrison toe. 'Echter, ik geloof dat er ten minste één persoon is die kan getuigen dat ik niet degene ben dit het horloge in mijn zak gedaan heeft.'

Dat intrigeerde Jarves. 'En wie zou dat moeten zijn, meneer Shaw?'

Harrison haalde diep adem om zichzelf moed te geven. Hij was zich er zeer wel van bewust dat zijn reputatie en mogelijk zijn vrijheid afhingen van wat hij nu ging zeggen. 'Nou, ikzelf bijvoorbeeld,' begon hij. 'Ik weet dat ik het horloge niet in mijn zak gedaan heb.'

‘Een dief die zelf verklaart dat hij onschuldig is, dat is nauwelijks een verdediging, meneer Shaw.’

‘En de persoon die het horloge in mijn zaak gedaan heeft. Die persoon weet dat ik het horloge niet gestolen heb.’

‘Kunt u die persoon aanwijzen, meneer Shaw? Iemand die een misdaad zal toegeven?’

‘Ik geloof van wel, ja. Maar voor ik de echte misdadiger aanwijs, wil ik een getuige ondervragen.’

‘Een getuige?’ Jarves kneep nadenkend zijn ogen tot spleetjes. ‘U stelt mijn geduld op de proef, meneer Shaw.’

‘Eén enkele getuige, een die het onrecht kan verhinderen. Dat is toch niet te veel gevraagd?’

Jarves deed zijn armen over elkaar. ‘Goed dan, meneer Shaw. Roep uw getuige maar op.’

‘Dat kan ik niet,’ zei Harrison schaapachtig. ‘Begrijpt u me niet verkeerd, ik kan haar aanwijzen. Maar ik kan haar gewoon niet oproepen, omdat... wel, ik weet haar naam niet. Maar ze’ – hij wees door de volle hal – ‘ze staat verstopt achter die marmeren zuil daar.’

De bedienden die tussen Harrison en de marmeren zuil stonden, weken uit elkaar alsof zijn vinger een geladen pistool was. De pilaar kwam vol in het zicht. Niemand kwam erachter vandaan.

‘Ze is blijkbaar verlegen,’ zei Harrison.

‘Als je daar bent, kom dan tevoorschijn,’ beval Jarves.

Een hele tijd kwam er niemand. Toen, met een geruis van rokken, verscheen er een jonge vrouw. Ze was elegant gekleed, helemaal in het wit. Haar hoofd hield ze trots omhoog. Ze liep met een geoefende waardigheid.

‘Victoria?’ zei Jarves.

‘Nog een bediende?’ grapte Harrison.

De jonge vrouw schonk Harrison een vernietigende blik.

‘Mijn dochter,’ zei Jarves snel.

‘O.’

Jarves sprak haar aan. 'Victoria, schat, meneer Shaw beweert dat jij getuige bent van de diefstal van mijn horloge vanonder de glazen bol in de zitkamer.'

'Hij vergist zich,' zei Victoria.

Harrison stak een vinger op. 'Verontschuldigt u mij, meneer, ik heb nooit het woord *diefstal* gebruikt. In feite geloof ik niet dat er een diefstal heeft plaatsgevonden. Het is mijn bewering dat uw horloge, laten we zeggen, gebruikt is. En verder, verontschuldigt u mij, geloof ik dat dit *mijn* getuige is. Als u er geen bezwaar tegen hebt, geloof ik dat ik het recht heb om haar eerst te ondervragen.'

Jarves stak dreigend een vinger op. 'Vergeet niet dat u tegen mijn dochter spreekt.'

De waarschuwing was onnodig. Harrison had geen vrouw vanachter de marmeren zuil zien stappen, maar een godin die afdaalde van haar hemelse troon. Zoals paste bij haar positie, liet Victoria Jarves Harrison naar haar toe komen. Ze stonden onder een baldakijn van engelen die op hen neerkeken.

Harrison was om twee redenen zenuwachtig. In de eerste plaats was hij zich er ten volle van bewust dat hij terechtstond, hoezeer hij ook de houding aannam dat hij een eerlijk spel speelde. En in de tweede plaats was de schoonheid van juffrouw Jarvis zo overweldigend, dat het hem met stomheid sloeg, elke keer als hij naar haar keek.

'Juffrouw Jarves,' zei hij met zijn blik naar beneden zodat hij kon denken, 'eerder vandaag, toen u in de kamer was waar het horloge lag...'

'U vergist zich, meneer,' reageerde Victoria. 'Ik ben vandaag niet in de zitkamer geweest.'

'U bent er niet geweest?'

'Ik heb er in geen weken een voet gezet.'

'In geen weken? Weet u dat zeker?'

Victoria Jarves knikte, blij dat ze zijn aanname kon ontkennen.

Harrison krabde aan zijn kin en keek naar Jarves. De oudere advocaat glimlachte vermaakt. Achter hem vormden meesmuilende advocaten en bedienden de achtergrond.

'Laat ik u dan dit vragen, juffrouw Jarves,' zei Harrison. 'Vertelt u mij eens, wanneer hebt u voor het laatst in de kamer gekeken?'

'De deur naar de gang is altijd gesloten,' legde ze uit. 'Het kan zijn dat ik langs de kamer gekomen ben, maar ik heb er niet in kunnen kijken zonder er binnen te gaan.'

'U hebt er niet in kunnen kijken zonder er binnen te gaan. Dat is toch niet helemaal waar, juffrouw Jarves? Misschien kan ik de vraag toelichten. Juffrouw Jarves, wanneer hebt u voor het laatst in de kamer gekeken vanaf een andere plaats dan vanuit de gang?'

Victoria Jarves antwoordde niet meteen. Ze hield haar hoofd schuin en keek naar hem alsof ze probeerde zijn gedachten te lezen. Harrison bad dat ze daartoe niet in staat was, want als ze dat kon, dan kon ze zien dat tien procent van zijn gedachten bezig waren met het formuleren van de volgende vraag en dat negentig procent van zijn gedachten vurig verlangde zo dicht mogelijk bij haar te staan.

'Ik weet niet zeker of ik wel begrijp wat u vraagt,' zei juffrouw Jarves.

'Wat voor parfum gebruikt u?'

'Pardon?'

'Uw parfum. Heeft het een naam?'

Ze keek naar haar vader.

Hij haalde zijn schouders op.

'Desire du Paris,' antwoordde ze.

'Desire du Paris? Werkelijk? Hmm. Goed. Het is Desire du Paris. Vertelt u mij eens, juffrouw Jarves, hoeveel mensen er in dit huis nog meer Desire du Paris gebruiken.'

'Ik begrijp niet wat dat u...'

'U verknoeit onze tijd, meneer Shaw,' zei Jarves.

Harrison hield vol. 'Juffrouw Jarves, zijn er bedienden die Desire du Paris gebruiken?'

'Dat kunnen ze niet betalen.'

'Gebruikt iemand van deze heren advocaten, die allemaal zo netjes in het zwart gekleed zijn, Desire du Paris?'

'Meneer Shaw!' waarschuwde Jarves.

'Meneer Jarves, ik probeer gewoon het feit vast te stellen dat er maar één persoon in dit huis is die Desire du Paris gebruikt. Dat is een belangrijk feit, aangezien ik me duidelijk herinner dat ik die geur geroken heb toen ik in de zitkamer wachtte.'

Victoria begon iets te zeggen.

Harrison onderbrak haar. 'Juffrouw Jarves, probeert u het alstublieft niet te ontkennen. Het was uw geur die me er even geleden op wees dat u zich achter de marmeren zuil had verstopt.'

'Ik verstop me niet!' protesteerde Victoria Jarves.

'Maar u spioneert wel, toch, juffrouw Jarves? Als ik die kamer zou inspecteren of als ik de politie zou vragen die kamer te inspecteren, dan zou ik een geheime doorgang achter de muren vinden, nietwaar? Een die iemand toestaat om in de kamer te kijken zonder gezien te worden door iemand in de kamer. Was u mij aan het bespioneren, juffrouw Jarves?'

'Zeker niet!' sputterde juffrouw Jarves.

Harrison wees naar de hemelse koepel. 'Voor God, juffrouw Jarves. Bedenk, u getuigt voor God.'

Victoria keek omhoog. Er keken cherubs naar beneden.

Voor ze kon antwoorden, wendde Harrison zich tot Jarves: 'Maar hoewel ik geloof dat juffrouw Jarves de persoon gezien heeft die het horloge vanonder de glazen bol gepakt heeft, verklaart dat nog niet hoe hij in mijn zak terechtgekomen is, nietwaar?'

'U had een medeplichtige,' suggereerde Jarves.

'Dat lijkt zo. Echter, wat voor dief zou ik zijn als ik een

horloge zou stelen en tegelijkertijd iets van mijzelf zou laten stelen?'

Jarves snauwde: 'Waar heb je het over, Shaw?'

Harrison keerde zijn broekzakken binnenstebuiten om te tonen dat er niets in zat. De bedienden, de gordijnadvocaten, Victoria en zelfs Jarves zelf staarden naar de twee witte lappen die uit de zijkanten van Harrisons broek staken.

'Toen ik dit huis binnenkwam voor het sollicitatiegesprek, had ik een zilveren dollar in mijn bezit uit 1831. Hij had een snee net boven de linkervleugel van de adelaar. Het is een soort erfstuk. Ik heb het bij me als mijn geluksmunt. En waarom niet? Juist vandaag had ik een belangrijk gesprek. Ik herinner me duidelijk dat ik het tussen mijn duim en wijsvinger wreef net voor een van de dienstmeisjes mij voor een loopjongen aanzag. En nu is hij weg.' Hij schudde aan beide broekzakken. 'Hij is er niet.'

Harrison voelde zich belachelijk te kijk staan in de hal van een miljonairshuis aan Fifth Avenue met zijn broekzakken binenstebuiten. Het was niet precies zoals hij zich het verloop van het gesprek had voorgesteld.

'Dus, snel, laat de politie komen,' drong Harrison aan, 'want als ze juffrouw Jarves gaan ondervragen, dan geloof ik dat ze zullen ontdekken dat zij zich verstopt heeft in een geheime schuilplaats en dat ze de persoon kan identificeren die het horloge uit de zitkamer gepakt heeft. Verder geloof ik dat als ze de zakken van de bedienden gaan onderzoeken ze dan mijn zilveren dollar uit 1831 zullen vinden. Ik geloof dat ze net als ik zullen concluderen dat de persoon die de munt gestolen heeft dezelfde is als degene die het horloge heeft gepakt, om redenen die hijzelf het beste kent.'

De huisknecht, degene die Harrisons escorte was geweest, voelde aan zijn vestzak. Zijn ogen werden groot van schrik. Hij greep in de zak en haalde er een munt uit. Een zilveren dollar. Hij had een snee in de rand.

'Meneer!' riep hij met smekende ogen. 'Vertelt u het hem. Vertelt u het hem, meneer. Ik heb alleen maar gedaan wat me was opgedragen!'

Jarves liep kalm naar de huisknecht toe. Hij stak zijn hand uit. De man overhandigde hem de munt. Jarves draaide zich om en overhandigde hem aan Harrison. 'Meneer Shaw, u zult op een geschikt tijdstip op de hoogte gesteld worden van het resultaat van uw gesprek.'

Harrison werd naar de deur geleid.

Toen de deur gesloten was, stond Harrison buiten op de stoep. Zijn hart bonsde wild. Hij ademde een paar keer diep in. Toen zijn hartslag weer normaal was, kwam de teleurstelling.

Wel, dacht hij bij zichzelf, *je eerste uitstapje naar de stad is meteen ook je laatste.*

Het was dom geweest om iets anders te denken. Hij troostte zichzelf met de gedachte dat hij zo ver gekomen was in het sollicitatieproces. Dat zei toch wel iets? In elk geval zou het goed staan op zijn cv.

Hij trok aan de mouwen van zijn kostuum, haalde nog eens diep adem en slenterde de stoep af. Hij was vast van plan om de rij herenhuizen met hun statige zuilen, rijzige ramen en hun indrukwekkende gevels in zich op te nemen. De jongens thuis in het tehuis zouden niet geloven wat hij allemaal gezien had.

Toch, ondanks zijn voornemen goed te kijken, domineerde het beeld van Victoria Jarves zijn gedachten toen hij naar huis ging – haar onberispelijke bleke huid, het vrouwelijke ruisen van haar jurk, de uitbundige glinstering in haar ogen.

Hij merkte dat hij glimlachte toen hij bedacht dat hij, als hij terug was in het tehuis, Isaäc en Jimmy zou vertellen over de herenhuizen en over alle dingen die hij in de zitkamer gezien had en over de cherubs in de hal, maar dat hij de herinnering aan Victoria Jarves voor zichzelf zou houden.

Sommige schatten konden het beste goed opgeborgen worden om hun waarde te bewaren.

Het geluid van een bovenraam dat openging en het geflapper van gordijnen deed hem opschrikken uit zijn gedroom. Er spatte glas uit elkaar voor zijn voeten. Geschrokken sprong Harrison achteruit. De sterke geur van Desire du Paris spoelde over hem heen, zo sterk dat zijn ogen begonnen te tranen.

Harrison keek op naar het open raam. Er was niemand.

3

Met zijn polsen nog steeds onbedekt door een te klein kostuum stond Harrison Quincy Shaw op het x-vormige kruispunt waar Worth Street, Baxter Street en Park Street samenkwamen. Het waren de vele hoeken van dat kruispunt die Five Points zijn naam gaven. Hier maakte hij zich niet druk over hoe hij eruitzag. Five Points was geen Fifth Avenue. Het ging hier niet om wat hij aanhad. Wel om hoe hij in leven bleef.

In de verte klonk de bel van de vertrekkende veerboot. Er zou nog maar één oversteek zijn vanavond en als Stick niet gauw op kwam dagen, zou Harrison die missen.

Hij leunde tegen een straatlantaarn, waarvan de gasvlam nog niet brandde. De namiddagzon moest het nog alleen opnemen tegen de schaduwen. Hij verdeelde ze met zijn lichtstralen die tussen de gebouwen door vielen in ordelijke blauwgrijze vlakken. Het zou niet lang meer duren voor de schaduwen hun krachten zouden bundelen en de zon de wijk uit zouden gooien voor de nacht.

In zijn zorg om op tijd bij de rivier te komen om de laatste veerboot te halen overwoog Harrison om op eigen houtje zijn weg door de beruchte wijk te zoeken. Gelukkig had God hem een gezond verstand meegegeven en hij besloot dat hij beter op zijn begeleider kon wachten.

Er waren bepaalde wijken in New York waar een wijs man niet onuitgenodigd kwam. Five Points stond boven aan die lijst. Harrison had eens een politicus horen zeggen dat hij liever een gevecht met een indiaan aanging dan dat hij zich tussen de schepselen van Five Points zou wagen. Zelfs de politie meed het gebied.

Voor de tiende keer zocht Harrison de mensen op straat af. Stick had hem dertig minuten geleden moeten ontmoeten. Hij had de man nog maar één keer eerder ontmoet. Eerste indrukken waren sterk. Harrison herinnerde zich dat hij gedacht had dat hij die man nooit 's avonds op straat zou willen tegenkomen. Nu stond hij hier op diezelfde man te wachten en de avond viel snel.

Hij zocht naar een korte Ier met O-benen en met dunner wordend rood haar. Om de mond van de man zweefde altijd een spotlach en hij droeg een zwarte stok die hij in zijn riem gestoken had. Destijds had Murph – de leider van de Plug Uglies en degene die hem geïntroduceerd had – gegrapt dat de zwarte stok dezelfde was als degene die Sint Patrick gebruikt had om de slangen uit Ierland te verdrijven. Hij had voorspeld dat Stick hem zou gebruiken om de Fly Boys uit Five Points te verjagen.

Harrison had om de grap gelachen omdat hij het niet gedurfd had om dat niet te doen. Maar hij moest toegeven dat er humor in zat om Stick in het gezelschap te plaatsen van Sint Patrick. Hij vroeg zich af wat Sint Patrick daarvan zou hebben gedacht.

Murph was Harrisons gebruikelijke begeleider. Maar om onduidelijke redenen was hij vanavond niet beschikbaar. Hij had Harrison verteld dat Stick hem zou vervangen. Harrison had geprobeerd daar onderuit te komen, maar Murph had volgehouden dat hij met Stick veilig zou zijn. Harrison had besloten er niet over door te zeuren. Dat zou hem een minder mannelijke indruk hebben doen maken.

Van Stick had Murphy gezegd: 'Hij ziet er niet uit. Maar het is geweldig om hem aan jouw kant te hebben als hij woest is.'

Harrison wist dat nog zo net niet. Hij twijfelde aan zijn eigen verstand omdat hij een misdadiger betaalde om veilig te zijn voor misdadigers. Maar hij troostte zich met de gedachte dat gevaar nu eenmaal hoorde bij zendingsarbeid. Hij had dat pas achteraf ontdekt, maar het was werk dat gedaan moest worden. Hij zag Five Points als een grote morele onderneming die niet minder belangrijk was dan het werk van Adonirum Judson in Birma.

Het heroïsche geloof van Judson, de grote zendeling van het Andover Seminary, inspireerde hem – zijn achtendertig jaar lange arbeid om de Bijbel te vertalen in de taal van de oorspronkelijke bewoners; zijn hardnekkig volhouden ondanks gevangenschap en martelingen; zijn hartverscheurende aanvallen van moedeloosheid en depressie; en hoe hij volhield, ondanks de dood van zijn opeenvolgende vrouwen en van meerdere kinderen.

Five Points was Harrisons Birma.

Zelfs nu hij op het kruispunt stond, zag hij zichzelf als een zelfbenoemde zendeling en hij stak zijn kin vastberaden vooruit naar het schorem. Hij deed in stilte de gelofte dat de zak met eten die aan zijn voeten stond, bezorgd zou worden, hoe groot het gevaar ook was.

Zijn grootse droom werd afgebroken door een stem. 'Ah, de stier wil vandaag graag losgelaten worden in de wei, aan je gezicht te zien. Er zit een vrouw op je te wachten, hè?'

Zelfs al had Harrison naar hem uitgekeken, toch was het Stick gelukt om hem van achteren te besluipen. De kleurloze kleren van de man vielen helemaal weg tegen de kleurloze gebouwen. Terwijl zijn begeleider dichterbij kwam, vroeg Harrison zich af of Adonirum Judson ooit een begeleider gehad had die zo schrikwekkend of zo vies was als deze Plug Ugly.

'Het werd tijd dat je kwam,' zei Harrison. 'Het is bijna donker.'

'Wat sta je te mopperen? Ik ben er nu toch?'

Harrison bukte zich om de zak met eten op te pakken. 'Laten we gaan. Ik wil op tijd terug zijn om de laatste veerboot naar Brooklyn te halen.'

Stick snoof in de lucht. 'Oeioeioei! Moet je dat eens ruiken!'

'Wat?'

'Die meisjeslucht.'

Harrisons gezicht werd roodgloeiend. Desire du Paris. Zijn broekspijpen stonken ernaar.

'Dat is niets,' zei hij snel. 'Er werd wat op mij gemorst. Laten we gaan.'

Stick grijnsde gemeen. Zijn zwarte tanden werden zichtbaar. 'Je bent al bij een vrouw geweest, hè? Je stinkt naar haar. En nu wil je meer?' Stick was onder de indruk.

'Het is niet wat je denkt,' beet Harrison.

'Ik denk niks. Ik herken een meisjeslucht als ik die ruik.'

'Het wordt laat.' Harrison stapte de straat op.

Stick greep zijn arm. 'Je weet dat als we daarheen gaan, we dan de gans om een boodschap sturen in het hol van de vos.'

'Dat weet ik.' Harrison liep weer verder.

Weer stopte Stick hem. Hij schraapte zijn keel en hield zijn hand op. 'Ik heb geen cent, als je begrijpt wat ik bedoel.'

Harrison hield de zak met eten met één hand vast en zocht in zijn broekzak. Hij gaf Stick een zilveren dollar. Zijn geluksmunt. Het was pijnlijk om er afstand van te doen, maar hij had niets anders. Hij had zijn laatste geld uitgegeven aan het eten. Ergens diende de zilveren dollar nu nog steeds als zijn geluksmunt. Door hem aan Stick te geven zou hij met een beetje geluk levend uit Five Points komen.

'Hé! Wat probeer je me nu te leveren?' riep Stick. 'Deze is kapot.' Hij hield de munt op in het verdwijnende licht en liet zijn vinger over de rand gaan.

'Dat is een snee, dat is alles. Hij is net zoveel waard als elke andere zilveren dollar.'

'Zeker weten?'

Terwijl Stick de munt onderzocht, liep Harrison Baxter Street in.

Hij was nog niet ver gekomen toen er een andere wandelaar met gelijke passen naast hem kwam lopen. Harrison keek neer op het eenzame varken dat rustig voortliep. Hij zag er lelijk en woest uit, zijn huid zat vol afzichtelijke zwarte vlekken en hij stonk verschrikkelijk.

'Vriend van jou?' snoof Stick toen hij hem inhaalde. 'Hij houdt wel van die meisjeslucht, weet je.'

Het varken was van het verwaande soort. Hij weigerde te erkennen dat hij naast twee mannen met een lagere sociale status liep. Eerder die dag was Harrison op dezelfde manier gemeden toen hij langs Fifth Avenue liep. Na een paar blokken verliet het varken hen zonder beleefdheid of afscheidsgroet.

Toen ze tot het hart van Five Points doordrongen, kwamen de gebouwen steeds dichter op hen te staan. De straten werden smaller, soms waren het niet meer dan looppaadjes. De donker wordende lucht werd een deksel dat op de daken gedrukt was. De lucht werd zwaar van de geur van menselijke uitwerpselen en rottend hout. Hier woonden armoede en wanhoop.

Het gebied was verzadigd van mensen en toch bleven er steeds meer bootladingen vol immigranten aankomen die hoopten op een stukje van de Amerikaanse droom. Overvolle huizen leunden als dronken mannen tegen elkaar. Daken waren ingezakt. Gaten in plafonds en muren gaven 's zomers de zon en 's winters de wind en de sneeuw vrije toegang. In een vergeefse poging om warm te blijven hadden de bewoners kranten en in elkaar gepropte aanplakbiljetten in de scheuren gestopt.

Harrison had de buurt leren kennen via de Engelse romanschrijver Charles Dickens die na een tocht door New York City over Five Points had geschreven: *Waar de honden nog niet zouden willen liggen, daar werpen vrouwen, mannen en jongens zich neer om te slapen en zo dwingen ze de ontheemde ratten om op zoek te gaan naar een beter onderkomen.*

De straten waren nog erger. Zelfs met een stok dragende Plug Ugly naast zich, liep Harrison voorzichtig. Ze passeerden twee straatruzies binnen evenzoveel minuten, ze sloegen een dronkaard van zich af en ze stapten over drie mannen heen die midden op straat waren neergevallen. Uit deuropeningen werden ze in het voorbijgaan nagestaard door zware jongens. Prostituees riepen naar hen.

Op één straathoek zag Harrison twee haveloze meisjes in een ton met huisvuil wroeten. Ze verzamelden stukjes menselijk haar.

'Ze verkopen het aan pruikenmakers,' legde Stick uit. Hij snoof. 'Ze redden zich. Zestien uur per dag, zes dollar per week. Geen slecht bestaan.'

Een kleine jongen met een gescheurde bolhoed en een blind oog dook op uit het niets. Hij sprak Harrison aan.

'Een stuiver voor lucifers, meneer? Een stuiver voor lucifers?'

Dit beroep kende Harrison een beetje. Een van de krantenjongens van het tehuis was op die manier begonnen. Hij had tweeënzeventig luciferdoosjes gekocht voor vierentwintig cent. Toen had hij de lucifers uit de doosjes gehaald en met een touwtje bij elkaar gebonden. Op die manier kon hij vijfentwintig bundeltjes maken, die hij huis aan huis verkocht voor een stuiver per stuk. Harrison wilde de luciferjongen helpen, maar hij had al lucifers en geen geld.

'Loop door,' gromde Stick, 'of ik breek je de nek.'

De jongen rende weg.

'Dat was niet nodig,' zei Harrison.

'Wat gaat jou dat aan?'

Ze liepen een steegje door dat nauwelijks een meter breed was. De stank deed Harrison terugdeinzen. Om het ergste van de stank weg te nemen, drukte hij zijn onderarm tegen zijn neus. Het restje van het parfum van Victoria Jarves op de mouw van zijn kostuum bracht een lichte grijns op zijn gezicht.

'Wat doe je daar?' vroeg Stick. 'Denk je aan je meisje?'
'Ik probeer niet misselijk te worden.'
'Misselijk? Misselijk waarvan?' Stick keek beledigd.
'Loop maar door.'
De grond was drassig van modder en afval.
'Wat moet je met die mooie jas?'
'Wat bedoel je?'
'Het is een andere dan die je de vorige keer aanhad.'
In Sticks wereld hadden mensen maar één jas.
'Hij is niet van mij.'
'Je hebt hem gepikt?'
'Nee, ik steel niet. Het is een gemeenschappelijke jas. We delen hem met een paar jongens.'
'Raren.'
'Wat bedoel je daarmee?'
'Het ziet eruit alsof je de jas van je kleine broertje aan hebt.'
Harrison zuchtte. Als de deftige meneer Stick van Five Points zijn te korte mouwen opmerkte, was het de hoogste tijd om het kostuum niet meer te dragen.
'Hier is Baxter Street 87,' kondigde Stick aan.
'Wacht op me.'
'Ik dacht dat jij als een man het wel wat langer met dames zou uithouden.'
'Ik moet een pakket afgeven.'
'Dat had ik voor je kunnen doen.'
Harrison had de bezorgdienst van de Plug Uglies al twee keer eerder geprobeerd. Ze hadden een perfecte staat van dienst van niet bezorgen.
'Bedankt. Ik doe het graag zelf.'
'Doe er niet te lang over.' Stick keek over zijn schouder op een manier die Harrison zenuwachtig maakte.
'Hoezo? Is er iets mis?'
'Laten we zeggen dat de straten vanavond niet zo vriendelijk zijn.'

Als een Plug Ugly zei dat de straten niet zo vriendelijk waren, was dat hetzelfde als wanneer een Romeins soldaat tegen een christen zei dat de leeuwen in de arena er nogal hongerig uitzagen.

Harrison vond zijn weg door de plassen naar een overdekt trappenhuis dat de toegang vormde tot een bakstenen woonhuis met vier verdiepingen. Een golf vieze lucht die nog erger was dan die in het steegje, sloeg over hem heen. Harrison hield zijn hoofd gebogen als tegen een strakke wind en begon omhoog te klimmen.

Achter hem liep Stick rustig heen en weer met de handen in zijn zakken. Hij zong:

Daar was laatst een meisje loos.

Harrison bereikte de eerste verdieping. Het was er zo donker dat hij niets kon zien. Hij stak een lucifer aan. De lucht was zo smerig dat de lichtkring om de vlam bruin was. Nog twee plateaus, nog twee lucifers.

Met het pakket in de ene hand en een lucifer in de andere hand, kon hij zijn neus niet langer bedekken. Hij ademde door zijn mond, waardoor zijn maag zich omdraaide.

Op elke verdieping werd hij omgeven door lawaai – net zo smerig als de lucht. Naar elkaar schreeuwende mannen en vrouwen. Jammerende baby's. Slaande deuren. Roepende kinderen. Allerlei gevloek.

Toen hij de derde verdieping bereikt had, volgde Harrison zijn lichtgevende lucifer door de gang. Het plafond boven zijn hoofd was bedekt met gele druppels, als een vroege vorm van stalactieten. De muren waren groen en vochtig. Het was overweldigend om te bedenken dat hier mensen woonden. Dit was als de hel, erger dan alles wat Dante had verzonnen.

Harrison vond de deur die hij zocht en aarzelde. Het verbaasde hem dat hij hier niet eerder over nagedacht had. Zou hij aankloppen of zou hij het pakket voor de deur neerleggen? Hij wou net kloppen, toen hij iemand hoorde schreeuwen. Een vrouw schold haar zoon uit omdat hij zijn drinken op haar naaigoed had gemorst. Harrison trok zijn hand terug. Het was niet echt een goed moment voor een bezoekje. Hij knielde en zette het pakket tegen de deur. Toen bedacht hij zich – de lucifer ging uit en hij stak een andere aan – en hij zocht een potlood en maakte een aantekening op de zak:

Dit eten is voor Mouser en Katie en hun familie.

Hij begon zijn potlood weer in zijn zak te stoppen, maar bedacht toen dat hij nog een woord moest toevoegen.

Hosanna.

Hij was niet in staat om zijn omgeving nog langer te verdragen en hij haastte zich terug door de gang. Zijn voeten bleven bij elke stap aan de vloer kleven. Hij repte zich de drie trappen af. Toen hij het steegje intuimelde, duizelde zijn hoofd. Hij kokhalsde één keer, twee keer – en hapte tussendoor de stinkende lucht van het steegje naar binnen. Hij boog zich voorover en drukte zijn mouw tegen zijn neus en mond.

Hij verwachtte een hatelijke opmerking van Stick, maar hij hoorde er geen en keek op.

Stick was er niet.

Harrison keek om zich heen. Hij was alleen in het steegje. Zijn schaduw was zijn enige gezelschap.

Met knikkende knieën zocht Harrison zijn weg naar de straat. Hij had maar één simpele gedachte: *maak dat je zo snel mogelijk wegkomt uit Five Points.*

Hij ontmoette zijn eerste probleem. Eigenlijk waren er vijf

problemen, die samen de ingang van het steegje blokkeerden met wapens in hun handen. Eén stond er vooraan, de anderen stonden achter hem. De leider droeg een met vuil besmeurde zwarte hoge hoed. Zijn duim zat in zijn riem gehaakt; in zijn vrije hand hield hij een stuk hout.

'Het is goed, makkers,' zei Harrison. Hij probeerde zijn hoofd helder te krijgen en kalm te klinken.'Ik hoor bij Stick.'

Hoge Hoed deed een zwierige stap in zijn richting.'Dus jij hoort bij Stick?'

Harrison keek de straat door. Die was griezelig leeg. Niet meer dan een handjevol mensen – die zich allemaal uit de voeten maakten.

'Ja. Hij zou op me wachten. Ik weet zeker dat hij weldra terugkomt.'

'Horen jullie dat?' Hoge Hoed lachte. 'Stick zal *weldra* terugkomen.'

De andere vier lachten.

Hoge Hoed deed nog een stap vooruit.'We zullen je gezelschap houden tot hij terugkomt.'

De maagomdraaiende effecten van de stank waren nog niet voorbij, maar dat was nu de minste van Harrisons zorgen. Hij schatte zijn situatie in. Hij zat aardig ingesloten. Zelfs als het hem lukte om voorbij de vijf man te komen die het steegje blokkeerden, zou hij wel niet ver komen. De grond waar hij zijn voeten moest zetten was verraderlijk en hij was nooit een erg snelle loper geweest. Het was een mogelijkheid om terug te gaan naar het trappenhuis. Geen goede, maar het was een mogelijkheid.

Wat kon hij anders doen dan vechten of vluchten? Hij kon zijn sterke punt gebruiken. Hij was toch een advocaat. Getraind in debatteren. Woorden waren wapens en in dat gevecht was hij de vijf voor hem jammerlijk de baas. Misschien was dit het moment om uit te vinden hoe goed hij echt was.

Harrison deed zelfbewust een stap vooruit. 'Laat ik tegen je praten in woorden die je begrijpt. Dit is jullie territorium, hè? Goed, dat respecteer ik. Ik heb betaald voor mijn passage. Ik heb een overeenkomst met Murph en hij wees Stick aan als mijn begeleider. Hoewel er niets getekend is, is dat toch een contract, een waaraan de Plug Uglies gebonden zijn. Als jullie dat contract schenden, behandelen jullie niet alleen jezelf met disrespect, maar ook Murph en alle Plug Uglies.'

Hoge Hoed grijnsde kwaadaardig. 'Wij vermoorden Plug Uglies! Is dat niet zo, jongens?'

Gelach en dierlijk gegrom stegen achter hem op.

Het was een tactische fout, een die Harrison zich nog lang zou herinneren.

'En als je lang genoeg leeft om Stick terug te zien?' zei Hoge Hoed. 'Dan zul je je geld terug willen vragen, want ik denk dat het contract verbroken gaat worden.'

Harrison week achteruit.

In de verte luidde de bel voor de laatste veerboot naar Brooklyn. Het zag er niet naar uit dat Harrison die ging halen.

'Ik... ik ben geen bedreiging voor jullie,' zei hij. 'Ik ben hier alleen maar om te helpen.'

'Zien wij eruit als degenen die hulp nodig hebben?'

Hoge Hoed had een punt.

De vijf gingen om hem heen staan en sneden zo Harrisons terugweg naar het gebouw af.

'Dit hier is het grondgebied van de Fly Boys,' zei Hoge Hoed. 'En je maakt een fout door hier te komen zonder dat wij zeggen dat het mag. Ik wil dat je dat weet, zodat je weet wie het was die je vermoord heeft.'

Harrison zag de klap niet die hem tegen de grond sloeg, noch herinnerde hij zich dat hij viel. Het volgende dat hij wist, was dat hij met zijn wang in de modder lag terwijl er duizend olifanten op zijn rug en benen en hoofd dansten. Toen, juist toen hij het bewustzijn verloor, hoorde hij iets wat klonk als een indiaanse oorlogskreet, terwijl alle voeten om hem heen stampten en gleden en spetterden in de doodsdans van Five Points.

4

Het sollicitatiegesprek met Harrison Shaw schiep beroering onder de adviserende gordijnadvocaten. Eigenlijk waren er maar twee van de adviseurs praktiserende advocaten. Eén was er bankier. Eén was er rechter.

'De jongen heeft veel lef. Te veel voor iemand van die leeftijd,' zei de rechter.

J.K. Jarves zat comfortabel achter zijn bureau en de vier mannen benaderden hem om de beurt om hun zaak te bepleiten. Elk had een favoriete kandidaat, die ze al hadden uitgekozen voor de gesprekken begonnen waren. Jarves was niet zo dom om iets anders te denken.

'Shaw heeft zijn eigen tactiek tegen ons gebruikt. Dat toont vindingrijkheid.'

Rechter Edwin Walsh bulderde: 'Dat toont gebrek aan respect, als je het mij vraagt.'

'Hij zette het in elk geval niet als een baby op een brullen, zoals die Finley-jongen,' zei advocaat Aäron Sedgwick, de jongste van de adviseurs en een eerdere finalist in de selectieprocedure voor stagiairs.

Gustave Lieber lachte. 'Deed hij het niet in zijn broek?'

'Gustave,' zei Jarves, 'jij bent de enige onder ons die z'n brood verdient buiten de wetspraktijk. Wat is jouw indruk van meneer Shaw?'

Sedgwick leunde over naar Walsh. 'Let erop dat hij zegt: "buiten de wetspraktijk," niet: "buiten de wet."'

Daar werd om gelachen.

Lieber lachte mee. Meestal waren ze een hartelijk stel, dat er de voorkeur aan gaf om te genieten van hun rol als Jarves' adviseurs in plaats van onder elkaar om de macht te vechten.

Maar dat weerhield hen van tijd tot tijd niet van een levendige discussie.

'In het bankwezen,' reageerde Lieber, 'beoordeel ik sollicitanten naar hun afkomst. Ik wil een man die het bankieren in zijn bloed heeft. Zijn opleiding is ondergeschikt.'

'Toevallig,' zei Eli Hodge, die ruim twintig jaar ouder was dan de rest, 'heeft mijn kandidaat een vader die rechter is en een grootvader die gepensioneerd rechter is.'

'En hij heeft een tweederangs school bezocht,' zei Walsh.

'Yale is niet tweederangs!' protesteerde Sedgwick.

'Hoe dan ook, academici zijn geen vervanging van het bloed!' riep Lieber.

Jarves zei: 'Goed, Eli, wie raad jij aan?'

'Ik zet mijn geld op Whitney Stuart. Harvard. Beste van zijn jaar. Uitstekende referenties. *En* hij heeft bloed – een advocaat in de derde generatie.'

'*En* jij hebt schulden bij zijn vader,' voegde Lieber eraan toe.

'Dat is vertrouwelijk!' schreeuwde Hodge. 'Je beledigt mij daarmee. Voor alle duidelijkheid, mijn persoonlijke zaken hebben geen invloed op mijn advies.'

'Als je het maar gelooft!' spotte Sedgwick.

Terwijl zijn adviseurs debatteerden – naar elkaar schreeuwden – over de verdiensten van hun kandidaten, hield Jarves hen scherp in de gaten.

Sedgwick had het scherpste verstand. Hij was ambitieus en hij had de laatste drie jaar steeds geprobeerd om Jarves te bewijzen dat hij een fout gemaakt had door niet hem te kiezen voor de betrekking van stagiair. Zijn zwakheid was dat hij overreageerde. Als je hem in een hoek drukte, deed hij altijd iets impulsiefs en stoms.

Lieber was een gerespecteerde bankier met enorme gokschulden. Hij dacht dat niemand van belang het wist – Jarves wist het.

Eli Hodge was een gebroken man. Hij had onlangs zulke grote financiële verliezen geleden dat hij een faillissement had moeten aanvragen. In dezelfde tijd was zijn vrouw betrokken geweest bij een publiek schandaal. Ze was betrapt bij een schandelijke daad. Een vrouw van haar leeftijd nog wel.

Judge Walsh was aan de drank. Dat was geen geheim. Maar daardoor was hij kwetsbaar en hij wist het en daarom was hij in de rechtszaal graag bereid tot het treffen van schikkingen.

En hun opvattingen? Jarves maakte zich niet druk om wat zij dachten. Het was alleen maar show. Hij volgde nooit het advies op van zijn jaarlijks team van adviseurs. Hij volgde nooit iemands advies. Hij had zich zijn reputatie en vermogen verworven door te observeren en scherp te deduceren. Hij had om die reden zijn adviseurs gekozen. Ze waren hier niet om te adviseren. Ze waren hier om geobserveerd te worden.

Boven zat Victoria Jarves tot haar nek in het bubbelende water. De waterspiegel in haar bad golfde als een zee in een zware storm, zo heftig schrobde zij haar armen en benen. Ze gebruikte een gewoon stuk zeep dat ze van een van de dienstmeisjes gekregen had, geen geparfumeerde zeep uit haar kast. Soms stopte ze en dan alleen maar lang genoeg om aan haar armen te ruiken of er nog resten overgebleven waren van Desire du Paris. Dan schrobde ze weer verder met hernieuwde vastberadenheid.

Omdat het gedrag van zijn adviseurs vervelend en meer van hetzelfde werd – Sedgwick viel aan, Lieber bulderde, Hodge pleitte en Walsh stelde zich aan – trok Jarves zich terug in zijn eigen gedachten.

Hij bladerde in de sollicitatiebrieven op zijn bureau en las de opmerkingen die hij in de marges had geschreven:

Zo besluiteloos als een geit met twee koppen.
Hoe konden Sam en Amanda zo'n vreselijk lelijke nakomeling krijgen?
Waarom is die jongen zo gefascineerd door zijn neus?

Onder de laatste sollicitatiebrief lag een krantenknipsel uit de *New York Herald*. Het was de wekelijkse column van Horace Conant.

Deze week begint in het huis van de meest prominente advocaat van New York, J.K. Jarves, de jaarlijkse cotillon van advocaten. Voor hen die het evenement niet kennen: een troep hoopvolle jongens wordt onder de loep gelegd en zij strijden met elkaar om de Doornroosje onder de leerling-advocaten van dit jaar te worden. Al zeven jaar heeft Jarves deze vertoning van stijve boorden opgevoerd. Eerdere winnaars zijn allemaal succesvolle advocaten geworden, waaronder Lenox Beckwith (1853) die nu als gouverneur van New Hampshire gekozen gaat worden en Roger Dorr (1851) die gekozen is in het Huis van Afgevaardigden. Elk jaar wordt de competitie heviger. Tientallen sollicitanten van de beste scholen van het land komen erop af. En daarom begint deze verslaggever te twijfelen aan Jarves' motieven, of zelfs aan zijn bekwaamheid. Misschien mis ik iets, maar welke bekwaamheid is er nodig om een race te winnen als men zijn paard kan kiezen uit de beste stallen van het land? Als de onnavolgbare J.K. Jarves echt de scherpe mensenkenner is die hij zegt te zijn, laat hem dan een lokale knol uitkiezen en hem in een raspaard veranderen. Maar helaas, het is veel gemakkelijker om op je lauweren te rusten, wat niet alleen afzichtelijk is, maar ook niets anders tot gevolg heeft dan platgedrukte lauweren.

Jarves tikte met zijn wijsvinger op het artikel. Het debat was nu luider dan toen hij het had gelaten voor wat het was.

'Academici, heren! Hij heeft de academische kwalificaties!'

'Bloed, bloed, bloed!'

'Drie generaties! Grootvader, vader, zoon!'

Jarves stond op en daarmee sloot hij het debat. 'Dank u, heren. Ik zal jullie adviezen overwegen.'

Te oordelen naar de uitdrukking op hun gezichten waren ze nog maar net begonnen met het geven van hun adviezen. Niettemin maakte elk van hen zich, ieder op zijn eigen manier, klaar om te vertrekken.

'Heb je je beslissing genomen?' vroeg Lieber.

'Gustave,' zei Jarves, 'je weet dat ik mijn keus nooit bekendmaak voor de officiële aankondiging.'

Sedgwick ving een glimp op van Conants column op het bureau. Hij was het die hem had uitgeknipt en aan Jarves had gegeven. 'Ik hoop wel dat je je niet door die mislukte journalist laat verleiden tot iets stoms.'

Jarves reageerde alleen met een glimlach.

Sedgwick begon zich zorgen te maken. 'J.K., zeg alsjeblieft dat je niet serieus nadenkt over die boerenkinkel uit Brooklyn?'

'Ik vond zijn kostuum mooi,' zei Jarves.

Hij leidde hen naar de deur en bedankte elk van hen voor het investeren van hun tijd.

Eli Hodge vertrok als laatste. Jarves schudde hem de hand.

Hodge klampte zich aan hem vast. Hij overtuigde zich er van dat de anderen buiten gehoorsafstand waren en fluisterde toen: 'J.K., ik wil je bedanken dat je me deze laatste paar maanden hebt bijgestaan, terwijl alle anderen me in de steek lieten. Jij bent een echte vriend en ik sta voor altijd bij je in het krijt. Ik wilde gewoon dat je dat wist.' Er waren tranen in zijn ogen.

'Je zult gauw weer betere tijden krijgen,' zei Jarves.

Maar dat zou hij niet. En Jarves wist het.

5

Harrisons terugkeer naar het bewustzijn begon ermee dat hij licht zag. Het was helder. Even dacht hij dat hij weer elf jaar oud was en aan zijn tafel bij het schoolraam zat en zijn ogen dichtkneep tegen de zon. Alleen herinnerde hij zich niet dat hij op school zoveel pijn gehad had en vieze modder geproefd had waar iets in zat van wat? Wat het ook was, het deed hem denken aan meisjes.

Hij kreunde. Zijn wang was nat en koud alsof hij met zijn hoofd in een schaal met pudding lag. Een golf van pijn spoelde door hem heen van zijn hoofd tot zijn voeten. Met de pijn kwamen de beelden van een hoge hoed en sadistisch spotlachen. Harrison probeerde zijn hoofd op te richten. Grote vergissing. De poging zorgde voor een serie explosies in zijn nek. Hij verslapte. De pijn werd minder, maar niet veel.

Er porde hem iemand zachtjes in de ribben. Hij huiverde. Waarom konden ze hem niet met rust laten?

'Niet meer,' klaagde hij. 'Alsjeblieft, doe me geen pijn meer.'

Weer een zachte por. Meer pijn. *De sadistische varkens!*

Hij hoorde een knor. Weer een zachte por en weer een knor. Het was een varken!

Vervolgens hoorde hij baggerende voetstappen.

'Ksst! Ksst! Ksst, varken! Ksst!'

Harrison beschermde zijn ogen met een mouw die zwaar was van de modder. Hij zag een jongen een zwijn met een huid vol zwarte plekken wegjagen. Het leek hetzelfde beest dat hem vergezeld had toen hij Five Points inliep. Wanneer? De vorige avond? Had hij de hele nacht hier gelegen?

'Harrison? Ben jij dat?'

Een bekende stem – en de reden waarom Harrison Five Points binnen was gegaan. Hij had een zak eten bij de voordeur van de jongen gelegd.

'Wat doe je daar in de modder?'

'Mouser? Help me eens overeind.'

Zelfs met hulp kon Harrison niet meer doen dan omrollen en rechtop gaan zitten. Daarna had hij rust nodig voor hij zijn benen kon proberen.

De jongen die hem hielp was tenger voor zijn leeftijd en had een lichte huidskleur. Harrison vermoedde dat hij een jaar of vijftien was. Hij droeg altijd dezelfde afgedragen kleren en de pet van een krantenjongen. Hij had intelligente ogen en hij was dapper. Dat verklaarde hoe hij in Five Points kon overleven.

'Tjonge, ze hebben je goed te pakken gehad.' Mouser schudde zijn hoofd. 'Ze hebben Stick nog erger te pakken gehad.'

Pas toen Mouser hem erop wees, bemerkte Harrison dat hij naast iemand lag. Het verfrommelde lichaam van Stick lag zo dichtbij dat hij het kon aanraken. Zijn ogen waren half open.

'Is hij...?'

'Dooier dan het vlees op je bord,' zei Mouser.

Harrison staarde naar het lichaam naast zich. Het was zo diep in de modder getrapt, dat het leek alsof de aarde haar bezit opeiste. Stof tot stof.

Hij kon het niet helpen dat hij Stick bewonderde. Hij was teruggekomen, waarschijnlijk met versterkingen. Dat kon verklaren waarom Harrison vanmorgen rechtop kon zitten en kon ademen en de dingen kon doen die levende mensen doen.

'Waren het de Fly Boys die je te pakken hebben genomen?' vroeg Mouser. 'Het waren de Fly Boys, hè? Tjonge, ik zal je wat vertellen. We zullen die stinkende Fly Boys krijgen en ze zullen wensen dat ze er nooit over gedacht hadden om Canal Street over te steken. Wacht maar af. Je zult het zien.'

Er spoelde een golf van misselijkheid over Harrison heen. Hij zette een hand in de modder om overeind te blijven en hij voelde iets hards. Het was kleiner dan zijn hand. Plat. Rond. Hij pakte het op. Het was zijn zilveren geluksdollar. Degene die hij gebruikt had om Stick te betalen voor zijn bescherming.

'Wat is dat?' vroeg Mouser.

Harrison liet de munt in zijn zak glijden. 'Niets. Help me maar overeind.'

'Goed. We kunnen beter maken dat we hier weg komen.'

Mouser slipte en gleed terwijl hij de langere Harrison overeind hielp uit wat een modderig graf had kunnen zijn.

Stemmen in de straat stoorden hen. Twee kletsende meisjes. Allebei in kameniersuniform. Eentje keek naar Harrison en ze stopten met praten. Ze haastten zich voorbij het steegje.

Nu hij op zijn voeten stond, was Harrison draaierig. Hij moest heel stil staan om de opkomende misselijkheid weg te slikken. De laatste keer dat hij zich zo gevoeld had, had hij drie dagen met griep in bed gelegen. Mouser, zijn wandelstok van vlees en bloed, ondersteunde hem geduldig. Harrison deed een stap. Toen nog een. Alles leek te werken. Niet goed en het kon beter, maar het werkte.

'Wat doen we met Stick?' vroeg Harrison.

'Er zal wel iemand komen om hem te halen. Zo gaat dat in Five Points. Stick wist dat. Ik denk dat hij wist dat hij op een dag zou sterven in een gevecht met die stinkende Fly Boys.'

'Ik dacht dat hij er gisteravond vandoor ging.'

'Stick? Die is er in zijn leven nog nooit vandoor gegaan.'

'Hij is gestorven om mij te beschermen.'

Harrison realiseerde zich dat als een stomp in de maag, een

dubbele klap. Een snelle één-twee. Woede en misselijkheid. Woede over de zinloze wreedheid van de dood; misselijkheid omdat hij het zelf had kunnen zijn.

'Jammer, dat ik dat gevecht nu net heb gemist!' riep Mouser. De jongen leek oprecht teleurgesteld over de gemiste kans en onaangedaan over de dood.

Harrison staarde neer op zijn helper. Wat voor wereld was dit, waarin een jongen als Mouser moest opgroeien met geweld en dood, waar vuil en stank en ziekte aan de orde van de dag waren? Mouser zou geluk hebben als hij lang genoeg leefde om zijn twintigste verjaardag mee te maken.

'Ik heb gisteravond iets bij je deur achtergelaten,' zei Harrison. 'Heb je het gekregen?'

Mouser staarde hem met een lege uitdrukking aan.

'Je hebt het niet gekregen?'

'Wat gekregen?'

'Ik heb het voor je deur achtergelaten. Een zak.'

Mouser veegde zijn neus af met de rug van zijn hand. 'Iemand moet het hebben meegenomen.' Hij leek zich er niet erg druk om te maken.

Harrison nam het zichzelf kwalijk. 'Ik wist wel dat ik had moeten kloppen.'

Mouser keek niet op en zei niets.

'Wacht even,' zei Harrison. 'Was de zak weg, of heb je hem gewoon niet gezien?'

Mouser ontweek zijn blik. 'Je kunt beter maken dat je hier wegkomt, Harrison, vriend. Die Fly Boys kunnen elk moment op komen dagen.'

Harrison keek om zich heen. Er was geen onmiddellijk gevaar. Het verkeer op straat bestond uit mensen die naar hun werk gingen – bedelaars, dronkaards en prostituees. Het was een gewone morgen in Five Points. Toegegeven, er kon gevaar loeren om elke hoek, maar desalniettemin was Mouser bezig de vraag te ontwijken.

'Je bent gisteravond niet thuis geweest, hè?' vroeg Harrison.

Mouser snoof.

'Waar ben je geweest? De weddenschappen bij Crown's Grocery?'

'Hé! Je hoeft me de les niet te lezen! Daar verdien ik mijn geld mee.'

'Mouser! Ik heb je voor die plek gewaarschuwd! Het is daar niet veilig voor jou.'

'Kijk, ik kan dik geld verdienen met wedden. Dus laat me met rust, goed? Ik kan wel voor mezelf zorgen.'

Harrison vond het niet leuk, maar wat kon hij eraan doen? Van hen tweeën was hij niet degene die in de positie verkeerde om iemand de les te lezen over het vermijden van gevaar. Ze sjokten in stilte voort door de modderige straat. Harrisons benen kregen langzaam hun kracht terug.

'Beloof me dan dat je naar huis gaat en je moeder en zus in de gaten houdt,' zei Harrison. Hij kon het niet laten rusten.

'Ik ben al druk genoeg met jou te helpen!'

'Alleen maar naar Park Street. Daarna ga je direct naar huis. Beloof het me. Kijk of ze de zak met eten gekregen hebben die ik voor de deur gelegd heb.'

'Je had hem niet in de gang moeten laten liggen. Hij is vast door iemand meegenomen.'

'Goed, je gaat naar huis en je zoekt dat voor me uit? Beloofd?'

Met tegenzin gaf Mouser toe.

'En groet je zus van me.'

'Ze is naar haar werk.'

'Dan doe je het als ze thuiskomt.'

Mouser bleef doorlopen.

'Doe je het?'

Geprikkeld zei Mouser: 'Ik doe het! Ik doe het! Zo goed?'

'Dank je wel.'

Ze naderden Park Street en er was geen teken van Fly Boys of Plug Uglies.

Mouser kneep zijn ogen tot spleetjes. 'Waarom ben je trouwens zo geïnteresseerd in mijn zus?'

Harrison haalde verlegen zijn schouders op. 'Ik ben niet speciaal in haar geïnteresseerd. Ik vind haar gewoon aardig, dat is alles.'

'Aardig. Is dat zoiets als liefde?'

'Zoiets.'

Mouser bleef staan. Hij stapte van hem weg en rechtte zijn schouders. 'Je bent verliefd op haar, hè?'

'Ik maak me zorgen. Is dat een misdaad?'

'Je bent verliefd op haar!'

Harrison bleef alleen doorlopen. Het was meer een soort strompelen. 'Vergeet maar wat ik je gevraagd heb.'

Mouser sneed hem de pas af. 'Je blijft met je handen van mijn zus af, Harrison, vriend. Heb je dat begrepen?'

De woede van de jongen was echt, zelfs komisch. Harrison onderdrukte een grijns.

'Ik meen het! Je blijft met je handen van Katie af.'

'Ik zal je zus niet aanraken,' zei Harrison.

'Ik moet niet horen dat je met je handen aan haar gezeten hebt, of het zal je slechter vergaan dan Stick.'

Ze hadden Park Street bereikt.

'Bedankt voor je hulp, Mouser.'

'Onthoud maar wat ik over mijn zus gezegd heb!'

Hij meende het. Harrison kon het zien in zijn ogen.

'Dat doe ik. En nogmaals bedankt. Ga nu naar huis.'

Maar Mouser ging niet naar huis. Hij bleef aan de rand van Five Points staan kijken hoe Harrison naar de landingsplaats van de veerboot hinkte.

6

Was er een van de andere bewoners van Newboys' Lodge de hele nacht weggebleven en dan bont en blauw geslagen teruggekomen, dan had hij zeker een reprimande gekregen. En als het al eerder gebeurd was, zou hij weggestuurd zijn. Drinkgelagen werden vaak genoemd als reden voor heenzending.

Toen Harrison vol bloed, modder en blauwe plekken het tehuis binnen kwam zetten, werd dit soort maatregelen niet genomen om twee redenen:

In de eerste plaats omdat het idee dat Harrison Quincy Shaw zichzelf onder tafel zou hebben gedronken belachelijk was. Zijn weerstand tegen alle lichamelijke verdorvenheden was goed gedocumenteerd in de geschiedenissen van het tehuis, die door Isaäc Hirsch als onofficiële verteller van het tehuis werden bijgehouden. Sinds het tehuis te maken had gekregen met zeelieden en zwervers, was de ene verdorvenheid na de andere steeds weer opgedoken, zelfs al hingen er in elke ruimte huisregels die die dingen uitdrukkelijk verboden. Telkens als er een gelegenheid kwam om de regels te breken, hoefde Harrison het aanbod nooit af te slaan. Hirsch deed het voor hem. Meestal in de vorm van een klaagzang:

'Shaw rookt niet.'

'Shaw pruimt niet.'

'Shaw drinkt niet.'

'Shaw vloekt niet.'

'Shaw komt niet op dat soort plaatsen.'

Wat onvermijdelijk de vraag opwierp of Harrison Shaw wel menselijk was.

Voor Harrison was het niet zozeer een morele beslissing – al speelden zijn persoonlijke opvattingen er wel een rol in –

het was vooral een praktische. Hij had één keer geprobeerd om te roken. Hij was er misselijk van geworden. Hij had geprobeerd om tabak te pruimen. Hij was er misselijk van geworden. Hij had een slokje jenever geprobeerd. Hij was er misselijk van geworden. Hij zag vloeken als een teken van een zwakke geest en hij zag te veel mannen die leden onder de gevolgen van sociale tekortkomingen om dat risico te willen nemen.

De tweede reden dat er geen maatregelen genomen werden tegen Harrison omdat hij had gevochten in Five Points was omdat de directeur George Bowen Harrisons verhaal geloofde. Bowen keurde Harrisons tocht door Five Points niet goed, maar hij kon Harrison zijn missionaire motieven niet kwalijk nemen. Harrison had hem niet verteld van zijn opkomende gevoelens voor Katie.

Harrison Shaw was Bowens favoriet. Iedereen wist dat. Het was geen probleem, omdat Harrison het nooit uitbuitte. Hij zorgde voor zichzelf en gedroeg zich naar behoren.

Oorspronkelijk had George Bowen Newboys' Lodge gesticht om een tijdelijke goedkope huisvesting te bieden aan het groeiende aantal krantenjongens dat in portieken en steegjes sliep. Maar door de jaren heen was het uitgegroeid tot een tehuis voor een beperkte groep wezen en een goedkoop onderkomen voor zeelieden die maar een nacht of twee bleven. Omdat hij er al woonde zolang hij zich kon herinneren, was Harrison een van de oudste bewoners. George Bowen was degene die in zijn leven het meest op een vader leek.

Toch bleef Harrisons uitstapje van een hele nacht naar Five Points niet geheel zonder gevolgen. Isaäc Hirsch praatte niet meer met hem. Isaäc was van plan geweest om het gemeenschappelijke kostuum te gebruiken om een meisje het hof te maken. De tijd en de plaats waren al afgesproken en het meisje wilde – volgens Isaäc – erg graag. Maar nu had hij niets passends meer om aan te trekken.

Harrison zat op de rand van zijn bed in de bijna donkere slaapzaal. Hij had net een nieuwe verbale aanval over zich heen gekregen van Isaäc, die hem ervan beschuldigd had dat hij zich meer druk maakte over zijn eigen heiligverklaring dan over het liefdesleven van een medebewoner.

Isaäc stormde George Bowen voorbij die binnen kwam lopen.

'Laat mij eens naar dat oog kijken,' zei Bowen.

Hij ging voor Harrison staan en boog zich voorover om te kijken. Hij boog zich niet ver. Bowen was een kleine man met een hartelijke manier van doen. Maar het was een vergissing om zijn vriendelijke natuur aan te zien voor zwakheid. Iedereen die hem tegenkwam zou dat al snel tot zijn schade ontdekken. Harrison kon zich maar twee gelegenheden herinneren waarbij de politie was ingeschakeld om een onhandelbare gast in toom te houden.

'Het is nog dik. Kun je ermee zien?'

'Een beetje wazig, alsof ik door een gat in een hek kijk,' antwoordde Harrison.

Bowen drukte op het dikke deel. Harrison kromp in elkaar.

'Je oog is rood in de hoek. Het ziet eruit als een uiteenspattende vuurpijl.' Bowen stapte achteruit, maar bleef naar het oog kijken.

Harrisons vroegste herinneringen waren van Bowen die voor hem zorgde. Die hem naar bed stuurde. Die zijn geschaafde knie verbond. Die luisterde naar zijn verdriet.

'O! Voor ik het vergeet. Dit is even geleden voor je bezorgd.' Bowen haalde een envelop uit zijn achterzak. Hij was geadresseerd aan Harrison. Alleen zijn naam in grote, fraai geschreven letters. Harrison maakte hem open, las het bericht en gooide hem toen op het bed naast zich.

'En? Hij is gebracht door een man in een deftige zwarte koets.'

Harrison zuchtte. 'Het is een uitnodiging voor een gemaskerd bal.'

Bowens wilde wenkbrauwen gingen omhoog. Bij het ouder worden was het haar op zijn hoofd dunner geworden, maar zijn wenkbrauwen en snor waren gegroeid. 'Dus we zijn de sociale ladder aan het beklimmen?'

'Het gaat om de stage. De winnaar wordt op het bal bekendgemaakt.'

Bowen pakte de uitnodiging op en las hem. 'Er staat dat je tot de finalisten behoort.'

Harrison haalde zijn schouders op. 'Dat maakt niet uit. Ik ga niet.'

Bowen zei niets. Hij liet Harrisons woorden in de lucht hangen, als was aan de lijn. Dat was zijn manier. Hij liet ze daar hangen zodat de hele wereld ze kon zien, totdat Harrison ze zou verdedigen of terugnemen.

Eindelijk zei Harrison: 'Het is belachelijk om te denken dat meneer Jarves mij zou kiezen.'

'Hij heeft je een uitnodiging gestuurd.'

'Een beleefdheid. Alle finalisten krijgen een uitnodiging.'

'Hoeveel finalisten zijn er?'

'Vijf.'

'En hoeveel sollicitanten waren er?'

Het was duidelijk waar Bowen heen wilde.

'De andere finalisten hebben allemaal iemand die hen aanprijst,' klaagde Harrison. 'Ze hebben gestudeerd aan Yale, William and Mary en Harvard. Ze komen uit families vol met advocaten, rechters en congresleden. Ik bedoel, zij brengen dingen mee waar ik niet aan kan tippen.'

Bowen dacht erover na. 'Misschien breng jij iets mee wat zij niet hebben. Bovendien, hoe zeker weet je dat jij niemand hebt die jou aanprijst?'

Harrison keek op. Het was moeilijk argumenteren tegen iemand die in je geloofde.

'Er is nog een reden dat ik niet kan gaan. Ik heb geen kostuum.'

'We hebben nog een maand om er een te vinden.'

'Ik ga niet.'

Weer dacht Bowen na. 'We zouden het simpel kunnen houden. Zoals je oog er nu uitziet, kun je het beste gaan als een rotte banaan.'

Harrison lachte, maar hij zou zich echt niet in een positie laten brengen waarin hij vernederd en uitgelachen zou worden voor het oog van de rijkste en hoogstgeplaatste personen van New York.

Harrison hing zijn zwaard, een piratenhartsvanger, recht, keek nog één keer naar het helder verlichte herenhuis aan de overkant van de straat en trok toen een zwarte lap over zijn geschonden oog. De lap voor het oog was Bowens idee en het was een goed idee. Het oog was wel niet meer dik, maar er was nog steeds een duidelijke zwartblauwe kleur onder zijn oog.

Harrison had geen haast om de straat over te steken. Hij pakte het behoedzaam aan. Hij controleerde de uitnodiging meerdere keren en elke keer verwachtte hij dat het woord *gemaskerd* op een mysterieuze manier verdwenen zou zijn. Hij hield de uitnodiging onder een straatlantaarn en controleerde hem nogmaals, gewoon om er zeker van te zijn. Met zijn herinnering aan te korte mouwen had hij nachtmerries gekregen waarin hij een balzaal aan Fifth Avenue inliep als de enige die verkleed was.

Zijn plan was simpel. Hij zou van een afstand toekijken hoe de andere gasten arriveerden. Als ze verkleed waren, zou zijn angst verdwijnen. Maar als ze zouden aankomen in iets wat maar een beetje modern leek, dan was het terug naar de veerboot en naar huis.

Hij haalde een rode bandana uit zijn broekzak.

Zijn kostuum was een project geworden van het hele tehuis. Met een half dozijn zeelieden in huis en directe toegang tot hun kleding, had het thema voor de hand gelegen. Harrison had van één man een wijde broek van zeildoek die tot vijf centimeter boven zijn enkels hing – dat moest ook – en een zwart gestreepte trui geleend en van een andere man een rode bandana. Bowen had de ooglap gemaakt van een stuk zwarte stof en een touwtje. Harrison had zo zijn gedachten gehad en was er bijna mee opgehouden tot Jimmy Wessler was komen aanzetten met de piratenhartsvanger. Hij had gezegd dat de man van wie hij hem geleend had hem had opgepikt op Barbados. Hij had hem van een andere zeeman gekocht die gezworen had dat hij van een echte piraat was geweest.

Harrison had niet elke dag de kans om een echt piratenzwaard te dragen.

Er stopte een koets voor het herenhuis. Het moment van de waarheid was aangebroken.

De nacht was koud. De lucht was helder. Er kwamen bedienden uit het herenhuis om de deur van de koets te openen voor de gasten.

Hoewel dit het bekendmakingsbal was van J.K. Jarves, werd het om voor Harrison onduidelijke redenen gehouden in het huis van iemand anders, een reusachtig Victoriaans-gotisch gebouw dat voor de gelegenheid feestelijk verlicht was.

'Nu komt het,' mompelde Harrison tegen zichzelf terwijl hij gespannen wachtte op een glimp van hoe de gast zich uitgedost had. Hij rilde.

'Ah!'

Er kwamen drie mensen uit de koets. Zo te zien een echtpaar van middelbare leeftijd en hun zoon, die oud genoeg was om een van de finalisten te zijn. Tot Harrisons opluchting waren ze alle drie gekleed in achttiende-eeuwse kostuums, compleet met gepoederde pruiken en zijden kuitbroeken.

Harrison slaakte een zucht van verlichting. Hij had zich onnodig zorgen gemaakt. Maar nog steeds wilde hij er niet heen. Hij zou het doen voor Bowen. Hij zou zich laten zien. Jarves zou zijn bekendmaking doen. Bowen zou hem beklagen omdat hij het niet geworden was. En dan kon Harrison verder gaan met zijn leven.

Eén avond. Was dat te veel gevraagd, na alles wat George Bowen voor hem gedaan had?

Harrison stak de straat over. De piratenhartsvanger sloeg tegen zijn been. Hij nam twee treden tegelijk. Binnen klonk het geluid van een klavecimbel. Een menuet, als hij zich niet vergiste.

Harrison hield zijn uitnodiging klaar. Hij klopte op de deur.

Een portier deed de deur voor hem open.

Keek hem één keer aan.

En lachte.

Met een drankje in de hand stond Harrison met zijn rug tegen de muur. Zijn gezicht was roder dan de punch. Zijn hielen raakten voor de honderdste keer de plint. Hoe graag hij het ook wilde, hij kon niet verder achteruit.

Het zou om middernacht allemaal voorbij zijn. Dan zou J.K. Jarves bekendmaken wie hij had uitgekozen. Tot die tijd was de zaal gevuld met muziek en vertier en gedwongen gelach van het nerveuze soort dat meestal voorafgaat aan een bekendmaking van enig belang.

'*Beste* jongen...'

Er kwam een vrouw voor hem staan. Haar gezicht was zwaar gepoederd. Haar uitzakkende huid deed haar op een druipende kaars lijken. Ze droeg een hoge gepoederde pruik en onder het praten wapperde ze met een waaier. 'Beste, *beste* jongen, had je het niet gehoord?'

De waaier kon haar vermaakte uitdrukking niet verbergen. Ze had een donkere moedervlek op haar wang die heen en weer danste als ze sprak.

'Wat bedoelt u, mevrouw?'

'Het thema van het bal, beste jongen!' Ze draaide zich half om en zwaaide met de waaier naar de andere gasten. 'De Onafhankelijkheidsoorlog, wist je dat niet?'

De moedervlek maakte een kleine sprong toen ze 'onafhankelijkheid' zei.

'Eh... nee, mevrouw. Er stond niets over het thema in de uitnodiging.'

Ze lachte en sloeg met de waaier op haar onderarm. 'O, beste jongen, doe niet zo dom. Natuurlijk stond het niet in de uitnodiging!' Ze liep lachend weg.

'Let maar niet op haar.'

Harrison wendde zich tot de stem naast zich.

Het was een jongeman die verkleed was als een strijder. Onder zijn driekantige steek droeg hij een gepoederde pruik met aan de achterkant een rode strik. 'Ze houdt ervan om mensen in verlegenheid te brengen,' zei hij.

Harrison grijnsde. 'Daar is ze goed in.'

Ze stonden schouder aan schouder te kijken hoe een half dozijn ongeordende dansers het menuet om zeep hielp.

'Maar je ziet er wel belachelijk uit,' zei de strijder.

Er was iets in de manier waarop hij het zei dat Harrison er van weerhield om het als een belediging op te nemen – vriendelijk geplaag van het soort dat hij thuis in het tehuis zou verwachten.

'Ik heet John Blayne.' Hij bood hem een vrouwelijke hand die paste bij zijn kleine postuur. Harrison schudde hem.

'Ben jij een van de finalisten?' vroeg Blayne.

'Blijkbaar. En jij?'

Hij zag er te jong uit om een finalist te kunnen zijn, maar Harrison vroeg het toch maar.

Blayne lachte bij de gedachte. 'Ik ben hier met familie.'

Het menuet dreunde verder. Harrison hief zijn glas op om een slok te nemen. Het was leeg. Het was de laatste twee keer dat hij het opgeheven had ook al leeg geweest.

'Heb je de andere finalisten al ontmoet?' vroeg Blayne.

'Dat genoegen heb ik nog niet gehad.'

Blayne keek de zaal door. 'Daar.' Hij wees naar de verste hoek van de zaal. 'Dat is Whitney Stu... wacht...' Zijn aandacht werd afgeleid. 'O, dit ga je leuk vinden.'

Onder een dramatische begeleiding van het klavecimbel verscheen een grote vrouw vanachter een gordijn. Ze droeg een lange toga die eruitzag alsof hij gemaakt was van een Amerikaanse vlag. Ze hield een witte zakdoek in haar linkerhand en ze schreed door de zaal tot naast het instrument.

De zaal werd stil, of door de muziek of door de schok over hoe de vrouw eruitzag – dat kon Harrison niet bepalen.

'Lady Liberty' glimlachte breed, ving dankbaar de aandacht van de zaal en hield die een paar tellen vast. Toen legde ze een hand op het instrument en knikte plechtig naar haar begeleider.

'Wie is dat?' fluisterde Harrison.

'Onze gastvrouw. De weduwe van Pierre Jerome Belmont,' zei Blayne met een ondeugende grijns.

Na een kort voorspel begon mevrouw Belmont aan een zeer luide en zeer valse versie van het volkslied. Ze kweelde als een kanarie van driehonderd pond.

Waar Harrison ook keek hielden de gasten handen en zakdoeken voor hun monden om hun lachen te verbergen. Blayne deed daar minder moeite voor. Hij schaterde ongegeneerd en veegde tranen weg. Het leverde hem een paar afkeurende blikken op.

Lady Liberty gordde zich aan voor het crescendo – *land of*

the free. Ze pakte de zijkant van het klavecimbel beet en graaide naar de hoogste noot met de wanhoop van een verdrinkende man. Boven haar hoofd schitterde een kroon in de vorm van een harp te midden van kleine vlammetjes.

Er was een algemene zucht van bewondering.

Blayne barstte in lachen uit.

Later vernam Harrison dat het optreden van mevrouw Belmont een soort jaarlijkse traditie was. De vertoning met de vlammetjes werd bereikt door kleine gasflesjes te verstoppen in haar haar. Een paar jaar geleden hadden de vlammen een paar linten in brand gezet.

Het lied en het vuurwerk sputterden naar het slot. In de zaal barstte het applaus los. Harrison klapte zonder bijbedoeling voor de soliste. Als enige piraat in een zaal vol George en Martha Washingtons, wist hij maar al te goed wat het was om het doelwit van spot te zijn.

Blayne lachte zo hard dat hij nauwelijks kon blijven staan, wat hem een tweede portie afkeurende blikken opleverde.

'Houd je een beetje in,' fluisterde Harrison.

'Ik kan het niet helpen.' Blayne bleef lachen. 'Die vrouw is gewoon niet goed snik.'

'Ze is misschien een beetje excentriek, maar dat betekent nog niet dat ze gek is.'

Blayne werd wat rustiger. 'Och, ze is gewoon gek.'

'Ze is onze gastvrouw.'

Terwijl hij zijn ogen uitveegde, keek Blayne Harrison eens goed aan. 'Jij bent een rare vogel, hè?'

Lady Liberty was inmiddels vertrokken en het algemene geroezemoes was weer begonnen.

'Zou iemand die normaal is door de gangen gaan lopen en naar denkbeeldige gasten buigen en met hen praten?' vroeg Blayne.

'Je verzint maar wat.'

'Het ging mis met haar kort nadat haar man was overleden.

De dokters zeiden dat hij was overleden door de stress om dit huis voor haar te bouwen. Maar als hij overleed om rust te krijgen, dan heeft hij daar niet erg lang van kunnen genieten.'

'Ik kan je niet volgen.'

Blaynes ogen kwamen tot leven. Hij genoot er duidelijk van dat hij geheimen wist en kon vertellen. 'Lijkenrovers. Die groeven de oude man op. Ze eisten losgeld. Twintigduizend dollar.'

'Verschrikkelijk. En mevrouw Belmont kon niet betalen.'

'Ben je gek?' spotte Blayne. 'Ze heeft miljoenen. Het probleem was, aan wie moest ze betalen? Of nog beter, hoe vaak moest ze betalen?'

'Ik kan je weer niet volgen.'

Blayne grinnikte als een deugniet om het geheim dat hij wel moest vertellen. 'Wekenlang werden er stukjes en beetjes aan de deur afgegeven! Verpakt als cadeaus!'

'Walgelijk! Je verzint maar wat!'

Blayne lachte zo hard dat hij nauwelijks nog kon praten. 'Het is de waarheid! Ik zweer het!'

'Arme vrouw!' zei Harrison en hij keek met sympathie naar Lady Liberty. 'Niemand zou zoiets moeten meemaken.'

Blayne droogde zijn ogen met zijn handpalmen. Hij schudde zijn hoofd naar Harrison, verbaasd dat hij niet deelde in de lol. 'Je bent *echt* een vreemde vogel, hè?'

De verbazing was wederzijds. Harrison kon niet geloven dat een zo jonge jongen zo ongevoelig kon zijn voor leed en tragiek. Hij had dat nooit gedacht van de rijken. Onuitstaanbaar, ja; maar niet wreed. De manier waarop deze mensen zich vermaakten over het lijden van mevrouw Belmont, de manier waarop Blayne grappen maakte over haar tragedie... Als je ze een vieze hoed op zou zetten en hun duimen in hun riemen zou steken, dan waren het gewoon Fly Boys en Plug Uglies.

Voor in de zaal verscheen mevrouw Belmont voor een

toegift. Ze stapte vanachter het gordijn, deed een dansje, draaide zich om en stak haar hielen omhoog waardoor er rode laarsjes zichtbaar werden met belletjes eraan.

Haar potsierlijke capriolen deden Blayne opnieuw brullen van het lachen.

'Ik ga nog wat punch halen,' zei Harrison.

'Wacht... wacht,' riep de jongen. Hij hield Harrison bij de arm. Hij probeerde door zijn lachen heen te praten. 'Ik... ik... heb je... je concurrentie... nog niet aan... gewezen.'

Er zaten mensen naar hen te kijken. Blayne droogde zijn wangen af, snoot een paar keer en probeerde zich te beheersen.

Harrison verdroeg de blikken. Hij wilde niet blijven, maar hij wilde ook niet weggaan. Een piraat te midden van een groep kolonisten was een te gemakkelijk doelwit.

'Ik... kan dit,' zei Blayne, terwijl hij zich herpakte. 'Goed. Vooruit.' Hij schraapte zijn keel. 'Richt je ogen naar die kant.'

Harrison keek fronsend neer op Blayne.

'Het spijt me, ik kon het niet helpen,' verontschuldigde Blayne zich. 'De verre hoek. Zie je die dandy? Die in die witte zijde die eruitziet als Lafayette?'

Harrison knikte.

'Whitney Stuart III. Algemene favoriet. Heeft alles. Harvard. Beste van zijn jaar. Derde generatie jurist. Toen bekend werd dat hij zou solliciteren heeft een aantal goed gekwalificeerde jongens niet eens meer de moeite genomen om te solliciteren.'

'Er komt niemand in de buurt van zijn kwalificaties?'

'Zijn vader en Jarves zijn goede vrienden.'

'O.'

Blayne richtte Harrisons aandacht op de kom met punch. 'William Reid. Die korte sterke jongen. Degene die praat met die twee sletten...'

'Blayne!'

'Wat? Ach, wat ben jij toch een vreemde! Geloof me, zo zijn die beide vrouwen nu eenmaal. In elk geval, William Reid komt van Yale.'

Zo ging het verder. Vier finalisten en Harrison. Elk van hen had onberispelijke getuigschriften, een gevestigde familieachtergrond en aanbevelingsbrieven van gouverneurs, congresleden en senatoren.

'Waarom heb ik zoveel moeite gedaan?' mompelde Harrison.

'Waarom heb je zoveel moeite gedaan?' vroeg Blayne.

Harrison nam de jongen op. Hij vroeg zich af of Blayne net zoveel over hem wist als hij over alle andere finalisten leek te weten.

'Ik had mijn redenen.'

'Dacht je echt dat je een kans had?'

Harrison hief zijn glas op om er meteen weer aan herinnerd te worden dat het leeg was. 'Nee. Ik heb nooit gedacht dat ik een kans had.'

Klokslag twaalf uur stapte J.K. Jarves, die verkleed was als generaal George Washington, het podium op in het midden van de zaal om de bekendmaking te doen. Het was duidelijk dat hij opbloeide onder de aandacht. Hij liep voor de aanwezigen heen en weer, net als een commandant die zijn troepen toespreekt.

'Elk jaar wordt de beslissing over het uitkiezen van een stagiair weer een stuk moeilijker. Elk jaar zijn er meer sollicitanten. Beter gekwalificeerde mannen.'

Harrison nam de zaal op. Hij en Blayne waren de enigen die niet naar voren gestapt waren om de bekendmaking te horen. De vier gordijnadvocaten – Bakkebaard en de anderen – kwamen binnen uit een zijkamer en keken als rechters voor een vonnis. Harrison had ze die avond nog niet eerder gezien. Zonder uitzondering zagen ze er belachelijk uit met bepoederde pruiken.

Hij bedacht dat het nu een goed moment was om te vertrekken.

'Waar ga je heen?' vroeg Blayne.

'Terug naar waar ik thuishoor.'

'Naar je schip?' grinnikte Blayne. 'Het spijt me, ik kon het niet helpen.' Toen, meer serieus, voegde hij eraan toe: 'Maar wat als jij de uitverkorene bent?'

Interessante woordkeus. Harrison werd in het tehuis ook de 'uitverkorene' genoemd. Vaak spottend, maar alleen omdat er een element van waarheid in zat, want het was duidelijk dat hij George Bowens favoriet was.

'Je hebt het zelf gezegd,' reageerde Harrison. 'Wat zijn mijn kansen? Maar ik ben blij dat ik je ontmoet heb, John. Bedankt dat je met me wilde praten.'

Hij meende het. John Blayne was de enige persoon in de zaal die vanavond een poging gedaan had om met hem te praten – uitgezonderd dan de vrouw met de moedervlek. Alle andere gasten giechelden over hem achter hun punchglazen vanuit de veiligheid van hun vriendenkring. Blayne had de avond dragelijk gemaakt, ondanks zijn slechte manieren zo nu en dan.

Van zijn kant was Harrison er zeker van dat hij de jongen genoeg ingrediënten had aangeleverd voor verhalen op volgende feesten. Maar er was iets wat hem in de jongen aantrok. John Blayne deed hem denken aan een nette uitvoering van Mouser.

Voor in de zaal, op dezelfde plaats als waar Lady Liberty het volkslied had gezongen, ging J.K. Jarves verder met zijn aankondiging. 'Ik moet zeggen dat ik tijdens het beoordelen van de oogst sollicitanten van dit jaar – en ik weet zeker dat mijn adviseurs het op dat punt met mij eens zijn – onder de indruk was. De toekomst van Amerika is in goede handen.'

Er klonk applaus door de zaal.

'Allemaal leiders! Let op mijn woorden. Onder deze mannen zitten senatoren, staatslieden, ambassadeurs en misschien zelfs een of twee presidenten.'

Meer applaus.

Harrison schudde Blayne de hand.

'Ben je niet een beetje nieuwsgierig?' vroeg Blayne.

Harrison keek naar Jarves. Er was niets wat hem hier hield. Hij had op aandringen van George Bowen gesolliciteerd naar de stageplaats. Tijdens de procedure had hij gedacht dat er misschien wel iets goeds uit voort zou kunnen komen. Hij had gehoopt dat het hem een gelegenheid zou geven om met Jarves over Five Points te praten. Als een machtig man als Jarves wist hoe het er daar voorstond, kon er misschien iets gedaan worden om het te verbeteren. Maar die gelegenheid was niet gekomen en dat zou ook niet gebeuren.

'Ik zal morgen wel in de krant lezen wie er gewonnen heeft,' zei Harrison tegen Blayne.

'En zo is nu voor mij het moment gekomen om mijn keuze bekend te maken,' zei Jarves. De gevierde advocaat laste een dramatische pauze in. Het was een geoefende zet, één die hij in de rechtszaal voor tientallen jury's verfijnd had. Zijn reputatie was legendarisch. Hij stond erom bekend dat hij juryleden tot tranen toe kon ontroeren, hen kon laten lachen, hun emoties kon bespelen en hun gedachten kon leiden tot ze geen andere keus meer hadden dan de beslissing nemen die hij wilde. Nu had hij zijn publiek precies daar waar hij het hebben wilde – vol verwachting voorover leunend en hem met de ogen smekend om hen niet langer in spanning te houden, maar het doek op te trekken en hun zijn keus voor de stagiair te onthullen.

'Whitney Stuart III...'

De zaal was ineens vol applaus en gejuich.

Terwijl hij naar de deur liep, draaide Harrison zich om naar John Blayne. Ze wisselden een wetende blik en haalden hun schouders op.

Eigenlijk was Harrison blij dat hij lang genoeg gebleven was om de aankondiging te horen. Nu kon hij het tenminste vertellen als George Bowen ernaar vroeg.

Jarves' stem was nog steeds te horen voor in de zaal. 'Whitney, ik twijfel er niet aan dat jij voorbestemd bent een grootheid te worden. Als Amerika's schoolkinderen in de twintigste eeuw de geschiedenis van dit grootse land moeten leren, zullen ze ook jouw naam uit het hoofd moeten leren.'

Applaus.

Whitney boog. Ook zijn ouders bogen. En de oudste van de vier gordijnadvocaten, die hem als favoriet had, boog.

'En daarom,' zei J.K. Jarves, 'heb ik je niet gekozen.'

De zaal viel als verdoofd stil.

Bij de deur bleef Harrison staan. Hij draaide zich om naar de zaal.

De geschokte vergadering giechelde nerveus. Ze zochten in Jarves' ogen naar een glimp van humor, rond zijn mond naar de minste spierbeweging, naar iets wat erop kon wijzen dat hij een grapje maakte.

Van zijn kant genoot Jarves van hun verbazing. Hij grinnikte om hun geschoktheid, lichtzinnig omdat hij erin geslaagd was om hen boven de afgrond van ongeloof te laten bungelen, opgewonden omdat hij hun wereld over de kop had doen slaan, verheerlijkt in de wetenschap dat ze wanhopig graag wilden dat hij hun leven weer in balans bracht en de orde herstelde.

Maar dat zou hij niet doen. Er danste roekeloosheid in zijn ogen.

Jarves stapte op de favoriet af. Whitneys gezicht was zo rood als een kerstbal. Zijn ogen brandden van woede. Hij klemde zijn kaken op elkaar om de vernedering.

'Whitney,' zei Jarves sussend, 'jij hebt mij niet nodig om een groot staatsman te worden. En je hebt deze stage niet nodig om je vooruit te brengen op de weg naar grootheid. Jouw weg staat vast, jouw overwinning is zeker.'

Whitney nam er geen genoegen mee. Het maakte Jarves niet uit.

'En daarom heb ik dit jaar een onverwachte kandidaat gekozen. Dit jaar zal het mijn taak zijn om een grootheid te maken van een onbekende, misschien wel ondanks hemzelf. Dit jaar heb ik als mijn stagiair gekozen Harrison Quincy Shaw van Washburn School of Law.'

7

Na de bekendmaking was er maar één die Harrison feliciterend de hand schudde en dat was John Blayne. Maar het was niet meer dan een snelle pompbeweging vergezeld van een scheve grijns van verrassing en vermaak.

Van voor uit de zaal riep J.K. Jarves hem. 'Kom hier, Harrison. Laat je aan de mensen zien.'

Eerlijk gezegd vond Harrison het, gezien zijn kostuum, geen bijzonder goed idee om door iedereen gezien te worden. Maar waar kon hij zich verbergen? Jarves nam het initiatief tot een applaus, maar niemand volgde hem.

Harrison zocht zijn weg naar voren in de zaal. Een zee van boze kolonialen spleet voor hem uiteen, zodat er een pad ontstond dat groot genoeg was om een schip door te laten. De gezichten die hij onderweg zag leken erg op die van piraten – als die naar de galg liepen.

Jarves begroette hem met een pijnlijke handdruk en een glimlach die zo groot was dat het angstwekkend was. Hij greep Harrison bij de schouders en draaide hem met het gezicht naar de vijandige zaal die hem geluk moest wensen.

'Hij ziet er niet uit, hè?' grapte Jarves. Hij nam Harrison op. 'Maar hij denkt snel en onafhankelijk – twee eigenschappen die hem deze stage hebben opgeleverd. Wie van ons zou er aan gedacht hebben om op een koloniale avond te verschijnen als een koloniale piraat?'

Harrison kon Blayne achter in de zaal horen lachen. Verder leek er niemand in een vrolijke stemming te zijn.

'Nog een beetje ruw van buiten,' ging Jarves verder, 'maar let op mijn woorden, u zult indrukwekkende dingen horen over deze jongeman. Ik zal een advocaat van hem maken.

Desnoods geef ik er mijn leven voor!' En tot Harrison: 'Dat beloof ik jou, jongen.'

Er was iets aan Harrisons ooglap dat Jarves' aandacht trok.

'Waarom doe je die ooglap en die bandana niet af, zodat iedereen je eens goed kan zien?'

Harrison huiverde, want hij herinnerde zich wat er onder de ooglap zat. Hij leunde voorover naar Jarves en fluisterde: 'Dat is misschien niet zo verstandig, meneer.'

Jarves lachte. Tot de mensen zei hij: 'De jongen is verlegen! Maar dat zullen we wel veranderen, nietwaar?'

J.K. Jarves gaf sterk de indruk dat hij het goed naar zijn zin had, maar het scheen Harrison toe dat de man bezig was een rariteit te verkopen, niet anders dan de schreeuwers van P.T. Barnums museum van vreemde en ongewone rariteiten.

'Les nummer één, jongen,' zei Jarves duidelijk genoeg om iedereen zijn wijsheid te laten horen, 'is dat je je nooit voor jezelf moet schamen. Nu, doe die rare ooglap af.'

Nu hij alleen nog maar de keus had tussen de ooglap afdoen of vleugels krijgen en wegvliegen, deed Harrison de lap en de bandana in één beweging af.

Misschien was het zijn verbeelding, maar de bewondering van de mensen leek groter dan die geweest was voor de brandende haartooi van mevrouw Belmont.

Naast hem deed J.K. Jarves een stap achteruit. Hij staarde naar het geschonden oog en schreeuwde toen: 'Hij is een vechter! Dat moet ik zeggen!'

Harrison bleef staan waar Jarves hem neergezet had.

'De mensen willen je feliciteren,' had Jarves gezegd.

Dat had hij mis gehad. Niemand feliciteerde hem. De aardigste kolonialen gingen met een boog om hem heen toen ze vertrokken. Anderen keerden hem hun rug toe, trokken hun neus op, mompelden onaardige dingen tegen elkaar, hard genoeg zodat hij het kon horen, of lachten achter zijn rug of recht in zijn gezicht.

Ondertussen fladderde Jarves van de ene teleurgestelde deelnemer naar de andere om ego's te herstellen, op schouders te slaan en alles te doen wat nodig was om de schade van zijn controversiële aankondiging te herstellen. Het zag ernaar uit dat hij nog jaren nodig zou hebben om betrekkingen te herstellen.

Terwijl de zaal leegliep, zocht Harrison naar een vriendelijk gezicht, maar John Blayne was nergens te zien. Niet echt verbazingwekkend. Het was laat en hij was ongetwijfeld met zijn ouders naar huis gegaan, al had Harrison geen idee wie zijn ouders waren.

Dus zo stond hij daar. Alleen. Op de top van zijn jonge professionele carrière.

Al snel was er niemand meer bij hem in de zaal behalve de schoonmakers en de bedienden. Zelfs zij keken vermaakt naar hem.

Jarves was nergens te zien. De laatste keer dat Harrison de grote advocaat gezien had, liep hij met iemand naar de deur met zijn arm om de schouders van de man en iets te hard lachend over iets wat de man zei. Harrison bleef, want hij dacht dat Jarves hem nog wel zou willen spreken voor hij vertrok.

Hij wachtte tien minuten. Toen vijftien. Hij nam aan dat Jarves zou willen dat hij bleef, zodat hij hem kon zeggen waar en wanneer de stage zou beginnen.

De bedienden begonnen de lichten te doven. Harrison kwam in het donker te staan. Dat was belachelijk, dus ging hij op weg naar de voordeur. Hij draalde in de gang. Hoe lang kon hij wachten? Was Jarves hem vergeten of werd hij alleen maar ergens vastgehouden?

Er gingen tien minuten voorbij. Toen nog tien. Het huis

was stil. Hij stelde zich voor hoe hij hier de volgende morgen nog zou staan als een gehoorzame hond. Mevrouw Belmont zou beneden komen en hem vinden. Ze zou hem uitlachen omdat hij de instructies van Jarves zo serieus genomen had. Of ze kon denken dat hij een van die denkbeeldige mensen was waar ze in de gangen mee praatte.

Juist toen hij besloot om maar te vertrekken, hoorde Harrison een deur opengaan die hij niet kon zien. Er waren stemmen. Daarna geschreeuw. Even later verscheen John Blayne, die voor Harrison langsliep, maar op een afstand. Hij zag Harrison niet. J.K. Jarves volgde hem. Hij zag Harrison ook niet.

Ze verdwenen in een zijkamer.

Nu wist Harrison tenminste dat Jarves er nog was. Hij kon alles horen wat er gezegd werd.

Jarves: 'Wat een ondoordachte actie! Wat dacht je wel niet?'

Blayne: 'Ik heb toch niets verkeerds gedaan? Ik stond toe te kijken, meer niet.'

Het klonk alleen niet als Blayne. Of eigenlijk wel, maar tegelijk ook weer niet.

'Wat als iemand je zou herkennen?'

'Niemand heeft me herkend.'

'O nee? Onze gastvrouw heeft je herkend.'

'Mevrouw Belmont? Dat geloof ik niet.'

'Ze zei tegen me dat je kostuum amusant was, maar niet gepast voor de gelegenheid. Morgen weet iedereen het.'

'Zij is niet goed wijs. Wie zal haar geloven?'

Harrison voelde zich ongemakkelijk worden omdat hij het gesprek afluisterde, maar hij kon er niets aan doen. Misschien moest hij buiten wachten. Maar wat als Jarves dan door een andere deur zou vertrekken?

'Neem geen loopje met me,' schreeuwde Jarves. 'Je hebt nog steeds geen verklaring gegeven.'

'Er valt niets te verklaren.'

'Je had me gezegd dat je er vanavond niet bij zou zijn.'

'Ik had gezegd dat ik me niet zou verkleden als Betsy Ross.'

Er viel Harrison een nieuwe gedachte in. Als hij hier nog stond als ze naar buiten kwamen, zouden ze weten dat hij hun gesprek afgeluisterd had. Hij kon beter buiten wachten.

'En doe die rare pruik af,' zei Jarves. 'Ik heb je zien praten met Harrison Shaw.'

'Hij weet niets.'

'Hoe kun je daar zeker van zijn?'

'Ik zeg u dat hij niets weet. Hij heeft me de hand geschud.'

De stemmen werden luider. Ze kwamen de kamer uit. Harrison liep naar de voordeur. Nee. Als ze die hoorden dichtgaan, zou het nog verdachter lijken dan als ze hem hier vonden staan. Toch voelde hij zich schuldig dat hij hier stond en hun niet had laten weten dat hij hen kon horen. Misschien kon hij teruggaan naar de balzaal.

Het volgende ogenblik werd de beslissing al voor hem genomen.

Met een pruik en een hoed in de hand verscheen Victoria Jarves uit de kamer met John Blaynes kleren aan. Ze werd gevolgd door haar vader.

Ze zagen hem beiden.

'Wel, nu weet hij het,' zei Victoria.

De maandagmorgen column van Horace Conant in de *New York Herald* luidde als volgt:

Zaterdagavond ontving Fifth Avenue een dubbele rood-wit-blauwe knockout-klap toen advocaat J.K. Jarves bekendmaakte dat zijn felbegeerde stage naar een piraat ging.

Maar ik zei dat er twee klappen waren, hè? De eerste klap had niets te maken met Jarves' bekendmaking, maar had alles te maken met twijfelachtige smaak. Het betreft de weduwe van Pierre Jerome Belmonts bijzonder oninspirerende, maar meer dan amusante uitvoering van The Star Spangled Banner, *compleet met een vurige haartooi. Er zijn berichten van de federale autoriteiten dat op het exacte uur dat zij zong, het lichaam van Francis Scott Key zijn graf uitklom en zich probeerde te verhangen.*

De tweede rood-wit-blauwe klap was de bekendmaking zelf. Rood waren de gezichten van de feestgangers toen ze het nieuws hoorden. Wit waren hun gepoederde pruiken (het was een gekostumeerd bal met de Onafhankelijkheidsoorlog als thema). En blauw (en zwart) was het oog van de nieuwe stagiair toen hij de eer in ontvangst nam. Op aandringen van Jarves deed de bescheiden winnaar zijn ooglap af om een woest ereteken te onthullen uit een onopgehelderde knokpartij.

Heb ik al vermeld dat de kandidaat een piratenkostuum droeg in een zaal vol Martha Washingtons en Samuel Adams? En heb ik al vermeld dat hij Harrison Quincy Shaw heet en in Brooklyns Newboys' Lodge woont? (Ja, dat leest u goed.) Het blijkt dat het oog van de heer Shaw niet het enige is wat die nacht beschadigd was. Hetzelfde gold voor de ego's van de heren Whitney Stuart III van Harvard en William Reid van Yale, die beschouwd werden als de grote favorieten in deze jaarlijkse wedstrijd van bluffers.

Persoonlijk moet ik zeggen dat deze oude verslaggever het hartverwarmend vindt dat de onnavolgbare J.K. Jarves mijn uitdaging heeft aangenomen. Nu zullen we zien of hij echt een zijden beurs kan maken uit een varkensoor. En de beste wensen aan de heer Shaw, die niet de eerste piraat zal zijn die voor de haaien gegooid wordt.

8

'Wat vind je van mijn keus?'

Victoria keek op van de ontbijttafel toen haar vader de kamer binnenkwam. Hij ging met een kop koffie tegenover haar zitten.

Ze trok een wenkbrauw op. Hij ging nooit samen met haar ontbijten. 'Ik denk dat u er melk in zou moeten doen,' zei ze.

Jarves nam een slokje van zijn koffie. 'Houd je niet van de domme.'

'Stelt u me dan ook geen domme vragen.'

Hij wilde iets. Hij vroeg nooit haar mening over zakelijke aangelegenheden. Vrouwen moesten zich daar niet mee bezighouden. Hun gedachten moesten bezet zijn met het voeren van de huishouding. Dus wat zou hij van haar willen? Dat hij tegen haar praatte, betekende in elk geval dat hij besloten had haar kleine escapade van vorige week op het bekendmakingsbal te vergeten.

'Ik wil het weten,' hield Jarves aan. 'Wat vind je van hem?'

Victoria legde haar lepel neer. Ze ging achterover zitten en veegde met een servet haar lippen af. Er stond meteen een bediende bij haar elleboog om met een snelle beweging de lege cornflakeskom weg te nemen. Een andere bediende nam zijn plaats in en bracht haar een kopje thee. Ze zei niets terwijl hij er suiker en melk in deed, roerde, weer achteruit stapte en zichzelf onzichtbaar maakte.

Rustig aan nam Victoria een slokje van de thee. 'Ik vind hem heerlijk ordinair.'

Jarves grinnikte. 'Ja, hè?'

De vroege morgenwind zwiepte met een ontzagwekkende kracht over het dek. Harrison hield de revers van zijn jas met een vuist bij elkaar. Het was de eerste echte winterstorm van het jaar. In zulk weer was de oversteek met de veerboot een woest avontuur.

Zijn gedachten waren bij wat er in het huis van Jarves op hem wachtte. In de eerste week had hij vooral onzinnige dingen moeten uitzoeken die niets met het recht te maken hadden of hij had zich moeten vervoegen bij de een of andere klerk of associé die hem op de hoogte moest brengen van het reilen en zeilen. Alles ging uit van één stelregel: Jarves is koning. Uit de opmerkingen die er gemaakt waren, had Harrison het idee gekregen dat vandaag het echte werk zou beginnen.

De stoommachine van het schip pufte plichtsgetrouw en braakte zwarte rook uit zijn pijpen terwijl ze de rivieroever aan de kant van Manhattan naderden. Ze waren al zo dichtbij dat Harrison kon zien dat er in de afgelopen nacht een witte deken van sneeuw op de kades was gevallen. Die zou er niet de hele dag blijven liggen.

Er kwam een stroom immigranten uit een schip dat net was aangemeerd. Elke dag kwamen er veertig van zulke schepen. Soms zaten er wel zevenhonderd mannen, vrouwen en kinderen opgepropt in het vochtige, stinkende laadruim. Tijdens de dertig dagen durende overtocht stierven er zoveel dat de schepen wel varende doodskisten werden genoemd.

Ze droegen Europese kleding. Ze hadden bagage, tassen en baby's bij zich en ze hielden kinderen bij de hand. Ze zagen ernaar uit om hun eerste stappen te zetten op Amerikaanse bodem. Terwijl ze de loopplank afliepen, keken ze op naar de gebouwen van New York, zwaar van vermoeidheid, maar ook met hoop. Altijd met hoop.

Er was net zo'n schip bezig de haven binnen te varen.

Harrison leunde tegen de reling en keek naar de nieuw aangekomenen. Hij wist wat hun wachtte. Binnen een week zouden ze in de stinkende holen van Five Points slapen. Ze zouden allemaal op zoek gaan naar werk, maar er zouden er maar weinig een baan vinden die goed genoeg betaald werd om in de behoeften van hun gezin te kunnen voorzien. Hun vrouwen en kinderen zouden moeten leven tussen dieven en moordenaars. De mannen zouden elke dag worden lastiggevallen door schaars geklede vrouwen die dingen naar hen zouden roepen waar een zeeman nog van zou blozen. Om te overleven zouden hun zonen gedwongen worden om lid te worden van een straatbende die hun zou leren om geld te verdienen met paardenraces en om te vechten met stokken en knuppels.

Ze zouden nog geluk hebben als ze de winter overleefden. De komende maanden zouden ze samenkruipen in de hoeken om niet te bevriezen en moeten toezien hoe de ribben van hun kinderen steeds duidelijker zichtbaar werden. De kleintjes zouden in modder en vuil spelen van het soort dat niet alleen het vlees maar ook de ziel besmeurde.

Geef hun één winter en vraag ze dan wat ze vinden van Amerika, dacht Harrison triest.

Een zwaar bepakte man kwam naast Harrison aan de reling staan. Hij leunde voorover met zijn gehandschoende handen in elkaar geslagen en hij pafte werktuiglijk aan een sigaar. Hij leek een imitatie van de pijp van de stoomboot. Hij keek een paar minuten naar de van boord gaande immigranten en zei: 'Weet je wat ik zou doen als ik het voor het zeggen had? Ik zou galgen oprichten bij elke landingsplaats in New York en al die vervloekte mensen ophangen zodra ze een voet aan wal zetten.'

Harrison nam aan dat de man verwachtte dat hij zijn instemming zou betuigen. Er waren meer dan genoeg mensen in New York die dat gedaan zouden hebben.

'Ze willen gewoon wat iedereen wil,' zei Harrison. Hij liet zijn stem vlak klinken. 'Gezond en gelukkig zijn. Ik kan ze dat niet kwalijk nemen.'

De man beet hard op zijn sigaar. 'Ik wel, want zij brengen ziekten hier en vernielen de economie voor ons.' Vol walging gooide hij zijn sigaar in de rivier en liep weg. Hij was nog niet ver gekomen, toen hij alweer terugkwam. 'Weet je,' schreeuwde hij, 'het zijn de leeghoofdige idioten zoals jij die dit land naar de vernieling helpen! Als we niet beschermen wat we hebben, dan zullen we het verliezen.'

De man begon nog meer te zeggen, hij wilde duidelijk nog meer zeggen, maar zijn woede maakte het hem onmogelijk. Hij sputterde nog wat onsamenhangende woorden. Toen stak hij zijn handen op en stampte weg.

'Geen sprake van.'

Gerinkel van haar theekopje op haar schoteltje onderstreepte Victoria's beslissing. Onderwerp afgedaan. Ze draaide haar hoofd weg en keek het raam uit.

Maar J.K. Jarves was niet zo'n belangrijk man geworden door zich gemakkelijk te laten afwimpelen. 'Men heeft mij verteld dat je hem bespioneert, elke keer als hij in huis is.'

'Dat ik hem bespioneer? Belachelijk!' snauwde Victoria.

Jarves grinnikte. Hij had het antwoord gekregen dat hij wilde hebben.

'Ja, misschien heb ik hem bespioneerd die ene keer in de zitkamer, de dag van de sollicitatiegesprekken,' gaf ze toe, 'maar daarna niet meer. En ik heb niet alleen hem bespioneerd, als dat is waar u op doelt. Ik heb de anderen ook bespioneerd. Mensen kunnen zo afschuwelijk amusant zijn als ze denken dat ze alleen in een kamer zijn. Maar dat u hier zit te insinueren dat ik naar meneer Shaw zit te lonken elke keer dat hij in dit huis is, dat is absurd. En ik eis dat u mij zegt wie u dat vertelt.'

Haar vader nam een grote slok thee.

Ze wist waar hij mee bezig was. Hij was aan de winnende hand en dat zou hij niet weggeven.

Na nog een paar slokken zei hij: 'Je hebt op de avond van het bal lang met hem staan praten.'

Victoria wachtte voor ze antwoordde. Ze was niet van plan om zich door hem op de kast te laten jagen. 'Ik wilde mezelf vermaken. Dat u iets anders denkt, vind ik beledigend.'

'Het gaat maar om één middag. Meer vraag ik niet.'

'Mijn middag zit al vol. Bovendien kost het meer dan een middag om die barbaar uit Brooklyn goede manieren bij te brengen.'

'Wijzig je agenda.'

'Het is niet aan mij om mijn agenda te wijzigen. Ik ga vanmorgen bij A.T. Stewart's winkelen met mevrouw Aspinwall en haar dochters. Vanmiddag ga ik kaartspelen bij mevrouw Gallatins. Ik ben bang dat ik u onmogelijk terwille kan zijn.'

'Je hebt een hekel aan die Aspinwallmeisjes.'

Victoria snoof. 'Tot de dag komt dat een ongetrouwde vrouw zich alleen in het publiek kan vertonen zonder een schandaal te veroorzaken, is men soms gedwongen om zich met ongewenst gezelschap te omringen.'

Jarves schoof zijn stoel achteruit en stond op. 'Harrison Shaw zal hier over een uur zijn.'

'Ik niet.'

'Leer hem hoe hij op de juiste manier een salon binnen moet komen.' Hij draaide zich om om te vertrekken.

Victoria sprak tegen zijn rug. 'Het enige wat meneer Shaw vandaag zal leren, is wat teleurstelling is, als er hier niemand is om hem te ontvangen.'

Het gerommel van zware wagens op de kades maakte plaats voor het meer levendige geratel van koetsen toen Harrison dieper de stad in liep. Zijn kuiten deden zeer van het te snelle lopen. Een onenigheid over wie er voorrang had op de rivier had de veerboot vertraagd en nu was hij laat.

Hij haastte zich langs de Astor Library op Lafayette Place. Sinds zijn stage begonnen was, had hij daar uren doorgebracht. De laatste vier dagen had hij geen voet in het herenhuis gezet. De huisknecht ontving hem steeds op de stoep met een onderzoeksopdracht voor de volgende dag. Als hij de uitgevoerde opdracht inleverde, kreeg hij een nieuwe opdracht, met haastig neergekrabbelde opmerkingen in de kantlijn van het werk van de vorige dag.

Noem je dit onderzoek? Graaf dieper.
Een redeneerfout.
Verzin je dit zelf?
Bewijs! Bewijs! BEWIJS! Noem je bronnen!
Ik verwacht meer van je.

Harrison was niet onbekend met onderzoek en kritische opmerkingen. Beide hoorden bij de rechtenstudie. Hij had bij een paar professoren gestudeerd die niet snel tevreden zouden zijn. Dus waren het niet Jarves' eisen die ongewoon waren; het waren de onderwerpen van het onderzoek. De bekende advocaat J.K. Jarves liet Harrison onderzoek doen naar vogels, insecten en beesten.

Hij dacht dat dat de reden was waarom hij naar de Astor Library gestuurd was. Jarves' juridische bibliotheek was waarschijnlijk niet zo goed voorzien als het ging om onderwerpen als blauwe reigers en krokodillen. De Astor Library daarentegen was met zijn tachtigduizend banden een schatkamer. Omdat er geen boeken het pand uit mochten, had Harrison de hele dag moeten gebruiken voor zijn onderzoek en had hij 's avonds zijn rapport geschreven terwijl Hirsch en Wessler om hem heen draafden. Net als tijdens zijn rechtenstudie. Meer dan eens had Harrison een werkstuk ingeleverd dat verkreukeld was tijdens een stoeipartij.

Met zijn onderzoeksrapport over krokodillen in de hand sprong Harrison de stoeptreden van het huis van Jarves op. Zou hij vandaag beginnen met juridisch werk of zou hij een nieuwe onderzoeksopdracht krijgen, mogelijk over monarchvlinders?

De winterzon weerkaatste helder van de gevel van het huis. Harrison moest zijn ogen dichtknijpen toen hij zijn hand uitstak naar de leeuwenkop van de klopper en daarna met zijn ogen knipperen om aan de schaduw te wennen toen hij binnen was.

Zoals gewoonlijk stond Charles, de huisknecht, hem op te wachten. Charles was degene geweest die het horloge in Harrisons zak gestopt had voor een test voor de stage en die in ruil Harrisons zilveren dollar in zijn eigen zak gekregen had. Dat was nu allemaal vergeven. Ze hadden niets meer tegen elkaar.

Zoals elke morgen keken de cherubs op hen neer in afwachting van het uitwisselen van de opdrachten. Maar deze morgen werden ze teleurgesteld.

'U hebt een dame laten wachten,' zei Charles.

Harrison had hem het krokodillenrapport al aangeboden. Het wapperde tussen hen in. 'Pardon? Een dame?'

'Ze wacht op u in de salon.'

Harrison wist niets van een dame. Terwijl hij het nieuws tot zich probeerde te laten doordringen, kronkelde het rapport voor Charles als een worm heen en weer. De huisknecht hapte niet toe. Harrison had het nog niet eerder opgemerkt, maar Charles leek een beetje op een zalm – een roze huidskleur, een grote mond...

'Deze kant op, meneer,' zei Charles en hij draaide zich om om stroomopwaarts te zwemmen.

‘Neem je het rapport niet aan?’ vroeg Harrison.

Charles draaide zich om en nam het rapport aan alsof het iets heel vervelends was. ‘Deze kant op, meneer,’ zei hij opnieuw.

Een verwarde Harrison volgde de huisknecht dicht op de hielen naar een aangrenzende kamer.

Toen hij er binnenstapte, kondigde Charles hem aan als: ‘Meneer Harrison Shaw.’

Harrison stapte een sierlijke kamer binnen met een Chinees decor – rood met goudkleurig behang, hoge bamboeplanten in potten, pagode-achtige deurposten, Chinese letters die van alles konden betekenen op lange banieren. Midden in de kamer – en in niets lijkend op een Chinese vrouw – stond Victoria Jarves. Alles aan haar sprak van rijkdom en vrouwelijkheid.

‘Het is onbeleefd om een dame te laten wachten,’ zei ze, haar kin arrogant omhooggestoken.

Victoria Jarves onderdrukte een grijns. De uitdrukking op het gezicht van Harrison Shaw toen Charles hem aankondigde was onbetaalbaar. Dit ging leuk worden. Veel leuker dan wat ze voor vandaag van plan geweest was. Dat was niet winkelen met de Aspinwalls of kaartspelen met mevrouw Gallatins geweest. Dat had ze maar verzonnen. Als vader wist wat ze werkelijk met haar dagen deed, zou hij haar in haar kamer opsluiten.

‘Mijn verontschuldigingen,’ zei Harrison. Zijn gezicht zag een beetje bleek. ‘Als ik had geweten dat er een liefelijke jongedame op mij wachtte, dan had ik…’

Ze onderbrak hem. ‘Les nummer één, meneer Shaw: arriveer altijd op het moment dat de klok slaat. Een seconde te laat en uw reputatie is geruïneerd.’

'Les nummer één?' vroeg Harrison verbaasd.

'Mijn vader heeft mij in dienst genomen om u de juiste sociale etiquette aan te leren. Dat heeft hij u vast en zeker verteld.'

'Eerlijk gezegd heeft hij dat niet. Ik verwachtte een nieuwe onderzoeksopdracht. Dat is alles waar ik mee bezig geweest ben sinds...'

'Sinds de avond dat u mij voor een jongen aanzag, meneer Shaw?'

Dat leek hem de adem te benemen.

'U was verkleed... ik bedoel, tot mijn verdediging, u was verkleed in het kostuum van een strijder.'

'Meneer Shaw, wilt u beweren dat u alleen omdat ik geen jurk droeg niet in staat was om mijn geslacht vast te stellen? Vindt u dat ik eruitzie als een jongen, meneer Shaw?'

'Zeker niet, juffrouw Jarves!' stotterde hij. Zijn blik dwaalde van de zoom van haar jurk naar haar door een corset ingeregen middel en vandaar naar haar gezicht en haar. Zijn eerder witte gezicht werd nu rood.

'Het is onbeleefd om naar het figuur van een dame te staren, meneer Shaw.'

Victoria had het niet voor mogelijk gehouden, maar zijn kleur werd nog roder toen hij een verontschuldiging stamelde.

'Zou het u helpen als ik zo praatte?' Ze zette een voet naar voren en gebruikte de stem die ze op de avond van het bal gebruikt had. 'Blayne. Noem me maar John Blayne.'

'Dat is het!' riep Harrison. 'Ja! Stop die stem in het kostuum van een strijder en je hebt een jongen. Iedereen zou dezelfde vergissing gemaakt hebben.'

Victoria hernam haar houding van rijke dame. Ze schreed naar hem toe, raakte zijn arm aan en sprak zedig: 'Echt meneer Shaw. Houdt u vol in deze onmogelijke verdediging dat u mij ooit hebt kunnen aanzien voor een man?'

Harrison gaapte haar verheerlijkt aan. Hoe hij ook naar een jongen zocht, elke herinnering aan John Blayne was verdwenen.

Dit wordt inderdaad leuk, dacht Victoria.

'Nu, meneer Shaw, rijkdom en gratie zouden synoniemen moeten zijn.' Ze begon meteen met de les, in de hoop dat ze hem uit balans kon houden. 'Er is niets zo weerzinwekkend in deze wereld als onwaardige rijkdom. U hebt misschien wel gehoord van een bepaalde miljonair die tabak op de vloer spoog als hij aan een diner zat en die zijn mond afveegde met de mouw van zijn gastvrouw.' Ze trok een afkeurend gezicht om haar woorden kracht bij te zetten. 'Zeg eens, meneer Shaw, wilt u ook met zulke wilde manieren door het leven gaan?'

'Natuurlijk niet, juffrouw Jarves.'

'Dan is het geboden dat u leert hoe u zich op een beschaafde manier gedraagt.'

'Neemt u mij niet kwalijk, juffrouw Jarves,' zei Harrison. 'Het is waar dat ik niet onbeschaafd wil lijken, maar het is ook waar dat ik niet rijk ben.'

Victoria boog haar hoofd en gaf hem zo'n afkeurende blik dat hij gedwongen werd een stap achteruit te doen.

'Het is juist dat u het had over de verwachtingen van rijkdom, juffrouw Jarves,' verklaarde hij, 'en omdat ik het waardeer dat u mij het klappen van de zweep, om zo te zeggen, wilt leren, wil ik dat u weet dat ik niet rijk ben en mogelijk nooit zal zijn.'

Ze zei niets, maar staarde hem alleen aan.

'Daar komt bij,' stamelde Harrison, 'ik bedoel te zeggen, al is het goed dat ik leer hoe ik me in de hoogste kringen moet gedragen, ik twijfel er toch aan dat ik ooit tot de hoogste kringen zal *behoren*... als dat tenminste verschil maakt.'

Ze bleef hem aanstaren.

'Voor de lessen. En alles.'

Nog meer gestaar.

'Ik vond gewoon dat u dat moest weten.'

Ze wachtte tot ze zeker wist dat hij uitgesproken was. Gewoon om er zeker van te zijn, vroeg ze het. 'Bent u uitgesproken, meneer Shaw?'

'Ja.'

Stilte. Ze had haar vaders tactieken goed bestudeerd.

'Zolang u begrijpt,' voegde hij eraan toe. Toen zag hij de blik in haar ogen en hij maakte de zin stamelend af. 'Wat ik probeer te zeggen... over de rijkdom... en alles.'

Stilte.

Dit keer bleef hij zwijgen.

'Meneer Shaw, u bent zonder twijfel de meest onbeschofte persoon die ik ooit ontmoet heb.'

Hij wilde iets zeggen.

Ze hield hem tegen met een abrupt opgestoken hand. 'Uw zaken en uw bankrekening, nu en in de toekomst, gaan mij totaal niet aan. Ik heb erin toegestemd, als een dienst die ik mijn vader wil bewijzen, om het onmogelijke te proberen – om een man van duidelijk mindere komaf iets bij te brengen wat in de buurt komt van decorum. Als u volhardt in dit boerse gedrag, zullen we er meteen mee ophouden en dan zal ik aan mijn vader rapporteren dat er absoluut geen hoop voor u is. Is dat wat u wilt?'

'Zeker niet, juffrouw Jarves. Gelooft u mij als ik zeg dat het niet mijn bedoeling is...'

Haar hand legde hem weer het zwijgen op. 'Meneer Shaw. Wilt u wel of wilt u niet meewerken?'

'Ik plaats mijzelf in uw bekwame handen, juffrouw Jarves, en dat doe ik zonder iets te zeggen.'

'Dat zou heerlijk zijn, meneer Shaw.'

Charles, de huisknecht, stond nog op zijn plaats in de deuropening. Het was niet gepast om twee ongetrouwde jonge mensen van verschillend geslacht samen in een kamer achter te laten. Tot nog toe was hij een standbeeld, zonder teken dat hij iets gehoord had. Althans tot aan de laatste zin. Hij vocht tegen een grijns. Victoria fronste naar hem.

Ze liep de kamer op en neer, rustig, alsof ze ergens over nadacht. 'U zult alles doen wat ik zeg?'

'Ja, juffrouw Jarves.'

'Zonder tegenspreken?'

'Zonder tegenspreken, juffrouw Jarves.'

Hoe beheerst ze ook was, ze kon niet voorkomen dat er een glimlach op haar gezicht kwam. Ze moest Harrison de rug toekeren om te voorkomen dat hij het zag. Hem vernederen was gemakkelijker dan ze gedacht had. Nu zou de pret beginnen.

9

Het vooruitzicht om een morgen door te brengen met een mooie jonge vrouw leek vele malen beter dan het idee te moeten wroeten in de stoffige bibliotheek, zoekend naar de migratiepatronen van Noord-Amerikaanse vogels en dat soort onzin. Maar na twintig minuten met Victoria Jarves, zou Harrison zijn leven graag ingeruild hebben voor dat van Elwood Thomason, de tachtigjarige bibliothecaris.

'Luistert u naar mij?' snauwde Victoria.

'Natuurlijk doe ik dat.'

'U had een blik in uw ogen alsof u ver weg was.'

'Ik heb elk woord gehoord.'

'Werkelijk?' Ze had op en neer gelopen terwijl ze hem de les las. Nu ging ze zitten en vouwde haar handen in haar schoot. 'Herhaalt u dan eens wat ik net gezegd heb.'

Harrison beantwoordde haar blik. Om de waarheid te zeggen had hij meer naar haar gekeken dan geluisterd. Natuurlijk had hij dat gedaan als zij niet keek. Wat hem het meest getroffen had, was de manier waarop de donkergroene stof van haar jurk de bleke huid van haar hals en wangen deed glinsteren. Daarna hoe het geruis van haar jurk een onmiskenbaar vrouwelijk geluid maakte, een geluid dat je gewoon niet vaak hoorde als je opgroeide in een jongenstehuis. En hij was gefascineerd door de manier waarop haar handen bewogen als ze praatte, soms net een tent vormend, vingertop tegen vingertop; andere keren zo verfijnd in elkaar geweven, zo expressief.

'Nou, meneer Shaw? Ik wacht.' Ze vouwde haar armen over elkaar, in afwachting van zijn falen.

Harrison schraapte zijn keel en concentreerde zich zo goed mogelijk. Het viel hem op dat ze niet rook naar Desire du

Paris. Sterker nog, hij rook helemaal geen parfum.

'Wel?'

'Ja, natuurlijk,' zei Harrison. 'U ging maar door en door – een beetje te langdradig naar mijn idee.'

Victoria kneep haar ogen tot spleetjes.

Waarom zei ik dat? vroeg hij zich af. *Dat bedoelde ik niet te zeggen. Het kwam er zomaar uit.*

Hij ging verder: 'Dat een heer zich altijd beschaafd moet gedragen. Dat hij gratie moet tonen, een beschaafd spreker moet zijn en zich zelfverzekerd moet bewegen. Verder zei u dat hij een meester moet zijn in het op de juiste manier afleggen van bezoeken en ontvangen van bezoekers; dat hij fijngevoelig moet zijn, een capaciteit die nodig is om verlegenheid te voorkomen, en een sterke zelfbeheersing moet hebben – en bij al die dingen moet hij zich gedragen alsof het hem natuurlijk afgaat.' Hij gaf haar een grijns om aan te geven dat hij uitgesproken was.

Victoria keek naar hem op. Er was verbazing in haar ogen. 'Ja, goed, dat was een aanvaardbare weergave.' Ze stond op. 'Het volgende dat u moet weten...'

'Aanvaardbaar?' vroeg Harrison. 'Alleen maar aanvaardbaar? Ik herhaalde het woord voor woord, behalve natuurlijk die opmerking over langdradigheid.'

Daar nam ze aanstoot aan. 'Ik heb mijn oordeel gegeven, meneer Shaw. Laten we het nu hebben over uw uiterlijk.'

'U kunt uzelf er niet toe brengen om het toe te geven, hè?'

'Ik weet niet waar u het over hebt, meneer Shaw.'

'Over mijn weergave. Die was perfect. Woord voor woord. U kunt uzelf er gewoon niet toe brengen om toe te geven dat ik het best gedaan heb.'

'Góéd, meneer Shaw. U hebt het góéd gedaan.'

'Dank u. Was dat nu zo moeilijk?'

Victoria raakte geagiteerd. 'Ik heb u niet geprezen. Ik heb u gecorrigeerd.'

'En dat hebt u goed gedaan,' kaatste Harrison terug.

'Bent u er klaar voor om verder te gaan, meneer Shaw?' blies ze. 'Of wilt u doorgaan met dit onzinnige gescherts?'

Harrison gaf met opgetrokken wenkbrauwen en gesloten lippen aan dat hij klaar was om verder te gaan.

'Nu dan...' Ze liep op hem toe en zwaaide haar hand taxerend op en neer om een begin te maken met het onderwerp van hoe hij gekleed was. Harrison volgde de hand op en neer. Hij droeg zijn beste broek en zijn zondagse schoenen. 'We bespreken hoe u moet dineren...'

Had hij al die jaren verkeerd gegeten?

'Hoe u moet lopen...'

Nu, dat was iets waarvan hij wist hoe het moest. Zijn voeten hadden hem toch hier gebracht uit Brooklyn?

'Hoe u moet baden...'

'Zult u dat voordoen, juffrouw Jarves?'

Anders dan de opmerking over de langdradigheid die hem zomaar was ontvallen, was deze het gevolg van een toenemende frustratie.

Victoria zweeg. Haar hand bleef midden in de lucht steken. Hij dacht dat ze zou gaan blozen. Dat deed ze niet.

'Hoe *vaak* u moet baden, meneer Shaw,' verduidelijkte ze zonder humor.

'We krijgen allemaal tweemaal per week een beurt.'

Ze staarde hem aan.

'Zo is het nu eenmaal. Waar ik woon, hebben we een schema. Twee keer per week.'

Bij de deur grinnikte Charles, toen probeerde hij het te verbergen door te hoesten.

Victoria kon er niet om lachen. 'Vandaag,' zei ze met de nadruk op dat woord, 'beginnen we met iets simpels. Hoe u op de juiste manier een salon binnenkomt.'

Harrison keek naar de deuropening. Had hij het soms verkeerd gedaan? Hoeveel manieren waren er om een salon binnen te komen? Of je was binnen of je was buiten.

'Eerst en vooral,' ging Victoria verder, 'moet u altijd precies op tijd arriveren. Als de klok slaat.'

'Een moment later en je reputatie is geruïneerd,' herhaalde Harrison.

'Ja, goed, ik geloof dat u al bewezen hebt dat u in staat bent om woorden te herhalen, meneer Shaw. De vraag blijft of dat genoeg is om uw gebrek aan een goede afkomst goed te maken.'

Harrison nam daar aanstoot aan. 'Dat is de tweede keer vandaag dat u kwaadspreekt van mijn afkomst, juffrouw Jarves. Hebt u enig idee wie mijn ouders zijn?'

'Geïmmigreerde dagloners, te oordelen naar uw uiterlijk en uw gebrek aan manieren – vooral uw onvermogen om beloften na te komen.'

'Nu noemt u mij een leugenaar.'

'Meneer Shaw, hebt u wel of hebt u niet beloofd om uzelf in mijn bekwame handen te plaatsen zonder iets te zeggen?'

Harrison probeerde een tegenwerping te bedenken, maar ze had hem en hij wist het.

'Om verder te gaan,' zei ze uit de hoogte, 'als u bij de deur arriveert, overhandigt u uw visitekaartje. Dan, nadat u bent... ja, meneer Shaw?'

Hij wilde haar niet onderbreken, maar hij moest iets zeggen. Daarom had Harrison als een schooljongen zijn hand opgestoken. 'Ik heb geen visitekaartjes.'

Ze keek hem aan alsof mensen met visitekaartjes geboren werden en dat rondlopen zonder net zoiets was als rondlopen zonder hoofd.

'We hebben ze niet vaak nodig in Newboys' Lodge,' verklaarde Harrison.

Victoria lachte niet. Ook glimlachte ze niet en daarom vroeg Harrison zich af wat dat toch was met vrouwen dat ze hun gevoel voor humor verloren zodra ze lesgaven.

Met een ongeduldige zucht liep Victoria de kamer door, deed een laatje open van een lampentafeltje met gebogen poten en haalde er een roze waaier uit. Ze draaide zich om naar Harrison en sloeg met de waaier op haar borst. De geur van stof die er afkwam deed hem niezen.

'Tot u visitekaartjes hebt laten drukken,' zei Victoria, 'gebruikt u dit.'

'De waaier van een vrouw?'

'Draagt u hem altijd bij u.'

'Ik ga niet rondlopen met de waaier van een vrouw!'

'Dan is onze les voorbij. Dag, meneer Shaw.' Ze draaide zich om om te vertrekken.

Harrison staarde naar de waaier en toen naar haar verdwijnende gestalte.

'Ik zal kaartjes laten drukken.'

Victoria bleef doorlopen.

Harrison zag haar gaan. Hij riep haar na: 'Ik wilde u niet beledigen.'

Ze kwam niet terug.

'Ik bied u mijn verontschuldigingen aan.'

Charles stond in de deuropening naar hem te kijken.

'Ik zal de waaier bij me dragen!' schreeuwde Harrison.

Hij wachtte.

Eerst niets. Toen kwam ze terug. 'Het is geen waaier. Het is uw visitekaartje.'

Ze schreed de salon binnen als een winnares. Tegen Charles zei ze: 'Laat meneer Shaw uit. Gebruik de achteruitgang.' Tegen Harrison zei ze: 'Laten we eens kijken of uw uitvoering net zo goed is als uw geheugen.'

Met de huisknecht voor hem uit, liep Harrison de lange gang door, de keuken door, de provisiekamer door en de achterdeur uit. De deur ging achter hem dicht en viel in het slot.

Het was koud buiten. Harrison liep de zon in om zich te

warmen. Hier stond hij, buiten een herenhuis in Millionaire Row met een roze vrouwenwaaier in zijn hand. Het was net zo onzinnig als onderzoek doen naar krokodillen. Maar dat maakte niet uit. Hij was hier. Wat moest hij nu doen?

Hij overdacht wat hem geleerd was: 'Kom altijd precies op tijd, als de klok slaat. Een seconde te laat en uw reputatie is geruïneerd.'

Hij klemde zijn visitekaartje in de ene hand en sloeg zijn jas open om met de andere naar zijn horloge te zoeken.

'Dat kleine nest.'

De minutenwijzer stond bijna rechtop. De secondewijzer was bijna klaar met de weg naar beneden. In weinig meer dan dertig seconden zou de klok slaan.

'Een seconde later en je reputatie is geruïneerd,' mompelde Harrison.

Hij begon te rennen.

Toen hij de hoek van het huis omkwam, bleef hij weer staan. Een heg van bijna twee meter rees voor hem op en blokkeerde de weg. Hij was te hoog om eroverheen te springen en hij kon er met geen mogelijkheid omheen. Had hij aan de andere kant om het huis heen gemoeten? Hoe wist hij of er niet net zo'n heg aan de andere kant van het huis was? Kon hij zich presenteren aan de achterdeur? Nee, dat was de ingang voor bedienden. Die was zeker niet geschikt voor gasten. Maar wat dan?

Hij ontdekte een gat onder in de heg. Het was laag, maar met wat moeite... Hij rende erheen, viel neer op zijn knieën en onderzocht het gat. Het was smaller dan hij gedacht had. Was het mogelijk? Hij stak eerst zijn hoofd erdoor. Er grepen takken in zijn haar, in zijn kleren. Ze hielden hem tegen en probeerden te verhinderen dat hij er doorheen kwam. Al die tijd tikten de seconden weg.

Harrison stak zijn arm naar achteren om de takken te breken die hem tegenhielden. Hij dook op aan de andere kant, sprong op zijn voeten, wankelde twee stappen, wist overeind te blijven en rende naar de voordeur.

Maar zonder de waaier!

Hij keek achterom. De waaier lag op de grond aan de andere kant van de heg.

Hij racete terug, viel weer neer op zijn knieën, reikte door de opening, greep de waaier en rende toen naar de voordeur, waarbij hij een pad door de rozenstruiken sneed. Hij sprong de stoeptreden op en graaide naar de leeuwenkop van de klopper terwijl hij tegelijk zijn horloge tevoorschijn haalde.

Ha! Nog twee seconden over!

Hij grijnsde. Ze had niet gedacht dat hij het kon!

De deur ging open. 'Ja?' Te oordelen naar de uitdrukking op zijn gezicht was Charles niet zo blij met Harrisons overwinning.

'Mijn kaartje,' blies Harrison buiten adem. Hij gaf Charles de roze waaier.

Charles staarde naar de waaier. Hij nam hem niet aan.

'Mijn kaartje,' zei Harrison weer. 'Je was erbij. Ik moet dit gebruiken tot ik kaartjes heb laten drukken.'

Charles deed nog steeds geen poging om de waaier aan te nemen. Wel deed hij een stap opzij om Harrison te laten passeren.

Terwijl Charles zich bewoog als stroop, stormde Harrison als de bliksem naar binnen. Hij gaf niet om een begeleider. Hij kende de weg. Hij viel met een zwoegende ademhaling de salon binnen en hij spreidde zijn handen uit – met in de ene nog steeds de roze waaier – om te laten zien dat hij was gearriveerd.

'Precies op het hele uur en met mijn visitekaartje!' zei hij triomfantelijk.

'Maar u ziet eruit alsof u door de kat naar binnen gesleept bent!' riep Victoria.

Ze staarde dreigend naar zijn knieën, waar natte plekken op

zaten door zijn gekruip onder de heg door. Zij wees naar takjes en blaadjes die op zijn jas en in zijn haar zaten. Ze keek met weerzin naar de zweetstraaltjes die langs zijn gezicht liepen.

'Heren vallen nooit, NOOIT onaangekondigd en onverzorgd een salon binnen. Noch komen ze hijgend en puffend binnen. De binnenkomst van een heer vereist elegantie en waardigheid. Dat is de reden dat we kamers hebben waar hij kan wachten voor hij wordt aangediend, zodat hij zich kan voorbereiden en' – ze trok haar voorhoofd vol ongeloof in rimpels – 'en zijn knieën kan laten drogen en de takjes van zijn jas kan plukken.'

'Wat had u verwacht? U gaf me maar dertig seconden! En u wist dat er een heg was daarbuiten!'

Ze nam zijn verschijning op met een mild verwijt. 'Er is een hek aan de andere kant. En ik gaf u een uur om na te denken over wat u geleerd hebt en om uzelf op een betamelijke manier te presenteren. Dacht u werkelijk dat ik verwachtte dat u als een wildeman om het huis heen zou jagen, terwijl ik aan het begin uitdrukkelijk heb gezegd dat het mijn bedoeling is om u beschaafde manieren bij te brengen?'

Harrison stond sprakeloos.

Victoria Jarves zuchtte met nauwelijks bedwongen ongeduld. 'Zullen we het maar opnieuw proberen, meneer Shaw? Zelfde instructies. Charles, wil je meneer Shaw even uitlaten?'

Daarmee verliet ze de kamer.

Kort daarna stond Harrison weer op de achterstoep met de roze waaier in zijn hand en met achtenvijftig minuten die hem scheidden van het hele uur.

Zodra ze zeker wist dat Harrison buiten was, barstte Victoria Jarves in lachen uit. Ze kon zich niet langer inhouden.

Wat had hij er niet uitgezien toen hij daar stond, bedekt met takjes en blaadjes en met twee ovale plekken op zijn knieën. Ze had nooit gedacht dat hij onder de heg door zou kruipen. Maar ze had wel gedacht dat hij zou rennen. Dat was vanaf het begin haar plan geweest. Ze had het moment dat ze hem wegzond bepaald aan de hand van de pendule in de kamer. Ze had verwacht dat hij buiten adem zou arriveren, maar niet dat hij eruit zou zien alsof hij een week door het bos getrokken had!

Met een opgeruimd hart – ze had in jaren niet zoveel plezier gehad – liep ze naar de serre waar een bediende haar een kop thee en een cakeje bracht. Ze at en dronk op haar gemak terwijl ze door een boek bladerde. Haar ogen gingen over de woorden, maar haar gedachten waren ergens anders. Ze bedacht nieuwe manieren om Harrison Shaw te martelen.

De eerste dertig minuten bleef Harrison op de achterstoep van het huis van Jarves zitten. Hij hield zijn knieën in de zon om te proberen ze te laten drogen. Na een halfuur waren ze nog steeds vochtig, want het was winter. Harrison stond op en veegde ze af en liep toen naar de zijkant van het huis – de kant die hij nog moest ontdekken. Inderdaad, daar was een hek. Een ruk aan de ketting en binnen dertig seconden was hij aan de voorkant van het huis. Zonder te rennen. En hij had nog negenentwintig minuten voor de klok zou slaan. Maar nu hij wist dat er een kamer in het huis was waar heren zich konden voorbereiden op het binnengaan van salons, klopte hij toch vast op de voordeur.

Charles deed de deur open. Hij weigerde voor de tweede keer om Harrisons waaier aan te nemen. Maar dit keer joeg Harrison hem niet voorbij, maar wachtte hij op Charles en werd hij een kamer binnengelaten waar bepaald geen tekort was aan spiegels. Dus de volgende achtentwintig minuten liep hij heen en weer terwijl hij voortdurend controleerde of de donkere vlekken op de knieën van zijn broek al verdwenen waren.

Terwijl hij wachtte, trof het hem dat dit wel erg leek op de eerste keer dat hij in dit huis was. De dag van het sollicitatiegesprek. Hij dacht aan de opgezette vogels onder het glas en aan het horloge. En hij herinnerde zich ook...

Hij liep naar het midden van de kamer en onderzocht de omtrek op een plek waar misschien een kijkgat verborgen zat. Hij snoof alsof hij half verwachtte een vleug Desire du Paris op te vangen. Was er een reden voor dat ze geen parfum droeg? Die gedachte verontrustte hem. Als ze een reden had, dan was het geen goede.

Toen de klok sloeg, kwam Charles hem halen. Harrison was eraan gewend geraakt om Charles te volgen en het gaf hem een rustig gevoel. Hij had nergens een kijkgat gevonden, maar hij kon het gevoel dat er iemand naar hem gekeken had niet kwijtraken. Misschien kwam het door al die spiegels.

Toen ze bij de salon aangekomen waren, diende Charles hem aan.

Victoria knikte dat het goed was, maar hij betrapte haar er wel op dat ze een blik op zijn knieën wierp.

'Laten we nu eens kijken hoe u gasten *ontvangt*,' zei Victoria.

Ze ging de kamer uit zonder nog iets te zeggen.

Harrison ging staan op de plek waar zij gestaan had, want hij dacht dat als zij daar gestaan had, het dan wel de juiste plek moest zijn om te staan. *Tenminste, als dat niet de juiste plaats was voor een vrouw om gasten te ontvangen, maar de verkeerde plaats voor een man om gasten te ontvangen.* Hij keek neer naar waar hij stond en deed een stap naar rechts.

Hij wachtte op haar binnenkomst.

Ze kwam niet terug.

Er gingen vijf minuten voorbij. Toen tien.

Harrison stond alleen in de salon.

Vijftien minuten.

Toen viel het hem in. Op het hele uur. Ze zou pas over vijfenveertig minuten terugkomen.

Harrison stopte zijn handen in zijn zakken en hij slenterde om de tafels heen en onderzocht de verzamelde kunstvoorwerpen die de tafels en planken bedekten. En hij zocht naar kijkgaten.

Na dertig minuten rondjes te hebben gelopen, ging hij zitten.

Op het hele uur kondigde Charles de komst van Victoria Jarves aan. Harrison had zijn van tevoren bepaalde positie ingenomen om haar te ontvangen en liep de kamer door om zijn gast te ontvangen.

Hij boog licht.

Ze bood hem haar hand.

Hij nam die.

'Biedt u mij nu een stoel aan,' zei ze.

Hij leidde haar naar een stoel. 'Alstublieft.'

Ze ging zitten.

Het volgende ogenblik sprong ze op uit de stoel alsof ze op een dennenappel zat. Haar ogen werden groot van afschuw. Haar wangen kersenrood.

'Wat? Wat is er mis?' riep Harrison. Hij onderzocht de aanstootgevende stoel en verwachtte een uitstekende spijker of zoiets te zien die er niet gezeten had toen hij er op zat.

'Meneer Shaw!' gilde Victoria, terwijl ze hem aankeek.

'Wat? Wat heb ik verkeerd gedaan?'

Er was niets wat hij verkeerd gedaan kon hebben, daar was hij zeker van. Toch was ze opgesprongen en het moest zijn fout zijn.

Niet in staat om woorden te vinden voor haar gekrenkte waardigheid, schudde Victoria haar hoofd en liep naar de deur.

'Zegt u me wat ik verkeerd gedaan heb!' riep Harrison.

Ze keerde zich om haar as, bedacht zich en draaide zich opnieuw om om te vertrekken, toen wendde ze zich voor de tweede keer om. Ze wees met een beschuldigende vinger naar de stoel. 'Hoe durft u!'

'Hoe durf ik wat?'

Harrison keek opnieuw naar de stoel. Hij zag geen uitstekende spijker, geen gebroken poot, geen dennenappel – niets behalve de zitting van de stoel.

'Die stoel is warm!' riep Victoria.

'Die stoel is wat?'

'Warm! De zitting is warm! U hebt er op gezeten, voordat ik kwam, hè?'

'U bent boos omdat de zitting warm is?'

'Geeft u het maar toe! U hebt erop gezeten!'

'Ja, ik heb er op gezeten, maar ik...'

'O! Hoe walgelijk!' riep Victoria. 'Hoe uitermate afschuwelijk!'

Harrison schudde zijn hoofd. 'Ik begrijp het nog steeds niet.'

Victoria haalde diep adem om zichzelf onder controle te krijgen. Toen nog een keer. 'Als er een dame een kamer binnenkomt,' zei ze moeilijk, 'biedt een heer haar nooit, NOOIT zijn eigen stoel aan. Waarom?'

Harrison hoopte dat de vraag retorisch was, want hij had geen idee wat hij fout gedaan had.

'Waarom?' vroeg ze opnieuw om haar woorden extra kracht bij te zetten. 'Omdat hij nog warm is van zijn lichaam. Meneer Shaw, vertelt u mij niet dat u zich er niet van bewust bent dat lichaamswarmte aanstootgevend is voor een beschaafd gevoel. Het is walgelijk. In wat voor wereld leeft u als u zich daar niet van bewust bent?'

Harrison was blij dat ze dat vroeg, want hij had genoeg van al die onzinnige omgangsregels. 'Ik denk niet dat u dat echt wilt weten. En ik denk niet dat u het zou moeten vragen, als u het niet echt wilt weten.'

Het was duidelijk dat zijn toon haar overviel. Ze had gedacht dat zij in de kamer degene was die beledigd hoorde te zijn.

'Maar ik ga het u toch vertellen, zelfs al beledig ik daarmee uw beschaafde gevoel!' Hij liep op haar toe. Hij werd steeds bozer. 'U wilt weten in wat voor wereld ik leef? Ik leef in een wereld waar we met z'n tienen een kostuum delen omdat we ons er zelf geen kunnen veroorloven. Ik leef in een wereld waar twee, soms drie jongens 's nachts een bed delen en zichzelf gelukkig prijzen omdat dat betekent dat ze niet ergens opgerold tegen een stenen gebouw hoeven te slapen. Ik leef in een wereld waar Arney Arkwilder de sokken van zijn voeten haalt om ze uit te lenen aan Sylvester Gray omdat Sylvester voor zijn werk sneeuw moet ruimen en er in zijn sokken grote gaten zitten. En weet u wat? Arney wast ze niet voor hij ze uitleent. En weet u wat nog meer? Dat maakt Sylvester niets uit! Hij prijst zichzelf gelukkig dat hij een vriend als Arney heeft die hem zijn sokken wil lenen!'

Hij was zo kwaad dat hij nu bijna schreeuwde.

'Ik weet dat u dat niet zult begrijpen, maar we prijzen ons allemaal gelukkig omdat het erger had kunnen zijn. We hadden kunnen wonen in Five Points. U gelooft het misschien niet, maar de mensen daar nemen ook geen aanstoot aan elkaars lichaamswarmte. Weet u waarom niet? Omdat ze die nodig hebben om de nacht te overleven! Mannen en vrouwen kruipen samen in de hoeken omdat hun kamers vochtig zijn en geen verwarming hebben! Ze trekken hun kinderen dicht tegen zich aan om hun lichaamswarmte met hen te delen, zodat ze niet dood zullen vriezen. Dus neemt u mij niet kwalijk, juffrouw Jarves, als ik u beledigd heb door u een stoel aan te bieden waar ik in gezeten heb toen u mij een uur liet wachten. Ik ga nu weg.' Hij schreed langs haar heen.

Tegen Charles bij de deur zei hij: 'Ik ken de weg.'

'We zijn nog niet klaar,' riep Victoria.

Harrison draaide zich om. 'Voor het moment wel. Ik heb een afspraak.'

'Weet mijn vader daarvan?'

'Ik heb sinds het bal nog geen twee seconden met uw vader gesproken.'

'Hij zal het niet goedkeuren.'

'Dat is iets tussen hem en mij.'

'En onze les?'

'Die kunnen we afmaken als ik terugkom.'

'Ik ben hier niet meer als u terugkomt.'

'Dat maakt ook niet veel uit, toch? Ik denk dat u mij alles wel geleerd hebt wat ik wil weten over warme stoelen.'

'Doet u niet zo onbeschaamd. Dat doet een heer niet.'

'Ik dacht dat u dat nu wel in de gaten zou hebben. Ik ben geen heer!'

'Weest u in elk geval zo beleefd om mijn vader te informeren waar u bent.'

'In de North Dutch Church in Fulton Street.'

'In een kerk? Maar het is geen zondag.'

'Goedendag, juffrouw Jarves.'

Harrison liep de kamer uit en liet Victoria Jarves achter naast een warme stoel.

10

Volgens Harrisons horloge was het een paar minuten na het middaguur. Hij versnelde zijn stap en zocht zich een weg tegen het verkeer in op Broadway. Het zingen zou al begonnen zijn. Hij zocht zijn weg tussen het geratel van huurrijtuigen, koetsen en voetgangers door en verlangde zo ver mogelijk bij Victoria Jarves vandaan te zijn.

Als hij terugkwam, kon hij consequenties van zijn plotselinge vertrek verwachten, daar was hij zeker van. Maar hij had niet geweten dat hij vandaag in het huis les zou krijgen. Hij had gedacht dat hij onderzoek zou doen in Astor Library waar niemand er iets om gaf als hij even wegglipte. Hij was al lang van plan geweest om Jarves op de hoogte te stellen van zijn wekelijkse verplichting. Maar hij had de man nog niet één keer ontmoet. Toen hij buiten bij het huis heen en weer had gelopen om de tijd te doden, had hij erover gedacht om de gebedssamenkomst van vandaag over te slaan. Hij had dat niet gewild, maar hij had het gevoel gehad dat hij verplicht was om te blijven. Toen, zomaar opeens, was dat gevoel verdwenen, sneller dan lichaamswarmte uit een stoel.

Harrison versnelde zijn stap opnieuw. Jeremiah Lanphier begon de gebedssamenkomsten altijd op tijd. De mensen wisten dat en begonnen al twintig minuten van tevoren te komen. Twee minuten voor het middaguur was de zaal meestal al vol. Er stonden dan zelfs mensen één à twee rijen dik langs de muren. Als hij geluk had, kon hij nog ergens staan.

Lanphier begon de samenkomst altijd op dezelfde manier, door iedereen te herinneren aan de vijf-minutenregel. Voor wie te laat was stond die regel aangeplakt bij de ingang en op verscheidene plaatsen in de zaal.

De broeders wordt dringend verzocht om zich te houden aan de vijf-minutenregel. Gebeden en vermaningen mogen niet langer duren dan vijf minuten om iedereen de gelegenheid te geven.

Na de herinnering las Lanphier gewoonlijk hardop een vers of twee voor van een gezang. Dan zongen ze het. Ze waren aan het zingen toen Harrison de stoep van de achteringang in Ann Street opwipte.

Om Zijn genade, mij geschied
juicht steeds mijn ziel in dankbaar lied

De zaal was volgestouwd. Net binnen de deur stond een gezette man met een driedelig zwart pak en een gouden zakhorloge waarvan de ketting over zijn middenrif gedrapeerd hing. Hij deelde een gezangenboek met een dokwerker die naast hem stond met een grote haak die over zijn buik hing. Ze keken allebei naar Harrison toen hij binnenkwam.

Het verbaasde Harrison nog steeds dat zoveel mensen met verschillende achtergronden en belangen hier allemaal wilden zijn. Ze voelden allemaal hetzelfde als hij. Ze wisten dat er iets ging gebeuren, iets opwindends, iets van God en ze wilden het niet missen.

Het klonk vreemd, maar de enige keer dat Harrison eerder zoiets gevoeld had, was toen hij voor het eerst naar P.T. Barnums American Museum ging. Van tevoren had hij er zoveel over gehoord van Jimmy, Isaäc en Simon, dingen die hem verbaasden en vermaakten – een vrouw van honderdzestig jaar oud, Japanse zeemeerminnen, een witte walvis waarvan Barnum volhield dat het Moby Dick was, wilde beesten, circusattracties. Precies zo voelde iedereen zich bij de recente opkomst van gebedssamenkomsten, maar zonder het griezelelement. De mensen konden niet wachten om te zien wat God verder ging doen.

Het lied eindigde. Terwijl hij het gezangenboek dichtdeed, keek de dokwerker – die de vislucht van de kaden meegenomen had – nieuwsgierig naar Harrisons middel.

Harrison keek naar beneden. De roze waaier stak uit zijn riem. Zijn gezicht begon te gloeien en hij bedekte hem met een arm.

Voorin ving Lanphier Harrisons blik. Ze knikten naar elkaar. Er was een elektrische geladenheid in de ogen van de leider. Ook hij deelde in het gevoel van verwachting.

'Laat ons bidden dat God vandaag ongehinderd onder ons kan verkeren,' zei Lanphier en hij ging voor in gebed.

Ongehinderd. Harrison glimlachte. Het was een van Jeremiah Lanphiers favoriete woorden. Ze waren het tegengekomen in de eerste dagen, toen ze de Handelingen der Apostelen bestudeerden, het laatste hoofdstuk, het laatste vers, de laatste zin. De passage die ging over de dienst van de apostel Paulus – hoe hij het Koninkrijk van God predikte met vrijmoedigheid. In zijn Bijbel eindigde de zin met: *zonder enige belemmering.* Omdat Harrison Grieks en Latijn en Duits geleerd had, kon hij nakijken welk woord er precies stond. Een bijwoord dat betekende: vrij, zonder hindernissen. *Ongehinderd.*

Het woord was zoiets als een wachtwoord voor hen geworden. Het drukte hun verlangen uit voor New York en heel Amerika. Gods Geest werkte – dat was duidelijk – maar niet ongehinderd. Harrison bad dat hij voor hij zou sterven er getuige van zou zijn dat Gods Geest ongehinderd door heel het land werkte.

Getuige. Meer niet. Deelnemen. Alles wat hij tot nog toe gedaan had was getuige zijn van verhoorde gebeden en verbazingwekkende gebeurtenissen in de levens van anderen. Het was zoiets als buiten bij een huis staan en door een raam naar binnen kijken. Ooit wilde hij binnen zijn. Om deel te hebben aan iets groots. Niet alleen de Geest in actie zien, maar

Hem voelen. Voor het moment keek hij toe hoe de wind van de Geest door hoge boomtoppen waaide; hij wilde wind op zijn wangen voelen.

'Amen.' Lanphier was klaar met zijn gebed en ging naar een tafel waar verzoeken om gebed hoog opgestapeld lagen. Het was tien minuten over twaalf.

Er werden verzegelde enveloppen, met daarin verzoeken om gebed of blijde berichten ergens uit het land, naar de gebedssamenkomst in Fulton Street gestuurd. Het waren er ontzagwekkend veel, want in het hele land werden de berichten verspreid over de dingen die in de gebedssamenkomst gebeurden. Hartverscheurende brieven. Menselijk leed met uitroeptekens. Wanhoop dichtgeplakt en van een poststempel voorzien.

Maar het was niet alleen maar ellende. Begraven in de berg lagen stukken goud, brieven over beantwoorde gebeden. Een dronken en gewelddadige echtgenoot die nu werkte en liefhad. Een opstandige wegloper die gevonden was. Een immoreel leven dat was afgezworen. En hoewel die verhalen uniek waren, kwam het toch steeds weer op hetzelfde neer – er had iemand gebeden, God had verhoord en de Geest had gehandeld.

Het lezen van de brieven was als een trompetsignaal dat langs de straten van Manhattan echode en over heuvels en velden klonk en mensen tot gebed opriep. Het ritselen van de eerste pagina van die dag veroorzaakte een stille afwachting in de zaal.

Lanphiers arm maakte een beweging alsof hij schuiftrompet speelde tot hij het geschrevene scherp kon zien.

'Deze komt uit Ohio,' zei hij. 'Een jongen van veertien vraagt om gebed voor zijn moeder. Ze was gewoon om hem Bijbelverhalen voor te lezen toen hij jong was, maar nu zijn ze in moeilijke tijden terechtgekomen. O nee. Hij zegt dat zijn vader is weggelopen. Nu zijn ze nog maar met hun tweeën. Hij zegt dat ze nooit meer lacht.' Lanphier liet de pagina zakken. 'Laten we bidden dat de moeder van die jongen weer zal lachen.'

Er stond een man op. Een gewone arbeider, naar zijn uiterlijk te oordelen. Slordig peper-en-zoutkleurig haar. Hij draaide een hoed om en om in zijn handen terwijl hij sprak. 'Ik zal voor haar bidden. Ik heb een zoon en een dochter die voor mij gebeden hebben. Als zij er niet geweest waren, had ik nu ergens in een steeg met mijn gezicht naar de muur gelegen om mijn laatste fles weg te slapen.'

Hij kwam nauwelijks uit zijn laatste woorden voor hij werd overmand door verdriet. Hij greep de stoel voor hem beet en bad hardop. Veel van zijn woorden werden door emoties verstikt, maar de bedoeling van zijn hart was duidelijk genoeg.

Lanphier opende een volgende brief. 'Deze komt uit Boston. Een zeeman. Hij vraagt gebed voor zijn scheepsmakkers. Hij is blijkbaar de enige gelovige aan boord en ze staan op het punt om uit te varen.'

'Ik zal voor ze bidden,' zei de dokwerker naast Harrison, 'als jullie allemaal willen bidden voor mijn broer. Hij is ook een pekbroek. Hij vertrekt volgende week naar West-Indië.'

Er stond een man op in de tweede rij. 'Aan boord van de *Haswell*?'

'Dat is hem.'

'Ik heb net getekend op de *Haswell*!' riep hij. 'Ik kwam hier om te bidden omdat ik dacht dat ik de enige christen aan boord was! Heb je het over Jim Barrows?'

'Dat is hem!' riep de dokwerker.

'Wel, prijs God!' zei de man in de tweede rij. 'Ik heb God gebeden dat Hij mij iemand zou sturen!'

De dokwerker liep de zaal door. Dat hij hinkte maakte niet dat hij langzamer liep. De twee mannen omhelsden elkaar alsof ze al hun leven lang vrienden waren.

De bankier die naast Harrison stond pinkte een traan weg.

Hij stapte naar voren. 'Ik wil graag gebed aanvragen voor mijn twee zonen.' Hij moest tegen een golf van emotie vechten voor hij weer verder kon spreken. 'Ze zijn volwassen. Ze hebben hun hele leven als honden geschraapt. Ze zijn goddeloos. Meedogenloos. En het is mijn schuld. Ik ben geen goede vader geweest.' Hij huilde nu openlijk. 'Wil er iemand voor hen bidden? Ze weten niet beter. Ze denken dat dit is hoe het leven hoort te zijn.'

Harrison legde zijn hand op de schouder van de man. 'Ik zal voor ze bidden en voor u.'

Glazige ogen keken hem dankbaar aan.

Negentig minuten nadat hij vertrokken was, was Harrison terug bij het huis van Jarves. Hij stond voor het huis te wachten tot het hele uur.

Op zijn klop opende Charles de deur.

'Wil je juffrouw Jarves meedelen dat ik teruggekomen ben?' Harrison presenteerde de roze waaier.

Op het zien van de waaier gingen de mondhoeken van de huisknecht omhoog, maar slechts heel even en maar een kleine stukje. 'Juffrouw Jarves is er niet. Wilt u uw' – hij keek naar de waaier – 'visitekaartje achterlaten, meneer?'

Dat Victoria niet beschikbaar was, was geen verrassing.

Harrison trok de roze waaier terug. Het was het enige geldige visitekaartje dat hij had. 'Dank je, nee. Is meneer Jarves thuis?'

'Ik ben bang van niet, meneer,' zei Charles. 'Wilt u uw visitekaartje achterlaten?'

De ogen van de huisknecht twinkelden toen hij dat zei. Harrison grijnsde. Hij begon Charles te mogen. Als de omstandigheden anders waren, zou hij graag met de man ergens gaan zitten en hem beter leren kennen. Had hij een vrouw? Kinderen? Muzikale belangstelling? Zolang de man in dienst was van J.K. Jarves zou hij het nooit weten.

'Heeft meneer Jarves instructies voor mij achtergelaten?' vroeg Harrison.

'Nee, meneer. Is dat alles, meneer?'

'Ja. Dat is alles.'

De deur ging voor zijn neus dicht. Harrison kuierde de stoep af. Opeens had hij een vrije middag. Hij zou er morgen waarschijnlijk voor moeten boeten, maar voor het moment was hij vrij.

Alleen met tegenzin was hij naar Fifth Avenue teruggekeerd. Het gevoel dat hij daar niet hoorde was sterker dan ooit. Er waren maar twee plaatsen in de wereld waar Harrison zich echt mee verbonden voelde – het tehuis waar hij was opgegroeid en de gebedssamenkomst in Fulton Street. Ondanks dat hij steeds maar de helft van de mensen kende die daar kwamen, was er een gemeenschappelijke geest onder hen. Een familiegeest. Een geest van liefde. Een geest van bereidheid. Een geest die totaal vreemd was aan wat hij voelde in het huis van Jarves.

Op een bepaalde manier dankbaar dat hij daar deze middag niet meer mee te maken kreeg, noch met juffrouw Jarves, stopte Harrison de roze waaier in zijn riem en ging op weg naar Broadway. Zijn eerste doel? Een drukkerij voor visitekaartjes.

11

De dagen werden korter. Tegen de tijd dat Harrison de order voor zijn visitekaartjes geplaatst had en een paar boodschappen had gedaan, hadden de koude schaduwen van de New Yorkse winkels de straten al bedekt, afgewisseld met strepen zacht blauw licht. Harrison moest nog één ding doen voor hij de veerboot terug naar Brooklyn zou nemen.

Toen hij op weg ging naar Five Points, voelde hij een klomp nerveuze opwinding in zijn borst. Hij wist geen andere manier om het te beschrijven. Het was een unieke sensatie. Hij voelde het alleen wanneer hij op het punt stond het meisje te zien dat hij leuk vond.

Mouser had gezegd dat zijn zus kort voor vijf uur thuiskwam. Harrison hoopte dat hij haar kon opvangen voor het operagebouw, voordat ze Park Street zou oversteken, Five Points in. Hij stond onder een straatlantaarn, net ten noorden van Chatham Street, met zijn handen diep weggestopt in zijn zakken, want als het eenmaal donker werd, dan werd het ook snel koud. Om de zoveel tijd sprong de wind om een gebouw heen en sloeg hem zo hard in het gezicht dat hij geen adem meer kreeg. Na een tijdje begon hij op een voet te wippen, toen op de andere, in een poging om warm te blijven. Voorbijgangers keken hem achterdochtig aan. Hij gaf er niet om. Het was koud.

Toen zag hij haar. Aan de overkant van de straat liep ze voorovergebogen tegen de wind in. Haar dienstmeisjesuniform kwam onder haar versleten, bruine jas uit en ze droeg een muts en een mof om haar hoofd en handen warm te houden. Al was ze nog zo bedekt, hij herkende haar toch.

'Katie!'

Ze liep door. Of ze hoorde hem niet, of ze herkende hem niet.

De stem van Victoria Jarves klonk in zijn hoofd. *Meneer Shaw, het is onbeschaafd om over straat naar een dame te roepen.* Zelfs als ze er niet was, achtervolgde ze hem nog!

'Katie!' riep hij weer en hij ging haar achterna.

Dit keer hoorde ze hem. Ze hield even in om een blik over haar schouder te werpen en liep toen weer door. Sneller.

'Katie! Wacht!'

Hij had haar misschien vijf keer gezien en haar nog maar twee keer gesproken. De eerste keer, bijna een jaar geleden, had ze een stapel kranten gedragen. Toen zij ze had laten vallen, had hij haar geholpen ze weer op te rapen. Ze was zo verlegen, dat ze hem niet in de ogen durfde te kijken. Maar er was een zachtheid over haar die hem had geraakt. De tweede keer dat hij haar gezien had, was ze samen met Murph geweest, de leider van de Plug Uglies. Het was Murph die hem verteld had, dat ze Mousers zus was. Harrison kon dat zien – ze waren ongeveer even lang en ze leken op elkaar in hun gezicht. Tijdens de tweede ontmoeting had ze hem aan durven kijken, maar slechts heel even. Haar onschuldige bruine ogen hadden in een ogenblik zijn hart veroverd. Voor Harrison was dat een magisch moment geweest dat hij in gedachten honderd keer opnieuw beleefd had.

'Katie! Ik ben het. Harrison.' Hij pakte haar bij de schouder.

Ze trok zich los. Er piekte een bruine krul onder haar muts uit. Hij slingerde aantrekkelijk langs haar bleke wang.

'Katie, ik wil gewoon praten. Ik ben het. Harrison. Herinner je je mij? Ik heb je toen met die kranten geholpen.'

Ze ging langzamer lopen en waagde een blik op hem.

'Herinner je je mij?' Harrison ging voor haar staan, zodat ze hem kon zien. Haar blik gleed weg. Ze keek snel naar haar kale en versleten schoenen.

Vanonder de lagen kleding die haar neus en mond bedekten, zei een omfloerste stem: 'Kan ik iets voor u doen, meneer Shaw?'

Harrison boog zich voorover om te proberen haar blik te vangen. 'Je mag me Harrison noemen.'

'Nee, meneer Shaw. Dat zou niet gepast zijn, want u bent een heer en zo.'

'Maar ik ben geen heer!' riep Harrison.

Katie verstijfde en deed een halve stap achteruit. Hij had haar bang gemaakt.

'Ik bedoel, ik hoor geen heer genoemd te worden. Ik probeer me wel... als een heer te gedragen. Dus ik denk dat ik in de ware betekenis van het woord wel een heer ben.' Hij praatte onzin. 'Maar ik zal je nooit pijn doen, Katie. Ik hoop dat je dat weet.'

'Ik moet naar huis.' Ze liep om hem heen.

Hij liep naast haar mee.

'Ik hoopte dat we even konden praten.'

'Het is koud.'

'Ja, hè? Ik wou dat we ergens heen konden gaan.'

Als het zomer geweest was, dan hadden ze in het park of over de kades kunnen gaan lopen. Maar met deze kou konden ze alleen naar een lawaaierige kroeg of club gaan en dat kon je met een dame eigenlijk niet doen.

'Ik moet naar huis.' Ze bleef doorlopen.

'Heb je de zak gekregen die ik voor jullie deur achtergelaten heb? Met het eten? Hopelijk heeft niemand hem gestolen. Je hebt hem toch gekregen? Was je er blij mee?'

Katie bleef staan. Ze keek hem angstig aan. 'Het spijt me, meneer. Weest u alstublieft niet boos op ons.'

'Wacht. Het spijt je? Ik ben niet boos. Wat spijt je?' Harrison was verward.

'U bent boos omdat we u niet netjes bedankt hebben.'

'Boos? Nee! Ik wilde gewoon zeker weten of jullie hem

gekregen hebben. Maar je hebt hem gekregen. Dat heb je net gezegd. Je hebt hem. Dat is mooi. Ik dacht dat hij misschien gestolen was.' Hij begon weer onzin te praten.

Ze keek hem een paar keer aan en probeerde te volgen wat hij zei. 'U bent niet boos? Maar u bent hier gekomen om bedankt te worden.'

'Nee. Dat is niet de reden dat ik gekomen ben.'

Harrison bevond zich in een moeilijk parket. Wat moest hij haar vertellen? Als hij haar vertelde dat hij alleen maar was gekomen om haar te zien, zou ze misschien wegvluchten.

'Vond je de jam lekker?'

Domme vraag. Dom. Maar het werkte. Haar ogen lachten.

'We vonden het erg lekker, meneer. Dank u.'

Ze stond voor hem als een dienstmeisje voor haar meester, het hoofd gebogen en alleen antwoordend als haar wat gevraagd werd en dan kort en beleefd. Harrison haatte de wereld die een onschuldig meisje zo bang en onderdanig maakte. Hij vroeg zich af hoe ze geweest was vóór Five Points. Hij stelde zich voor dat ze een gelukkig, zorgeloos en geestig meisje was geweest in plaats van een jonge vrouw die zo bang was voor mannen dat ze geen gewoon gesprek kon voeren. Hij had niet meer zo erg zijn best moeten doen om een gesprek op gang te houden sinds Humphrey Albertson door een bij in zijn tong was gestoken.

'Kunnen we ergens gaan zitten? Ergens waar het rustig is en waar niet gegokt of gedronken of gedanst wordt en waar geen harde muziek is en geen prostituees of...'

'Dit is Five Points, meneer,' antwoordde ze.

'Natuurlijk. Je hebt gelijk.' Hij keek om zich heen. 'Laten we hier in elk geval weggaan, uit de weg, hier naast deze lantaarn.'

De lantaarnopsteker was net langsgekomen en had de gaslantaarn al aangestoken. Harrison leidde Katie naar de paal.

Het werd steeds donkerder om hen heen en het licht van de lantaarn vormde een lichtbundel waar ze in konden staan.

Toen het meisje het licht in kwam, kon Harrison zien dat ze twee sjaals droeg, allebei versleten. Haar wangen en neus waren rood van de kou. Maar haar bruine ogen – die hem deden smelten elke keer dat hij naar ze keek – stonden helder en levendig. Dat bemoedigde hem. Er waren zoveel mensen in Five Points die de schittering in hun ogen waren kwijtgeraakt. Ze liepen rond als levende doden.

'Vertel me eens wat je vandaag gedaan hebt,' zei hij.

'Ik heb geboend.'

'Ja, dat weet ik. Maar hoe ging het? Goed? Slecht?'

Ze haalde haar schouders op. 'Ik heb gisteren geboend. Ik heb vandaag geboend. Ik ga morgen boenen.'

Ze zwegen. Er passeerden twee mannen te paard. Pas toen het *klop, klop, klop* van de hoeven wegstierf, sprak Harrison weer. 'Mijn dag was interessant. In elk geval ongewoon.'

Hij grinnikte en begon haar te vertellen over de gebedssamenkomst, maar toen bedacht hij dat ze zijn belevenissen in het huis van Jarves misschien wel grappiger zou vinden, dus vertelde hij die eerst.

Hij vertelde haar over de waaier als visitekaartje en over het rennen en de heg en de warme stoel. Ze luisterde in stilte zonder ook maar één keer op te kijken of op een of andere manier te antwoorden.

'Dit is de waaier,' zei hij met een grijns en hij haalde hem uit zijn riem om te bewijzen dat wat hij haar verteld had waar was. In de kleurloze wereld van modder en grijs, rottend hout, zag het heldere roze kant van de waaier er haast opzichtig uit.

Katie keek er even naar, keek weer naar beneden en keek er toen opnieuw naar. Daarna leek het wel alsof ze haar ogen er niet vanaf kon houden. Haar mond zat verborgen achter de sjaal, maar Harrison was er zeker van dat ze lachte. Haar ogen dansten van verrukking en Harrisons hart sprong op.

'Wil je hem vasthouden?' vroeg hij.

Haar armen bleven waar ze waren. Ze deed geen poging om de waaier aan te pakken, maar hij kon zien dat ze hem wilde aanraken.

'Toe maar, het is goed.' Harrison bood hem haar aan.

'Ik kan het niet,' zei Katie. Maar ze kon haar ogen er niet van af krijgen.

'Het is echt goed!' hield Harrison vol.

Toen ze haar hoofd omdraaide, wilde Harrison meer dan ooit dat ze de waaier aanpakte. Hij wilde wanhopig graag dat ze de waaier aanpakte. 'Alsjeblieft, Katie, pak hem. Het is mijn geschenk aan jou.'

Haar ogen werden weer naar de waaier getrokken, met een ongelovige blik.

'Natuurlijk, je zult er voorlopig niets aan hebben,' zei Harrison. 'Het duurt nog zes maanden voor het lente is, maar je kunt ernaar kijken. Hij is mooi, vind je niet? Alsjeblieft, Katie, doe me het plezier hem aan je te geven. Wat moet ik met een roze waaier doen?'

Een moment dacht hij dat ze hem zou aanpakken. Toen was het moment voorbij. Ze keek weg.

'Ik moet naar huis.' Ze begroef haar armen dieper in de plooien van haar jas.

Harrison wist niet wat hij vervolgens moest doen, maar er was iets in hem dat hem deed geloven dat het geven van de roze waaier aan Katie het enige doel van zijn bestaan was; dat als hij haar de waaier niet gaf, alles verloren was. Hij greep haar bij de arm en glimlachend trok hij er zachtjes aan in een poging om haar de waaier te laten pakken.

Ze verzette zich en schudde hem af. Pas later, toen hij over het geval nadacht, herinnerde hij zich die keer dat hij de kranten had opgeraapt. Toen had ze net als nu een jas gedragen die haar handen bedekt had. Hij herinnerde zich dat hij de kranten had opgestapeld op haar handenloze armen. Maar hij herinnerde het zich te laat. Nu zat hij midden in een missie om haar de waaier te laten aanpakken.

'Ik wil dat jij hem hebt, Katie.'

Ze schudde haar hoofd.

'Alsjeblieft. Het is een geschenk. Ik verwacht niets terug.'

'Laat u me met rust. Ik moet naar huis.' Ze liep weg.

'Katie!' pleitte hij en greep haar bij de arm.

Ze trok zich los.

De enige manier waarop Harrison kon beschrijven wat er daarna gebeurde, was dat zijn natuurlijke mannelijkheid naar boven kwam, dezelfde mannelijkheid die mannen aanzette tot opscheppen en tot vechten en tot oorlog voeren, alleen omdat ze mannen waren. Hij greep haar arm om haar te dwingen de waaier aan te nemen.

Katie probeerde zich los te rukken, maar ze was niet sterk genoeg. Haar ogen stonden angstig. Haar stem klonk wanhopig. Ze schudde hysterisch met haar schouders in een wanhopige poging om weg te komen en schreeuwde: 'Nee! Nee! Nee! Nee!'

Geschrokken van zichzelf – van wat hij deed en van haar reactie – liet Harrison los. Hij stapte achteruit en stak zijn handen op om haar ervan te overtuigen dat hij geen kwaad in de zin had.

Katie huilde en begroef haar armen nog dieper in de plooien van haar jas.

En opeens begreep Harrison het.

Haar handen. Ze wilde niet dat hij haar handen zag. Als het aannemen van de waaier betekende dat hij haar handen zag, dan wilde ze er niets mee van doen hebben.

Harrison stond onhandig met de roze vrouwenwaaier in zijn hand. Er kwamen twee vrouwen voorbij. Ze keken naar Katie, toen naar hem en fronsten.

Er gluurde een vroege maan, vol en helder, over een dakpunt. Langzaam zocht hij zijn weg naar het midden van de straat. Hun ademhaling was nu zichtbaar.

'Waarom wil je niet dat ik je handen zie?' vroeg Harrison zacht.

Katie huilde. 'Ik boen.'

'Ik... ik wilde je niet laten schrikken.' Hij keek naar de waaier. 'Ik wil nog steeds dat jij hem krijgt. Zal ik...'

Hij deed een stap in haar richting. Ze week terug. Hij stak zijn handen weer op om haar te laten zien dat hij geen kwaad in de zin had en deed een tweede poging. Dit keer bleef ze staan.

Zacht legde hij de ingeklapte waaier op haar gevouwen armen en liep toen achteruit. Ze keek naar de waaier, niet naar hem. Ze deed geen poging om hem aan te pakken of te weigeren.

'Ik kan maar beter gaan.' Hij stapte achteruit.

Katie bewoog zich niet – ze deed geen stap, ze maakte geen gebaar, ze keek niet op.

'Ik wilde je niet aan het schrikken maken,' zei hij. 'Als je me beter leert kennen, zul je dat denk ik wel begrijpen. Ik zou je nooit pijn doen. Alsjeblieft, geloof me.'

Nog een paar stappen. Hij draaide zich om om te vertrekken. Hij draaide zich weer om naar haar.

'Ik hoop dat we vrienden kunnen worden.'

Net toen hij op het punt stond te vertrekken, keek ze op en daar waren ze – die ogen. Ze keken naar hem als een konijn van achter uit zijn hol. Onschuldig. Kwetsbaar. Ze ontstaken een gevoel in zijn borst dat vol leven, liefde en hoop zat. Hij teerde erop, als een zomerbloem die de zon zocht om te leven van haar stralen.

Hoe verlangde hij naar de toekomst als ze openlijk samen konden zijn, zonder angst. Hoe verlangde hij ernaar om haar ervan te overtuigen dat hij niet meer wilde doen dan haar beschermen en gelukkig maken. Haar meenemen naar plaatsen waar de zon warm was, het gras groen, de meren blauw en waar de vogels gelukkig zongen. Waar ze konden lopen en praten over niets, of over alles. Hij wilde alles over haar weten. Hij wilde zijn hart, zijn leven, zijn hoop, zijn dromen met haar delen.

Maar nu hadden ze niet meer dan een modderige, vieze straat, het gesis van een gaslantaarn met weinig licht en een roze waaier. Zij zou teruggaan naar het stinkende gebouw met 'woningen' en hij naar het volle jongenstehuis dat rook naar vieze sokken.

Harrisons handen vielen neer langs zijn zijden. Er was niets anders te toen dan afscheid nemen. Dat deed hij. 'Dag.'

Op de hoek van Baxter Street en Chatham Street keek hij om. Ze stond nog waar hij haar achtergelaten had, maar ze had zich omgedraaid en keek hem na. Hij sloeg de hoek om, maakte een sprong, sloeg gelukkig in de lucht en schreeuwde het uit van geluk.

Tijdens de overtocht met de veerboot naar Brooklyn dacht hij aan manieren om Katie en haar familie te helpen. Veel van die manieren kostten geld en dat had hij niet. Maar hij had nu contacten met geld. Harrison nam zich opnieuw voor om met Jarves over Five Points te praten. Op de een of andere manier moest hij de man zien te overtuigen van de behoeften van de mensen in de 'woongebouwen'.

Maar eerst moest hij een paar hindernissen nemen. Hij had het herenhuis niet onder de beste omstandigheden verlaten. Hij had de volgende morgen werk te doen.

Eerst zou hij Jarves moeten uitleggen waarom hij naar de gebedssamenkomst gegaan was en hopen dat hij zijn nieuwe mentor kon overtuigen van het belang daarvan en toestemming zou krijgen om er elke week heen te blijven gaan. Dan moest hij zijn verontschuldigingen aanbieden aan Victoria. Hij zou wat trots moeten inslikken. Op haar eigen verwende manier, probeerde ze gewoon haar vader te helpen. Hij realiseerde zich nu dat hij haar te hard was gevallen. Ze was opgevoed in het geloof dat het belangrijk was hoe je een salon binnenkwam en dat soort dingen. Ze was nog nooit op plaatsen als Newboys' Lodge en Five Points geweest, dus hoe kon ze anders weten?

Harrison besloot zich aan haar instructies te onderwerpen, hoe vervelend dat ook voor hem zou zijn. Hij zou tot het uiterste gaan om Katie te helpen en zijn carrière te bevorderen in de hoop nog honderen Katies en Mousers meer te kunnen helpen.

Toen dat voor hem vaststond, dacht hij weer aan Katie. Hij kon niet anders dan denken hoe oneerlijk het was dat de wereld een vrouw als de koppige, egocentrische Victoria Jarves voorzag van comfort en rijkdom, terwijl iemand die zo zacht en onschuldig was als Katie een leven vol ellende kreeg. Victoria had niets gedaan om een leven vol gemakken en luxe te verdienen. Het was haar toegeworpen. En het resultaat was dat ze zelfvoldaan, veeleisend en aanmatigend was – een verwend kind met een stenen hart dat door geen enkele hoeveelheid Desire du Paris aantrekkelijk te maken was.

Katie, aan de andere kant, had niets gedaan om het leven te verdienen dat zij leefde. Ze had geen misdaad gepleegd, geen zonde gedaan die honger en ellende moest opleveren. Toch, ondanks alles, was ze aardig en zacht en bescheiden. Hoe smerig ze ook was, hoe gescheurd haar kleren ook waren, haar schoonheid kon er niet door verborgen worden. Harrison zou een vrouw die zo naar zeep rook als Katie altijd verkiezen boven een geparfumeerde Victoria Jarves.

Ik boen, had ze gezegd.

'Nou, niet lang meer, schat,' mompelde Harrison tegen zichzelf. 'Niet lang meer.'

Hij herinnerde zich hoe ze gekeken had naar...

De roze waaier!

Wat moest hij morgen doen zonder visitekaartje?

12

De volgende morgen presenteerde Harrison zichzelf precies op het hele uur bij het huis van Jarves aan Fifth Avenue. Als gewoonlijk deed Charles de deur open. Zoals Harrison gevreesd had, vroeg hij hem om zijn visitekaartje.

'Brengt u alstublieft mijn verontschuldigingen over,' zei Harrison. 'Ze worden op ditzelfde moment gedrukt.'

Charles keek hem niet-begrijpend aan. 'Voor bepaalde personen, meneer, is een waaier even goed als een visitekaartje.'

'Nou, dat is een ander probleem,' legde Harrison uit. 'Helaas heb ik de waaier niet bij me. Brengt u alstublieft mijn nederige verontschuldigingen over aan meneer Jarves of aan juffrouw Jarves.'

Charles' wenkbrauwen gingen omhoog. Hij schudde meelevend zijn hoofd.

Dat zit niet goed, dacht Harrison.

'Heel goed, meneer,' zei Charles. 'Ik zal uw boodschap overbrengen.'

De deur ging dicht.

Nu Harrison al zoveel tijd had doorgebracht met de koperen leeuw op de deur van het huis van Jarves, vroeg hij zich af of hij het beest een naam zou geven.

Charles kwam terug. 'Ik ben bang dat juffrouw Jarves niet beschikbaar is. Maar ze wil dat ik u laat weten dat ze u, als u uw visitekaartje hebt teruggevonden en u uzelf opnieuw aandient, heel graag zal ontvangen.'

'Als u aan juffrouw Jarves vriendelijk wilt overbrengen,' zei Harrison, 'dat ik haar voor altijd dankbaar zal zijn als ze me dit keer zonder visitekaartje zou willen ontvangen, dan ben ik er zeker van dat ik haar alles naar haar tevredenheid zal kunnen uitleggen.'

Hij was daar helemaal niet zeker van. Maar voor het moment was het zijn doel om binnen te komen en in elk geval gehoord te worden.

De huisknecht schudde zijn hoofd over de onzinnigheid van Harrisons verzoek. Plichtsgetrouw verontschuldigde hij zich om het verzoek over te brengen.

De deur ging dicht.

'Leo is een te gewone naam voor een leeuw, zeker?' zei Harrison tegen de deurklopper.

Na een tijdje ging de deur weer open. 'Juffrouw Jarves heeft me gevraagd om u haar grote leedwezen mee te delen,' informeerde Charles hem, 'dat het ontvangen van een heer zonder visitekaartje verraad zou zijn aan alles waar een vrouw van goede komaf in gelooft. En dat een ware heer er nooit aan zou denken om een dame in een positie te brengen dat zij hierover een besluit zou moeten nemen.'

Harrisons handen vielen neer. 'Wat nu?'

'Vraagt u dat aan mij, meneer?'

'Ja,' zei Harrison, verbaasd over het aanbod van de huisknecht.

'Ik zou niet durven, meneer.'

Harrison wendde zich af, gefrustreerd over deze nieuwe wereld met zijn sociale wetten en wachtwoorden en beleefd klinkende woorden die een standensysteem onder de mensen in ere hielden.

'Kom op, Charles,' riep Harrison in een laatste poging. 'Help me hieruit.'

De onverschillige gezichtsuitdrukking van de huisknecht brak niet. Maar Harrison dacht dat hij een glimp van meeleven in de ogen van de man zag.

'Het is misschien het beste,' zei Charles, 'als men zijn visitekaartje terugvindt.'

Harrison kromp ineen. 'Dat is helaas niet mogelijk.'

'Ik begrijp het,' zei Charles. 'Wacht u alstublieft hier.'

De deur ging dicht.

'Wat denk je van Richard?' zei Harrison tegen de deurklopper. 'Je weet wel, Richard de Leeuw. "Leeuwenhart" is het eigenlijk, maar dat begrijp je wel, hè?'

De deur ging open.

Charles gaf Harrison een bekend plat pakket.

'Het is het beste wat ik ervan kon maken, meneer,' zei Charles.

'Dank je, Charles.'

Weer een onderzoeksopdracht. Op de envelop herkende Harrison het handschrift van J.K. Jarves.

Onderzoek de mantis religiosa.
Het verslag morgenochtend op mijn bureau.

Op weg naar de Astor Library, voelde Harrison zich alsof hij verbannen was. Hij vroeg zich af wat een bidsprinkhaan te maken had met de rechtenstudie.

Na een dag onderzoek naar de bidsprinkhaan en met het gevoel alsof hij allerlei gekriebel in zijn nek en op zijn armen en handen had, ging Harrison naar Five Points in de hoop dat hij Katie zou zien. Hij zou haar hoe dan ook niet om de waaier vragen. Daar was hij heel vastbesloten over. Hij had haar die als een geschenk gegeven. Hij zou wel een manier vinden om eruit te komen met juffrouw Jarves.

Hij vond Katie niet, maar hij vond wel haar broer, Mouser, die op straat liep. Hij zag er net zo uit als altijd met zijn muts en jas die veel te groot voor hem waren. Hij had de ogen van zijn zus. Zijn gezicht was vuil en hij droeg altijd handschoenen die aan de vingertoppen versleten waren, zodat zijn vingers erdoorheen staken.

De jongen vroeg Harrison of hij andere mensen ook hielp zoals hij zijn familie hielp. Hij zei dat hij een man kende die een muts en sjaal nodig had. De zijne waren gestolen toen hij ze over een hek gehangen had terwijl hij een wagen loste. En hij kende een klein meisje dat ziek was en hoestte en dat een medicijn nodig had.

'Ze hoest soms afschuwelijk,' zei Mouser, 'en haar moeder is erg bezorgd.'

'Een vriendin van jou, Mouser?'

Mouser nam de vraag niet vriendelijk op. 'Ik hoor gewoon weleens wat.'

Een veerbootovertocht later legde Harrison de zaak uit aan George Bowen. Met Bowens hulp kon Harrison alle drie de dingen te pakken krijgen. De muts en sjaal kwamen uit de verloren-en-gevonden-doos van het tehuis, de medicijnen uit de voorraad van het tehuis. Harrison beloofde Bowen dat hij voor vervangende spullen zou zorgen.

'Als je een beroemd advocaat bent,' zei Bowen grijnzend. 'Tot dan hoef je je er niet druk om te maken. Mijn investering in jou zal zich ooit uitbetalen. Maar wees voorzichtig. Aan een dode advocaat hebben we niets.'

Weer een oversteek en Harrison was terug in Five Points. Hij wilde de spullen graag zo snel mogelijk afleveren. Hij moest nog een verslag schrijven.

Hij ontmoette Mouser. De jongen bracht hem naar het huis van de man die zijn muts en sjaal kwijtgeraakt was. Harrison liet Mouser de spullen op de stoep leggen, op de deur kloppen en dan wegrennen. Daarna bracht Mouser Harrison naar het gebouw waar het hoestende meisje woonde.

'Ik begrijp je niet,' zei Mouser.

Ze zaten weggekropen in de schaduwen van een steegje met hun ruggen tegen de muur. De kou van de stenen kroop door de achterkant van hun jassen naar binnen. De nachtlucht was snijdend koud.

Ze hadden zich daar verstopt toen ze stemmen hoorden. Mannenstemmen. Twee, misschien drie. Harrison was zich ervan bewust dat hij zonder geleide door Five Points zwierf. Maar hij had Murph niet meer gezien sinds Sticks dood en de man en het kleine meisje hadden de spullen nu nodig. Bovendien voelde hij zich verantwoordelijk voor Sticks dood en hij wilde niemand meer in gevaar brengen. Zodra Mouser hem had laten zien waar het kleine meisje woonde, zou hij de jongen naar huis sturen.

'Wat begrijp je niet?' zei Harrison.

'Waarom al dat gesluip?'

'Gewoon. Ik wil niet net zo eindigen als Stick.'

'Dat bedoel ik niet. Ik bedoel, waarom wil je niet dat mensen weten dat je hun dingen geeft? Als ik het deed, dan wilde ik dat ze wisten dat ik het was die het ze gaf.'

'In de eerste plaats: ik ben niet rijk,' zei Harrison.

'Je bent rijker dan iedereen die ik ken.'

De jongen heeft een punt.

'Dat kan zijn, maar ik ben niet rijk genoeg om in de behoeften te voorzien van iedereen in Five Points. Maar zelfs al heb ik niet veel, ik denk dat het onze verantwoordelijkheid is om iets te delen van wat we hebben met degenen die minder gelukkig zijn.'

'Daarvan zijn er hier genoeg.'

De stemmen in de straat stierven weg. Ze klonken meer als dronkaards dan als mannen die problemen zouden geven.

Harrison voelde in zijn zak en haalde de medicijnfles eruit. Hij zat in een bruine zak. Hij voelde in een andere zak naar een potlood en schreef erop.

'Waarom doe je dat?' vroeg Mouser.

'Gewoon iets wat ik wil doen.'

'Waarom?'

'Het is een bericht van hoop,' antwoordde Harrison.

'Schrijf dan gewoon: *hoop*. Niemand hier kent dat woord dat je opschrijft.'

Harrison keek naar het bericht van één woord dat hij met allemaal hoofdletters had opgeschreven.

Hosanna

'Vast wel,' zei Harrison. 'Het is het woord dat door de mensen geroepen werd toen Jezus Jeruzalem binnenreed. Het betekent: "Red ons nu." Je bent toch weleens naar de kerk geweest, Mouser? Heb je dat Bijbelverhaal gehoord, waarin de mensen met palmtakken zwaaiden?'

'Ik ben in de kerk geweest. Vreselijk.'

'Misschien ben je niet naar de goede kerk geweest. Ik zal je meenemen naar die van mij.'

'Zingen ze in jouw kerk?'

'Ja.'

'Vrolijk of begrafenismuziek?'

'Het gaat om de woorden.'

'Begrafenismuziek. Vreemd. En in jouw kerk is iedereen gelukkig?'

'De meesten.'

'En een vent die eruitziet alsof zijn beste paard net doodgegaan is, staat op en schreeuwt twee uur achter elkaar?'

'Hij preekt tegen ons. Het zou goed zijn als je eens naar hem luisterde.'

Mouser dacht erover na. 'Nee. Ik ben er geweest. Vreselijk.'

'Er zijn een paar erg wonderlijke dingen gebeurd in mijn kerk. De Geest werkt op verbazingwekkende en ongebruikelijke manieren. We leven in erg opwindende tijden.'

Mouser deed een paar sprongetjes om warm te blijven. 'Opwindend? Net zo opwindend als het schrijven van buitenlandse woorden op een zak terwijl je tenen eraf vriezen?'

Het donkere steegje was nu stil en verlaten.

'O, voor ik het vergeet...' Harrison voelde in zijn broekzak. 'Geef dit aan je zus.'

Hij hield hem een paar bruine gebreide handschoenen voor. Ze hingen tussen hen beiden in als een lamme hand.

'Voor Katie?' Mouser pakte de handschoenen aan en onderzocht ze.

'Ja, ik dacht, weet je, misschien heeft ze ze nodig, zo koud als het is en zo.'

Mouser propte de handschoenen in zijn jaszak. Hij loerde wantrouwend naar Harrison. 'Je blijft wel met je handen van mijn zus af, hoor je?'

'Mouser...'

'Ontken het maar niet, Harrison, vriend. Ik weet dat je verliefd op haar bent. Ik kan beter niet horen dat je probeert om haar te krijgen, als je begrijpt wat ik bedoel.'

'Ik begrijp wat je bedoelt. En je zou me nu beter moeten kennen dan dat. Ik zou nooit iets doen om je zus pijn te doen.'

'Nee? Nou, ik ken jongens. En jongens hebben behoeften. En alles wat ik wil zeggen is... wel, je weet wat ik wil zeggen.'

Harrison staarde naar de jongen. 'Hoe oud ben je, Mouser?'

De jongen snoof. 'Oud genoeg om te weten hoe het in elkaar steekt.'

En jong genoeg om niet te hoeven weten hoe het in elkaar steekt, dacht Harrison. *Snel volwassen, vroeg dood. Het verhaal van Five Points.*

'Laten we gaan,' zei hij. Hij stapte uit de schaduwen.

Met Mouser voorop gingen ze twee blokken naar het oosten. Ze kwamen niemand meer tegen. Dat was geen verrassing. Je moest wel gek zijn om op een avond als deze nog buiten te zijn.

De wind sloeg vanaf de rivier tegen alles wat hij tegenkwam – borden, papier, wangen. Harrison en Mouser liepen verder. Hun voetstappen kraakten op bevroren modderpoelen.

Mouser leidde Harrison voorbij een kroeg. Het licht viel door de ramen op de straat. Binnen waren een viool en een tamboerijn te horen. Handgeklap en geschreeuw moedigden de muzikanten aan.

Net voorbij de kroeg wees Mouser op een gebouw met trappen aan de buitenkant. 'Tweede verdieping, eerste deur.'

'Rechts of links?'

Mouser staarde naar zijn handen. 'Welke is dit?'

'Ik snap het. Links.'

'Ik wacht op je.'

'Nee, jij bent klaar. Ik kan het nu wel alleen af. Ga naar huis.'

Mouser keek de straat af. 'Ik kan beter op je wachten.'

Harrison schudde zijn hoofd. Hij maakte zich zorgen om de jongen. Ze hadden vanavond geluk gehad, maar hij wilde er niet op rekenen dat dat zo bleef. Hoe langer ze op straat bleven, hoe slechter hun kansen werden.

'Denk erom dat je de handschoenen aan je zus geeft,' zei Harrison. 'En doe haar de groeten.'

De jongen bewoog zich niet.

'Wat is er, Mouser? Ben je bang? Als je bang bent, dan kan ik je wel thuisbrengen.'

'Bang?' schreeuwde Mouser beledigd. 'Ik ben maar voor één ding bang en dat is dat jij je ernstig laat vermoorden zonder dat ik erbij ben om je te beschermen!'

'Goed. Je hebt gelijk – we blijven bij elkaar. Blijf hier. Als ik terugkom, dan zal ik je naar huis brengen.'

'Als je terugkomt, dan ben ik hier niet. Wat vind je van die gozers?'

'Geef me alleen maar een minuut.'

In een gebukte houding haastte Harrison zich de trap op.

Dat bleek een avontuur op zich. Op verscheidene plekken was hij losgeraakt van het gebouw. Hij schudde en zwaaide terwijl hij naar boven liep.

Omdat hij zich herinnerde hoe het binnen zulke gebouwen rook, haalde hij boven aan de trap diep adem en dook naar binnen. Hij legde de zak bij de deur met het woord *HOSANNA* naar boven, klopte op de deur, draaide zich om en rende weg.

De tocht naar beneden was enger dan die naar boven en Harrison sloeg de laatste vijf treden over door te springen. Hij kwam hard op de grond terecht, gleed uit en kwam tot stilstand in modder en ijs. Bont en blauw, maar zonder breuken, strompelde hij overeind en zocht naar Mouser.

De jongen was weg.

Ook best. De jongen was nu eenmaal vaak 's avonds laat op straat. Hij kende de weg. Hij was bekend. Waarschijnlijk was het voor hem samen met Harrison wel gevaarlijker dan alleen.

Als Harrison nu Five Points maar uit kon komen zonder gezien te worden door onvriendelijke personen.

Hij gleed en glibberde langs de straat en zijn adem zwoegde meer van angst dan van inspanning. Zijn rechterbeen en -arm deden zeer van de val en werden bovendien nog steeds stijver van de vochtigheid en de kou. Hij voelde zich kwetsbaar. Bang. Met Mouser was ook zijn moed verdwenen.

Hij haalde het tot Baxter Street. Een hoek naar rechts, nog een paar blokken en hij zou veilig zijn. Relatief gezien dan. Kon iemand veilig zijn in de straten van New York City?

Hij bereikte het kruispunt en keek naar links.

Wat hij zag deed hem stilstaan.

Mouser. Omringd door drie grotere jongens. Ze sloegen hem heen en weer alsof hij een bal in een flipperkast was. Mouser gleed uit en viel. Zijn belagers vonden dat grappig. Een van hen zette hem weer overeind, maar alleen om weer verder te kunnen gaan met het spel.

Harrison dacht niet na – en dat was waarschijnlijk maar goed ook. Hij ging de straat in, richting het hart van Five Points en Mouser. Geen bedenkingen. Geen overwegingen. Geen ideeën over hoe hij op hen in kon praten. Fly Boys en zo redeneerden niet. Ze communiceerden met knuppels en vuisten. En Harrison wist dat hij – of hij dat nu wilde of niet – hun taal moest spreken.

Hij versnelde zijn stap en hield alleen lang genoeg in om alles op te pakken wat hij maar kon vinden en wat zwaar genoeg was. Stenen. Stokken. Hij zag een hoefijzer en greep het. Toen hij niet meer kon dragen, begon hij te rennen. Ze hadden hem nog niet gezien. Dat gaf niet. Hij zou snel genoeg hun aandacht hebben. Met elke stap die hem dichter bij zijn eigen einde bracht, groeide zijn woede. Uiteindelijk draafde en brieste hij als een paard.

Toen hij op gooiafstand kwam, liet Harrison los met een schreeuw die haren overeind kon zetten. Hij ontketende een regen van objecten, een briesend slingerwerktuig.

Hij zag er belachelijk uit.

Hij voelde zich dapper.

Voor het moment.

De builenmakers en bottenbrekers gingen nu nog maar in één richting. Dat ging veranderen.

Zijn schreeuw, gevolgd door de regen, had het gewenste effect. De drie vechtersbazen schrokken, weken achteruit en staken hun handen en armen op om zich te beschermen. Dat gaf Mouser de tijd die hij nodig had om weg te komen. De jongen holde de schaduwen in en was verdwenen.

Verrassingen zijn effectief, maar ze duren niet lang. En toen deze uiteendreef als een pluimpje rook, zag Harrison zich tegenover drie boze bendeleden staan.

Uit hun gezichtsuitdrukking maakte Harrison op dat ze de situatie snel door hadden. Drie geharde straatjongens tegen een nu ongewapende, dunne advocaat die gebedssamenkomsten bezocht. Harrisons geloof in gebeden en wonderen zou nu op de proef gesteld worden, maar hij had er een nodig als hij de nacht wilde overleven.

De straatjongens kwamen op Harrison af rennen. Ze slipten eerst in de modder, maar met hun snelheid groeide ook hun grip op de grond.

Je hoefde geen militaire strategieën te bestuderen om te weten dat nu het juiste moment was voor de aftocht. Harrison draaide zich om om weg te rennen. Zijn voet gleed uit. Hij bleef overeind. Hij gleed weer uit en viel met zijn knie op de grond. De pijn schoot twee kanten uit – omhoog naar zijn heup en naar beneden naar zijn tenen. Het moorddadige schreeuwen en vloeken van de naderende bendeleden dreef hem voort.

Harrison kwam weer overeind, rende en hobbelde. Hij mengde zijn stem tussen die van hen en schreeuwde om hulp.

Er kraakte niet één deur. Er ging niet één gordijn omhoog. De bewoners van Five Points maakte het allemaal niet uit of ze waren te bang om hem te hulp te komen. Harrison was op zichzelf aangewezen.

Als hij het kon halen tot de overkant van Chatham Street en Five Points uit voor ze hem hadden ingehaald, was er misschien een kans. Chatham Street was de grens tussen beschaving en chaos. De politie surveilleerde in Chatham Street. Ze staken niet over, Five Points in, maar ze zorgden er wel voor dat Five Points niet overstak naar de rest van de stad. Als hij de overkant van Chatham Street kon halen… als hij een politieagent kon aanroepen… als hij kon voorkomen dat zijn knie het begaf…

Het zag er niet goed uit.

Ze kwamen dichterbij. Hij kon ze horen. Niet alleen hun geschreeuw. Ook hun zwoegende ademhaling. Harrisons eigen ademhaling begon steeds meer pijn te doen, van uitputting en door de ijzige lucht.

Een van de straatjongens riep dat hij moest stoppen. Zag hij er zo dom uit? Dachten ze echt dat hij zou stoppen en een aframmeling zou afwachten, alleen om hun de moeite te besparen hem in te halen?

Nog één blok te gaan.

Hij kon de lantaarns van Chatham Street zien. Ze waren helderder dan de straatlantaarns van Five Points. De heldere lichten beloofden veiligheid.

Hij voelde kramp in zijn benen. Bij elke stap klopte de pijn in zijn gewonde knie. Zijn ademhaling ging steeds moeilijker; elke ademteug was korter. Hij kreeg minder lucht en de lucht was zijn brandstof. Hij ging langzamer.

Hij ging het niet redden.

Chatham Street lag voor hem open. De finishlijn.

Hij dreef zichzelf voort en bad om kracht, gedreven door wanhoop.

Hij bereikte veilig de hoek. Hij stapte de straat in. Hij was bang om achterom te kijken, maar hij was nu midden op de straat. Er was geen verkeer. Elk moment verwachtte hij handen die hem vastgrepen om hem terug te slepen, Five Points in. Hij dook naar de andere kant, naar de vrijheid van Chatham.

Hij had het gehaald!

Het volgende ogenblik werd hij omver gekegeld. Iemand had vergeten de spelregels uit te leggen aan die jongens. Harrison rolde als een wiel over de grond, overreden door zijn drie achtervolgers. Een hagel van vuisten en knieën en voeten raakte hem. Er waren er te veel; één paar handen en voeten was niet genoeg om de klappen af te weren.

Zijn hoofd sloeg even tegen de grond en op dat moment ontdekte hij hoop in de vorm van een politieman te paard. Het was echt het vreemdste van alles. Er waren zoveel klappen die hem tegelijk raakten en toch nam zijn geest een perfect portret van die politieman op. Hun ogen ontmoetten elkaar en Harrison zag dat de man zich zorgen maakte om hem. Hij zag het smalle gezicht van de man, de frons op zijn voorhoofd, blozende wangen, een dikke snor en zelfs de driehoekige spleet in zijn gladgeschoren kin.

Toen werd alles zwart.

Het laatste wat Harrison zich herinnerde dat hij die avond hoorde, was het schrille geluid van een politiefluitje. Het laatste wat hij zich herinnerde dat hij die avond zag, was de volle maan die medelijdend op hem neerkeek.

13

Voor de tweede keer werd Harrison Shaw genoemd in Horace Conants column in de *New York Herald*:

Er gebeuren vreemde dingen in Five Points. Het is onder de aandacht van deze verslaggever gebracht dat de eerder genoemde prijswinnaar van advocaat J.K. Jarves een dubbelleven leidt. Niets ernstigs, hoor, maar wel grappig. Warmte en geborgenheid is mijn kostje niet, maar het is er nu de tijd van het jaar voor, dus beschouwt u dit maar als mijn kerstcadeau aan u.
Het lijkt erop dat het harde en ruige Five Points een engel van barmhartigheid heeft. Zijn naam? Harrison Shaw. Terwijl elke andere advocaat in bed ligt te dromen van zoete winsten uit andermans ellende, bezoekt onze engelachtige meneer Shaw (zonder 'vleugels' volgens mijn bron) heimelijk de armen en wanhopigen. Hij laat geschenken voor hun deur achter, blijkbaar om een lach op hun vieze gezichten en een flikkering van hoop in hun bezwaard gemoed te brengen.
Een van die bezoeken was aan het huis van Dicey Timrod, een drinkende, vloekende en zwetsende dagloner. Dicey's muts en sjaal waren gestolen. Hij had ze afgedaan en over een hek gehangen om een vriend te helpen met het lossen van een wagen en toen hij terugkwam, waren ze verdwenen. Meneer Shaw hoorde dat en kon de gedachte niet verdragen dat de arme meneer Timrod de hele winter rond moest lopen zonder iets om zijn hoofd en hals mee te bedekken. Dus zorgde de heilige meneer Shaw voor een nieuwe sjaal en muts en legde die voor Dicey's deur. Anoniem natuurlijk, zoals een goede engel van barmhartigheid zou doen. De enige aanwijzing voor de identiteit van de gever was een enkel woord uit de Bijbel.

Deze verslaggever steunt natuurlijk goede daden (iedereen weet dat er in New York te weinig gebeuren), maar ik kan het toch niet helpen dat ik me afvraag wat de reactie van meneer Shaw zou zijn als hij wist dat Dicey's muts en sjaal gestolen werden toen hij bezig was te helpen met het lossen van een illegale vracht drank die bestemd was voor de beruchte Crown's Grocery, waar alle soorten gokkers, drinkers en ander tuig samenkomen.
Diezelfde avond bezorgde sint Shaw een hoestdrankje bij een acht jaar oud meisje (de dochter van een prostituee) en redde hij een jongen (een bekende deugniet) van een aframmeling door de afschuwelijke Fly Boys en gaf hij een dienstmeisje een paar handschoenen. Allemaal onzelfzuchtige daden, mogelijk met uitzondering van de handschoenen. Volgens mijn bron heeft Shaw minder heilige bedoelingen met het dienstmeisje. Maar naar de mening van deze schrijver is een licht bezoedelde engel wel geschikt voor de New Yorkers. Ze zouden niet weten wat ze met een volmaakte engel moesten beginnen. Zelfs als het gaat om hemelse wezens, hebben we liever dat hun stralenkrans een beetje scheef is.
En wat was sint Shaws Bijbelse boodschap? HOSANNA. Het betekent: 'Red ons nu.' Een gepaste gedachte, vooral in de kersttijd. En een beetje ouderwetse redding kunnen we wel gebruiken (maar niet te veel, hoor). Dus misschien doet meneer Shaw wel iets goeds. Maar ik kan het niet helpen dat ik denk dat als de New Yorkers in het komende jaar maar iets meer verstand en wijsheid zouden gebruiken deze wereld vanzelf een betere plek zou worden. Ik vraag me af wat het Hebreeuwse woord is voor: 'Red ons van onszelf'.

De volgende morgen, toen de column verscheen, ontwaakte een bont en blauwe Harrison Shaw in Newboys' Lodge. Hij vond zijn kleren aan de muur gespijkerd. Zijn broek. Zijn sokken. Alles zo dat het leek alsof hijzelf aan de muur gespijkerd was en uit zijn kleren gestapt was. Dat was al vreemd, maar het waren de extra's die hem verwarden. Uit de schouders van zijn overhemd stak een paar papieren vleugels en waar de bovenkant van zijn hoofd zou zitten, daar bevond zich een metalen ring.

Het uithalen van grappen was normaal in het tehuis. Harrison had er zelf ook heel wat uitgedacht. Eens had hij geholpen om Isaäc Hirsch in zijn slaap aan zijn bed vast te binden en toen geroepen: 'Brand!' en gekeken hoe Isaäc had liggen kronkelen als een vlieg die op zijn rug ligt. En er was die keer dat hij Murry Simons kleren had verstopt een uur voor hij ging trouwen. De arme Murry had gedacht dat hij in adamskostuum moest trouwen.

Toen Harrison zijn kleren aan de muur zag, begreep hij dat het een grap was, maar hij begreep niet wat de inspiratiebron was, tot George Bowen hem de column van Horace Conant liet zien. Harrison lachte mee om het artikel en de grap. Dat hij tegen zijn verwachting in toch levend wakker geworden was, had hem in een goede stemming gebracht.

Hij lachte niet meer toen een paar uur later J.K. Jarves hem het artikel liet zien.

'Je hebt dertig seconden om mij ervan te overtuigen dat ik je niet moet ontslaan!' schreeuwde Jarves. Hij sloeg met de krant op zijn bureau.

Ze waren met hun tweeën. Jarves stond achter zijn bureau en stapte van de ene naar de andere hoek als een tijger in zijn kooi. Zijn woeste ogen waren vast op Harrison gericht.

Harrison zat voor het bureau als een schooljongen die betrapt was toen hij een streek uithaalde.

Hij was erop getraind om te denken terwijl hij praatte en hij dacht dat dit een goed moment was om die training in praktijk te brengen. Jarves had hem dertig seconden gegeven om zich te verdedigen. Harrison hoopte dat Jarves' horloge niet te snel liep.

Waar moest hij beginnen? Met het verhaal zelf? Dit was de tweede keer dat Horace Conant Harrison gebruikt had als onderwerp van zijn column. Waarom? Harrison had de man nooit ontmoet. En de bron van het verhaal? Harrison had zo zijn gedachten. Mouser. Wie anders had zulke gedetailleerde informatie over de geschenken en het Hosanna-bericht? Maar wat was Mousers relatie met Conant? Het enige wat Harrison kon bedenken was dat Conant de jongen een paar munten in de handen gedrukt had.

Zijn tijd tikte weg en dus schraapte Harrison zijn keel en begon: 'Ik was net zo verbaasd als iedereen...'

'Realiseer je je wel wat dit voor mij betekent?' donderde Jarves.

Tot zover Harrisons dertig seconden.

Jarves pakte de krant op. 'Illegale handel in alcohol! Straatbendes! En jij die het aanlegt met een slet uit Five Points!'

'Ze is geen slet!' riep Harrison. Hij kwam uit zijn stoel. 'En we zijn niet...'

'Ga zitten!'

Harrison ging zitten.

'Weet je wel wat voor vernedering dit voor mij is?' Jarves liep heen en weer. 'Je werkt je hele leven hard om een goed imago op te bouwen. Om buiten alle schandalen te blijven. En dan komt er een achterlijke boerenpummel die zijn lusten niet kan beheersen en het voor je verknalt!'

'Ik zal Horace Conant opzoeken en met hem praten.'

Jarves stopte met heen en weer lopen.

Harrison wilde dat hij daar weer mee zou beginnen. De advocaat leek bozer als hij niet heen en weer liep.

Jarves stak een boze vinger naar hem uit. 'Je gaat *niet* met Horace Conant praten!' schreeuwde hij. 'Je gaat niet met hem onderhandelen. Je gaat hem dreigen met een proces. Je gaat hem dreigen met lichamelijk geweld als dat nodig is. Maar je gaat hem *hoe dan ook* leren God te vrezen. En je gaat hem mijn naam laten zuiveren van alle onbehoorlijkheden.'

'Ja, meneer.'

Harrison stond op. Hij wilde er snel een eind aan maken. Maar hij had nu eindelijk een gesprek met J.K. Jarves...

'Wat betreft mijn zaken in Five Points...'

'Je hebt geen zaken in Five Points!' schreeuwde Jarves. Hij benadrukte zijn boodschap met een in de lucht priemende vinger. 'Je blijft weg uit de buurt van Five Points. Als ik hoor dat je dichter dan een blok in de buurt van Five Points geweest bent, dan beëindig ik je op staande voet. Heb je me begrepen?'

Harrison hoopte dat hij bedoelde dat hij de *stage* op staande voet zou beëindigen.

'HEB JE ME BEGREPEN?'

'Ja, meneer,' zei Harrison.

Al riskeerde hij de beëindiging van zijn stage door Jarves' order direct te overtreden, Harrison ging toch terug naar Five Points. Maar niet voor hij eerst uitgezocht had waar hij de columnist van de *New York Herald* Horace Conant kon vinden.

Het kantoor van de *Herald* lag tegenover het stadhuis in een vijf blokken lange strook die Printing House Row genoemd werd. Daar zaten twintig dagbladen, waaronder de *Evening Post* van William Cullen Bryant en de *Tribune* van Horace Greeley. Behalve de dagbladen zaten er ook nog tientallen weekbladen. De *Tribune* had van de kranten de meeste invloed; de *Herald* was het meest populair. Daar stond het nieuws in dat de massa wilde, in plaats van het nieuws dat ze nodig had.

Toen hij het kantoor van de *Herald* bereikte, werd Harrison naar vijf verschillende mensen gestuurd voor hij te weten kwam dat Conant al bijna een jaar lang niet meer op de krant verschenen was. Zijn artikelen werden bij zijn redacteur bezorgd door een loopjongen.

'Welke loopjongen?'

Die informatie wilden ze hem niet geven.

Begrijpelijk. Hij kon zich indenken dat er heel wat mensen waren die een appeltje met Conant te schillen hadden over zijn columns.

Harrison had geen andere keus dan zelf wat onderzoek te doen. Hij bleef rondhangen buiten het gebouw van de *Herald* en sprak elke jongen aan die er binnenging en die eruitzag alsof hij de loopjongen kon zijn. Een van hen bleek een junior accountant te zijn. Hij nam het niet zo best op dat Harrison hem voor een loopjongen aanzag.

Na een aantal ijskoude uren vond Harrison een jongen die zei dat hij Conants loopjongen kende. Harrison stond op het punt om Conants adres te kopen met zijn zilveren geluksdollar, toen Whitey Turner opdook en hem de informatie gratis gaf. Whitey had de vorige zomer in het tehuis gewoond. Hij had er altijd erg modieus uitgezien. Harrison had hem wiskunde geleerd om hem te helpen een baantje bij een bank te krijgen. Dat was niet gelukt, maar Whitey was Harrison toch nog altijd dankbaar.

Conants adres was in een arme buurt. Dat verbaasde Harrison. Het was geen Five Points, maar het was niettemin haveloos en vervallen. Harrison had altijd aangenomen dat verslaggevers goed verdienden.

Toen hij voor de deur van Conants appartement stond, repeteerde Harrison nog even zijn openingszinnen. Hij zou zijn zaak stevig en overtuigend uiteenzetten en hij zou niet vertrekken voor hij Horace Conants woord had dat hij zijn woorden in zijn eerstvolgende column zou terugnemen.

Harrison haalde diep adem en klopte aan.

Er reageerde niemand.

Hij klopte opnieuw aan.

Pech natuurlijk. Conant was zeker weg om een hongerig kind om te kopen voor informatie.

Hij klopte weer aan, gewoon voor de zekerheid. Nog steeds geen reactie. Harrison leunde tegen de muur met zijn armen over elkaar. Hij kreeg een ongemakkelijk gevoel. Het kon wel weken duren voor hij Conant te pakken kreeg. Hij kon hem maar het beste opwachten. Conant zou toch een keer thuis moeten komen.

Na een paar uur vol muffe geuren en geheimzinnige geluiden verscheen er een oudere vrouw. Ze waggelde de gang af met een tas vol boodschappen. Harrison groette haar. Ze staarde hem aan met behoedzame ogen. Toen ze hem voorbij was, mompelde ze tussen haar gehijg door iets in een taal die Harrison niet verstond.

Ze deed de deur naast het appartement van Conant open, fronste naar Harrison en ging naar binnen. Er werden meerdere sloten op slot gedaan.

Harrison ging weer in zijn wachtende houding tegen de muur staan.

Vijftien minuten later hoorde hij de sloten van de vrouw opnieuw. Ze stak haar hoofd naar buiten, keek naar Harrison, fronste, mompelde iets onbegrijpelijks en deed haar deur weer op slot.

Haar tweede verschijning suggereerde dat ze misschien wel van het nieuwsgierige soort was dat graag haar buurman in de gaten hield.

Harrison liep naar haar deur. Het was het proberen waard. Als ze hem in het gezicht spoog, was hij nog niet slechter af dan nu. Behalve dan dat hij dan een nat oog had.

Hij klopte aan.

Geen reactie.

Reageert er in dit gebouw wel iemand als er op een deur geklopt wordt?

Hij klopte voor de tweede keer aan.

Maar nog steeds kwam er geen reactie.

'Excuseert u mij,' schreeuwde hij tegen de deur. 'Mevrouw? Ik weet dat u daarbinnen bent. Ik wil u alleen een vraag stellen.'

Zijn woorden kaatsten terug in zijn gezicht.

'Het gaat over meneer Conant, uw buurman,' schreeuwde Harrison. 'Leest u zijn columns? Hij heeft over mij geschreven. Ik ben degene die hij de engel van Five Points heeft genoemd.'

Nog steeds de deur en alleen de deur.

'Ik wil hem even spreken. Weet u wanneer hij misschien terugkomt?'

Niets.

Harrison zuchtte. Het was het proberen waard geweest. Hij draaide zich om om zijn wachtpost weer te betrekken.

'Hij is thuis.' De stem was zo zwak, dat Harrison het bijna niet hoorde.

'Pardon. Zei u dat hij thuis was?'

'Ga weg,' zei ze.

Ze had toch gezegd dat hij thuis was?

'Weet u het zeker?' vroeg Harrison. 'Ik heb geklopt en...'

Van de andere kant van de deur kwam weer die andere taal. Te horen aan de toon van haar stem waren het geen aardige woorden. Toen: 'U hebt uw vraag gesteld. Ik heb geantwoord. Ga nu weg!'

'Goed,' zei Harrison tegen de deur. 'Dank u.'

Hij ging terug naar Conants deur en klopte weer aan.

Geen reactie.

'Conant? Ik weet dat u thuis bent.'

Hij roffelde dit keer.

'Ik ben Harrison Shaw. U hebt over mij in uw column geschreven. Ik wil u spreken. Open de deur.'

Stilte.

Harrison probeerde de deurknop. Het scharnier piepte.

De deur ging langzaam open op een kier.

'Conant?'

Harrison duwde de deur nog wat verder open.

'Horace Conant?'

Hij stapte het appartement van de columnist binnen. Het stonk er naar ongewassen kleren, zweet, bedorven eten en whisky. Het was erger dan alles wat hij ooit geroken had in het tehuis en dat zei wel iets. Flessen en kleren lagen overal verspreid. Tegen één muur stond een ladekast. Alle laden waren open. En elke la zag eruit alsof hij kleren uitbraakte. Er was een smerig raam in de muur recht tegenover hem, waardoor een beetje licht viel op een tafel die als bureau diende met een stoel. Op het bureau was het net zo'n rotzooi als in de rest van de kamer.

De columnist zelf lag op het bed in de hoek. Hij was technisch gezien misschien 'thuis'; qua bewustzijn was hij dat niet. Één arm hing over de rand van het bed. Op de vloer, bij zijn vingertoppen, lag een lege whiskyfles.

De man was één hoop rommel. Ongeschoren. Half gekleed. Stinkend. Hij snurkte zacht. Naar zijn verschijning te oordelen verkeerde hij al een tijdje in die toestand. Het was moeilijk om je in te denken dat zo'n man zijn naam kon schrijven, laat staan een krantencolumn. Het was net zo moeilijk om te geloven dat hij, als Harrison hem overeind kon helpen, in staat was om menselijk te denken en te spreken. Binnen afzienbare tijd dan.

Harrison liep naar het bureau. Het was helemaal bedekt met papier, meerdere lagen diep. Er was een inktpot. Een aantal pennen. De papieren bevatten werk in uitvoering, of mogelijk kladversies. Sommige pagina's bevatten aantekeningen in de kantlijn met pijlen die aangaven waar ze in de tekst moesten worden ingevoegd.

Het vreemdste aan het geschrevene was, dat het geschreven was in een leesbaar handschrift. Er zat zelfs een zekere flair in.

Harrison was er vrij zeker van dat de bloemrijke pennenstreken op het papier niet afkomstig waren van de plompe, harige, levenloze hand waarvan de knokkels over de vloer schraapten. Conant moest ongetwijfeld een secretaris hebben. Waarschijnlijk dicteerde hij zijn columns.

Een van de pagina's ving zijn blik. Harrison ontdekte zijn naam. In de marges had Conant verschillende manieren uitgeprobeerd om hem te beschrijven – niet aangelijnde hond, aangeklede pop en student *du jour.* Uiteindelijk had hij gekozen voor 'prijswinnaar'.

Goed, de man op het bed was Conant. En dit was een ruwe schets van zijn column over Harrison.

Harrison liet de beroemde columnist van de *Herald* achter op zijn bed en stak Chatham Street over, Five Points in. Hij was zich ten volle bewust van het gevaar voor zijn persoonlijke veiligheid als de Fly Boys hem zagen en voor zijn carrière als Jarves erachter kwam.

Maar hij ging toch.

Soms wordt een man geleid door zijn verstand en soms door zijn hart. En soms weet hij niet door welke van de twee hij geleid wordt; hij weet alleen maar wat hij moet doen. Harrison wist dat hij dit moest doen. Hij moest Mouser en Katie vinden. Mouser om hem te waarschuwen tegen mannen als Horace Conant die geld gebruikten om te krijgen wat ze wilden hebben zonder zich druk te maken om wat ze aanrichtten. Harrison nam het Mouser niet kwalijk. De jongen was wanhopig op zoek naar geld. Hij wist niet dat hij door te verdienen aan een onschuldige uitwisseling van informatie Harrison in de problemen bracht. De jongen handelde in wel ergere dingen. En Katie, omdat hij haar weer wilde zien. Hij wilde een afspraakje maken voor een ontmoeting buiten Five

Points. Er was een brug in het park daar niet ver vandaan, dus mogelijk daar. De gedachte dat hij een afspraakje met haar zou hebben gaf de ontmoeting een romantisch tintje. Zijn ademhaling ging sneller als hij er alleen maar aan dacht. En als ze weigerde hem weer te ontmoeten? Daar wilde hij niet aan denken. Hij stelde zich al voor hoe ze haar hoofd een beetje oprichtte en glimlachte en met haar ogen toestemde.

Harrison zocht zijn weg door de bekende straten naar het gebouw waar Mouser en Katie woonden. Onder het lopen keek hij goed om zich heen. Hij hoopte een glimp van een van hen op te vangen en hij hoopte de Fly Boys als die er waren op te merken voor ze hem zagen. Hij bereikte het gebouw en was bezig moed te verzamelen voor de afschuwelijke tocht naar boven toen hij Mouser op zich toe zag lopen.

'Mouser!'

Mouser keek op. Hij rende weg.

'Mouser! Ik ben het!'

De jongen bleef rennen. Harrison deed een poging om hem in te halen, maar na drie blokken gaven zijn benen en longen het op. Mouser was om een hoek verdwenen en was weg. Hijgend ging Harrison weer terug naar het 'woongebouw'.

Buiten adem en met zware benen keek Harrison naar het weerzinwekkende trappenhuis. Hij wilde die tocht niet nog een keer maken. Maar hij ging toch op weg naar boven.

De gang op de derde verdieping was nog walgelijker dan hij zich herinnerde. Hij vocht met de ene aangestoken lucifer na de andere tegen de demonische stank. Toen hij bij de deur van het appartement van Katie en Mouser kwam, klopte hij aan.

Opeens schoot het door zijn hoofd dat hij een fout maakte.

Het was niet het hele uur! Hij had geen visitekaartje!

Hij grinnikte. Verkeerde buurt.

Een vrouw deed de deur open. Ze was jong qua leeftijd, maar ze zag er vreselijk oud uit door het leven in het 'woongebouw'. Twee kinderen in vuile nachthemden klemden zich vast aan haar benen. Een derde kind hield ze in haar armen. Alle drie huilden ze.

'Pardon,' zei Harrison boven het gebrul uit. 'Ik ben Harrison Shaw en ik kom voor Katie.'

Was deze vrouw Katies zus? Ze was te jong om haar moeder te zijn.

'Katie?' zei de vrouw. Ze had vermoeide ogen. 'Geen Katie. Die woont hier niet. Bent u een slaper?'

Achter de vrouw, met hun gezichten naar de muur, lagen twee volledig geklede mannen uitgestrekt op stro onder een deken. Het was normaal dat huurders hun woonkosten omlaag brachten door ruimte onder te verhuren. Onderhuurders betaalden voor slaapruimte en eten. Slapers betaalden alleen voor slaapruimte.

'Ik ben geen slaper,' zei Harrison. 'Ik zoek Katie. Je zus?'

De vrouw bleek teleurgesteld dat Harrison geen slaper was. Haar kinderen, alle drie, waren voortdurend in beweging. De twee op de grond klommen tegen haar benen op, die in haar armen greep vuisten vol haar.

'Geen zus. Geen Katie,' zei ze.

Hij had de goede deur; daar was hij zeker van. 'Mouser dan?'

'Je verknoeit mijn tijd. Als je muizen of ratten wilt, zoek dan in een steegje!' Ze sloeg de deur dicht.

Sommige dingen in het leven herhalen zich. Harrison dacht dat deuren die voor zijn gezicht dichtgingen in zijn leven zoiets was.

Het was al schemerig. Hij liep de modderige straat uit. Hij ontweek verdwaalde varkens, negeerde de obscene roep van beschilderde vrouwen, vermeed oogcontact met mannen die op de hoeken rondhingen en stapte over dronkaards heen. Hij was verward. Tot nog toe was hem vandaag twee keer de oren gewassen en was hij op twee mysteries gestuit.

Toen hij de grens van Five Points bereikte, stopte hij lang genoeg om met een stok de modder van de onderkant van zijn schoenen te schrapen. De modder van Five Points was uniek in zijn korreligheid en geur.

Hij nam de veerboot terug naar Brooklyn.

14

Charles deed de deur al open voordat Harrison aanklopte.

'Meneer Jarves zit op u te wachten in de bibliotheek,' zei de bediende met een stalen gezicht.

Harrisons hart stond stil.

Geen visitekaartjes. Geen belemmeringen. Er was iets mis.

Was Jarves er op de een of andere manier achter gekomen dat hij naar Five Points geweest was? Mogelijk wilde hij een verslag over Conant. Wat kon hij hem vertellen?

Ik ben naar zijn appartement geweest. Hij was dronken.

Wat kon hij nog meer zeggen?

Maar mannen als J.K. Jarves luisterden niet naar verontschuldigingen.

En als Jarves hem wilde spreken over Five Points, dan was het met Harrison afgelopen.

Hij volgde Charles door de hal met de hemelkoepel naar de bibliotheek.

Hij zou snel genoeg weten waar dit allemaal over ging.

J.K. Jarves zat op hem te wachten. Zoals altijd was Jarves gekleed in een onberispelijk en op maat gemaakt zwart pak. Alles aan hem straalde zelfvertrouwen, rijkdom en macht uit.

'Ah! Precies op tijd,' zei Jarves opgewekt.

Harrison zag geen enkel teken van naderend onheil.

Misschien wacht hij gewoon tot de deuren dicht zijn voor hij de storm laat losbreken.

De huisknecht sloot Harrison in. Hij was alleen met J.K. Jarves.

'Ga zitten!'

Jarves bood Harrison een van de twee stoelen die voor het

bureau stonden. Het bureau zelf was vreemd bedekt met een rood zijden kleed. Onder het kleed lagen objecten van allerlei afmetingen die een landschap vormden van bolle rode heuvels.

Jarves kwam bij Harrison aan de bezoekerskant van het bureau en ging tegenover hem zitten. De gerespecteerde advocaat legde één been over het andere. Er was niets in zijn gedrag dat wraak suggereerde. Maar toen bedacht Harrison dat Jarves waarschijnlijk het type man was dat werknemers en afgedankte stagiairs kalm en met een glimlach ontsloeg.

'Koffie?' vroeg Jarves.

'Dank u, het gaat wel.'

'Ik heb zin in koffie,' zei Jarves. Hij liet een bediende komen en bestelde koffie voor zichzelf. Toen richtte hij zijn aandacht weer op Harrison. 'Ik denk dat het tijd wordt dat ik me direct met je stage ga bezighouden.'

Harrison begon gemakkelijker te ademen.

'Ik neem aan dat je je zo langzamerhand wel afvraagt waar al die onderzoeksverslagen toe dienden.'

Eindeloze uren in Astor Library met onderzoek naar vogels en vliegen. Waarom zou hij dat denken?

'Dat neemt u terecht aan,' zei Harrison.

Jarves keek hem afwachtend aan. Eén wenkbrauw opgetrokken. Het leek indruk op hem te maken dat Harrison niet meer zei en daarom begon Harrison zich af te vragen hoe eerdere stagiairs gereageerd hadden op de opdrachten over vliegen.

Er was een zacht klopje op de deur. Er werd een karretje met koffie naar binnen gereden.

Jarves verontschuldigde zich en schonk een kopje in. Drie suikerklontjes, roeren met een lepeltje en hij zat weer in zijn stoel, met zijn kopje en schoteltje die hij hanteerde met de gemakkelijke bewegingen van een man van goede komaf.

'Vertel me eens,' zei hij nadat hij een slok genomen had, 'op welk moment wordt een proces voor een jury meestal gewonnen of verloren?'

Eindelijk! Een vraag die over het recht ging!

'Bij de selectie van de juryleden,' zei Harrison.

'Leg dat eens uit.'

Terwijl Jarves hem over de rand van een koffiekopje gespannen aankeek, zei Harrison: 'De jury bepaalt de uitkomst van het proces. Een goede advocaat heeft de bekwaamheid om mannen te selecteren die in staat zijn tot helder denken en argumenteren, mannen die geen vooroordeel tegen zijn cliënt hebben. Als hij daarin slaagt, kan hij er redelijkerwijs op vertrouwen dat ze een rechtvaardig oordeel zullen vellen.'

Een zacht gerinkel en het kopje stond weer op het schoteltje. Het schoteltje rustte comfortabel op Jarves' knie. 'Een antwoord uit een studieboek. Welke factoren zijn er nog meer die een gunstig oordeel kunnen verzekeren?'

Harrison was er klaar voor. 'Voorbereiding en presentatie. Een goede advocaat doet zijn huiswerk. Voor elk proces moet hij expert worden in alle feiten, wettelijke en andere, die betrekking hebben op de zaak. En hij moet niet alleen de feiten kennen, maar hij moet ze ook kunnen presenteren in een heldere en overtuigende argumentatie.'

'Studieboek. Studieboek. Studieboek.' Jarves klonk verveeld. Hij zette zijn kopje en schoteltje op het bureau, op een hoek van het rode kleed. 'Door zo te denken haal je hoge cijfers op school.' Hij zweeg even. 'En je verliest een record aantal zaken.' Hij haalde diep adem om zijn opmerking de tijd te geven te bezinken. 'Meneer Shaw, uw echte juridische training begint nu. En allereerst moet u leren verder te denken dan uw studieboek.'

Jarves keek Harrison niet aan terwijl hij sprak. Hij staarde met lege ogen in de verte als of hij ditzelfde onderwijs al honderd keer aan honderd verschillende stagiairs gegeven had.

'Juridische opleidingen zijn fabrieken,' zei hij, 'die jaar na jaar advocaten in elkaar zetten die weinig meer kunnen dan een studieboek citeren. Een goede papegaai kan dat ook. Wat een briljante advocaat onderscheidt van een middelmatige advocaat is zijn bekwaamheid om te observeren en zich aan te passen.'

Harrison luisterde gespannen, maar de rode bulten op het bureau leidden hem wel een beetje af.

'Wie geven er les op juridische opleidingen?' vroeg Jarves. 'De beste advocaten?' spotte hij. 'Die hebben het druk met hun rechtspraktijk en met geld verdienen. Professoren in de rechten zijn mannen die het niet tot advocaat konden brengen. Hun bleef geen andere keus over: de concepten onderwijzen die ze zelf niet onder de knie konden krijgen of terugkeren naar de boerderij van oom Abner en knollen rapen.'

Jarves greep weer naar zijn kopje en leek verbaasd toen hij merkte dat het al leeg was. Hij stond op om zich een tweede kopje in te schenken en kwam terug met twee kopjes. Hij gaf er een aan Harrison.

'Dank u,' zei Harrison.

'Luister naar mij.' Jarves ging zitten. 'Hier komt het echte geheim van hoe je een jury selecteert. Het gaat maar om twee juryleden. Je wilt twee mannen met sterke persoonlijkheden. Leiders. Waarom twee? Een enkel jurylid kan een demagoog worden; drie sterke juryleden worden het met elkaar oneens. Maar twee mannen die ergens hetzelfde over denken vormen een macht waarmee gerekend moet worden.'

Harrison deed zijn best om te luisteren, maar zijn schoteltje met het volle kopje vormden een nog grotere afleiding dan het bultige bureau. Hij zette het schoteltje op zijn been, net als Jarves gedaan had. Hij morste koffie over de rand en het kopje stond in een caramelkleurige plas.

'Als je eenmaal twee sterke juryleden hebt, vul je de rest van de jury met schapen – tien mannen die geen enkel intelligent idee kunnen bedenken. Nu is je taak simpel geworden. Win de twee sterke mannen voor je zaak en zij zullen de anderen ervan overtuigen dat ze een gunstig oordeel moeten vellen.'

Jarves dronk zijn koffie. Zelfs al had Harrison niet om koffie gevraagd, het was hem toch aangeboden en hij zou een slechte gast zijn als hij niet in elk geval een slok zou nemen. Met het schoteltje balancerend op zijn knie klemde Harrison het tere oortje van het kopje tussen zijn duim en wijsvinger. Hij hief het kopje naar zijn lippen en nam een slok. Er vielen druppels van de onderkant van het kopje op zijn overhemd en broek.

Rechtop zittend, keurig in balans en zonder vlekken, bestudeerde Jarves hem.

Harrison hoefde er geen genie voor te zijn om te begrijpen dat zijn volgende etiquetteles iets met drinken te maken zou hebben.

'Waarom wilt u advocaat worden?' beet Jarves.

Harrison zette snel het kopje weer op het schoteltje en zei: 'Ik wil dingen veranderen.'

'Hoe zit het met geld? Prestige?'

'Ik zou niet helemaal eerlijk zijn als ik niet zou toegeven dat geld een zekere aantrekkingskracht heeft.'

Jarves glimlachte begrijpend.

'Maar alleen omdat geld dingen in beweging kan brengen. Mensen luisteren naar mannen die geld hebben.'

Er ging een wenkbrauw omhoog. 'Macht, meneer Shaw? Dat zou ik niet van u gedacht hebben.'

Harrison werd door die implicatie verrast. Maar inderdaad, het *was* toch macht waar hij naar op zoek was? Macht om dingen te veranderen, zoals de omstandigheden in Five Points. Macht om mensen te helpen die door hun positie in de maatschappij machteloos waren.

'Dat hebben we gemeen, meneer Shaw.'

Jarves nam moeiteloos een volmaakte slok van zijn koffie met zijn ogen op Harrison gericht.

'De wet is een geweldig gereedschap, meneer Shaw. Een flexibel gereedschap. Dat is het mooie ervan. De wet kan veranderd worden. Degenen die dat begrijpen zijn de echte machtigen en rijken. Bedenkt u eens, meneer Shaw. Ons land is gebouwd op wetten, wetten die bepalen wat goed is en wat fout, gewoon omdat wij zeggen dat dat zo is.'

Harrison huiverde en niet om de onhandige manier waarop hij een koffiekopje hanteerde.

'Grenzen, meneer Shaw – van bezit, politieke, wettelijke, morele, ethische – worden allemaal bepaald door de wet. Verander de wet en je verandert de grens. Verander de wet en opeens heb je de stemmen om gekozen te worden. Verander de wet en de grondstoffen zijn van jou. Verander de wet en wat vandaag schandalig is, wordt morgen niet alleen geaccepteerd, maar zelfs beschermd.'

Harrison schraapte zijn keel en ging rechterop in zijn stoel zitten. 'Verontschuldigt u mij, meneer, maar zegt u dat...?'

Zijn hand raakte de rand van het schoteltje.

Als een middeleeuwse katapult schoot het schoteltje het koffiekopje naar Jarves. Overal spatte koffie op toen het op zijn doelwit terechtkwam.

De les kwam tot een abrupt einde omdat beide mannen de koffievlekken op hun kleren moesten betten. Jarves belde voor hulp. Binnen de kortste keren verscheen er een leger van bedienden die Harrisons rommel afveegden en opdweilden.

Zonder ook maar een blik op Harrison te werpen, verontschuldigde Jarves zich en verliet de bibliotheek.

Er werd niets over het ongeluk met de koffie gezegd toen Jarves in een schoon stel kleren terugkwam. Het koffiewagentje was weg en alles wat herinnerde aan Harrisons blunder was opgeruimd. Als er nu iemand de kamer binnen zou komen, zou het lijken alsof Harrison alleen op zichzelf gemorst had.

'U hebt ongetwijfeld vragen,' zei Jarves.

Dat was een understatement. Waar moest hij beginnen? Bij de ethiek achter wat Jarves uiteengezet had? De zelfzuchtige moraal? Of was dit een goed moment om over de wanhopige situatie in Five Points te beginnen? Ja, dat was een netelig onderwerp, maar misschien kon hij Jarves' opmerkingen over de wet gebruiken om…

'Vragen over de opdrachten die ik u gegeven heb,' moedigde Jarves hem aan.

Dat beperkte de discussie.

'U hebt toch zeker wel vragen over uw studietraject sinds u mijn stagiair geworden bent?' Hij glimlachte met de lach van een man die op het punt stond een mysterie op te lossen.

Jarves liep naar de werkkant van het bureau en greep de hoeken van het rode zijden kleed dat het bedekte. Met de beweging van een goochelaar zwaaide hij het kleed weg.

Wat even daarvoor nog rode bulten geweest waren, waren nu glazen bollen van allerlei afmetingen met in elk een vogel of een insect.

'Herkent u deze?' vroeg Jarves.

De objecten in de glazen bollen waren allemaal onderwerp van zijn onderzoeken geweest. Niet al zijn onderzoeken waren op de tafel vertegenwoordigd. De blauwe reiger, de krokodil en een paar Afrikaanse katten waren te groot. Maar alle andere waren er wel.

Harrison stond op. Jarves gaf hem de tijd om de uitstalling in zich op te nemen.

'Ik heb u gezegd dat ik wilde dat u verder zou denken dan uw studieboek.'

Jarves ging weer zitten en zette de vingertoppen van zijn

handen tegen elkaar en drukte ze toen tegen zijn lippen. Hij nam Harrison in zich op terwijl Harrison de beesten bestudeerde.

Een van de glazen bollen had Harrison eerder gezien. Vanonder het glas staarde een gemaskerde vogel hem aan met strakke uitpuilende ogen.

'Pakt u hem eens op,' zei Jarves.

Harrison deed wat hem gezegd werd.

'Zegt u mij eens wat u van hem weet.'

Een test? Een goed advocaat moet in staat zijn om in de rechtszaal à la minute alle soorten gegevens en informatie aan te voeren. Was dat wat Jarves hem probeerde te leren?

'Familienaam: *Laniidae*,' zei Harrison. Dat had hij geleerd in zijn onderzoek. 'Een van de vierenzestig middelgrote vogelsoorten. Ze jagen op grote insecten, hagedissen, muizen en andere kleine vogels.'

'Hun natuur?'

'Roofzuchtig.'

Jarves stond op. Hij nam de bol van Harrison over en staarde naar de gevangen vogel. Als Harrison zich niet vergiste, leek Jarves met liefde naar de vogel te kijken.

'Ook bekend als de wurger, de beul en de slachtvogel.'

Harrison slikte.

'Ziet u zijn kromme snavel? Die gebruikt hij om andere vogels en zoogdieren aan te vallen, hun nek te breken en ze dan op een scherp object te spietsen, zoals een doorn.'

Als een vleeshaak, dacht Harrison.

'Als hij zijn prooi doorstoken heeft, scheurt hij hem uit elkaar.' Jarves glimlachte. 'Dit is een mannetje. Hij bouwt vaak een voorraad slachtoffers op om vrouwtjes aan te trekken. Een noordelijke klauwier met een schril geluid. Maar er is mij verteld dat er ook andere soorten klauwieren zijn die nadat ze een prooi gedood hebben een lieflijk overwinningslied zingen.'

Harrison was verbijsterd. Hij stond onbeweeglijk, gehypnotiseerd in ongeloof.

Jarves zette de klauwier weer op de tafel en pakte een andere glazen bol. 'Ik heb veel geleerd van deze,' zei hij. Hij had nu dezelfde tederheid als voor de klauwier. '*Mantis religiosa*.'

'Bidsprinkhaan,' zei Harrison.

Het dier onder het glas zat op een boomtak. Zijn rug was gebogen, zijn gekartelde voorpoten hield hij trots omhoog.

'In delen van Europa geloven de mensen dat de bidsprinkhaan magische krachten bezit,' legde Jarves uit. 'Sommige Italiaanse boeren geloven dat, als ze ziek worden, dat komt omdat er een bidsprinkhaan naar hen gekeken heeft. De inwoners van de Provence geloven dat hij een verdwaald kind naar huis kan leiden met een gebaar van zijn voorpoot. De Sardiniërs geloven dat kwaad doen aan een bidsprinkhaan, op wat voor manier ook, ongeluk brengt.'

Jarves streek over het glas. Als dat hem niet van het insect gescheiden had, dan had hij over zijn rug geaaid.

'Bidsprinkhanen jagen op bijen, wespen, vlinders, motten, krekels en sprinkhanen. Het is bekend dat ze elkaar opeten – hun partners, hun broers en zussen, zelfs hun eigen nageslacht. Vind je dat vreemd, Harrison?'

Een paar dagen geleden had Harrison gedacht dat onder een heg doorkruipen met een roze waaier vreemd was. Dit was gewoonweg eng.

'Voor de Chinezen is de bidsprinkhaan een symbool van moed en woestheid. Ze drukken zijn beeltenis af op versieringen en huishoudartikelen. Kijk eens naar die voorpoten, Harrison. Wist je dat ze kunnen toeslaan in één-twintigste van een seconde?'

'Dat staat in het verslag dat ik ingeleverd heb...'

Jarves luisterde niet. Zijn aandacht was gewijd aan de bidsprinkhaan.

‘Een paar jaar geleden las ik een verhaal over een vrouw, een vogelliefhebster die een voederplaats inrichtte voor kolibries. Op een dag merkte ze een bidsprinkhaan op die daar zat en de honingbijen greep die op de siroop afkwamen. Er kwam ook een kolibrie. De vogel bekeek de bidsprinkhaan, concludeerde dat hij geen bedreiging vormde en begon te eten. De bidsprinkhaan sloeg toe. Ze vielen allebei op de grond. Geschrokken rende de vrouw naar buiten om te kijken wat er gebeurd was.’

Jarves schudde zijn hoofd van bewondering en ontzag.

‘Wat vond ze? De bidsprinkhaan die de veren van de kolibrie wegplukte. De vogel was zo verbijsterd dat hij zich niet verzette.’ Zijn gezicht werd droevig. ‘De vrouw doodde de bidsprinkhaan en redde de vogel. Droevig. hè? Van de twee doodde ze de edelste.’

Harrison antwoordde niet.

Plotseling veranderde het gedrag van J.K. Jarves. Hij was weer advocaat. De insectenliefhebber was verdwenen. ‘Luister goed, mijn jongen. Er zijn drie jachtstrategieën die geassocieerd worden met roofzuchtigen.’

Harrison nam zichzelf kwalijk dat hij het niet eerder gezien had. Al zijn onderzoeksonderwerpen hadden één ding gemeen gehad. Het waren allemaal roofzuchtigen!

‘Drie strategieën,’ herhaalde Jarves. ‘Er zijn er die hun prooi opjagen, zoals de havik. Er zijn er die hun prooi in een hinderlaag lokken, zoals de krokodil. En er zijn er die hun prooi besluipen, zoals de reiger. Een prooi opjagen kost veel energie. Een prooi in een hinderlaag lokken kost veel tijd. Ik prefereer het besluipen, zoals de reiger, maar met een extra element dat veel roofzuchtigen hebben – een agressieve mimiek.’

Harrisons wenkbrauwen schoten omhoog. *Had hij het goed gehoord? Zei Jarves dat hij het besluipen prefereerde? Hij bedoelde toch zeker het observeren?*

'Neem nu de bidsprinkhanen bijvoorbeeld,' ging Jarves verder. 'Ze kunnen zich aan allerlei leefomgevingen aanpassen – takken, de grond, boomschors, bladeren. Een bidsprinkhaan kan een paar centimeter van een sabelsprinkhaan af zitten en toch niet opgemerkt worden. De dood is één-twintigste van een seconde van hem verwijderd en de sabelsprinkhaan merkt er niets van! En als hij toeslaat' – Jarves' hand schoot als illustratie uit als een klauw – 'dan doet hij dat plotseling en de laatste bewuste gedachte van zijn slachtoffer is verbazing.'

Harrison bewoog zich niet; hij haalde geen adem; hij vertrok zelfs geen spier.

'Ik heb er zelf nooit een gezien,' zei Jarves terwijl hij weer ging zitten, 'maar er is mij verteld dat er in Centraal-Afrika een slang met twee koppen voorkomt. Zijn staart lijkt op de kop van een slang, terwijl zijn giftige kop op een staart lijkt. Hij beweegt zelfs zijn staart alsof het een slangenkop is, om zijn prooi van de wijs te bregen. De aanval komt van de minst waarschijnlijke plekken.'

Jarves grinnikte. 'Het was dit dier dat mij inspireerde in een recente zakelijke transactie, waardoor een andere man financieel te gronde is gegaan. Hij heeft er geen idee van dat ik het was die hem ruïneerde. En dit is nog het mooiste: laatst legde hij een arm om mij heen en bedankte hij mij omdat ik de enige vriend was die hem in de moeilijkste periode van zijn leven bijgestaan had. Dat was onbetaalbaar!'

Harrison was sprakeloos.

'Je hebt hem ontmoet,' zei Jarves. 'Eli Hodge. Hij was een van de adviseurs bij de sollicitatiegesprekken van dit jaar.'

Jarves leunde voorover. Zijn toon ging over in die van een vader die zijn zoon raad geeft. 'Dus begrijp je nu waarom ik zo boos op je was over die verwenste krantencolumn? En waarom het belangrijk is om je sociale vaardigheden te ontwikkelen? Camouflage. Het stelt ons in staat om ongemerkt onze prooi te benaderen.'

De deur van de bibliotheek ging open. 'Het is tijd, meneer.'

Jarves haalde zijn zakhorloge tevoorschijn. Hij stond haastig op.

'Denk verder dan de rechtenstudie, mijn jongen. Deze vrienden' – hij zwaaide met zijn hand over de glazen bollen – 'hebben mij meer bruikbare lessen geleerd dan alles wat ik ooit tijdens mijn rechtenstudie geleerd heb. En nu zijn ze jouw leraren. Blijf nog een uur. Kijk ze in de ogen. Bestudeer hun houding. Praat met ze. Luister naar ze. We zullen elkaar morgen weer ontmoeten.'

Met een paar lange schreden was Jarves verdwenen.

Harrison stond alleen in de kamer onder het oog van meer dan een dozijn roofdieren.

15

Harrison bleef nog een uur zoals hem opgedragen was. Maar hij praatte niet met de roofdieren op het bureau; hij luisterde niet naar ze en vroeg hun niet om raad. In plaats daarvan sleepte hij zijn stoel naar de andere kant van de kamer, zo ver mogelijk van de slachtvogel met de uitpuilende ogen. Hij ging met zijn rug naar de uitstalling van wreedheid toe zitten en richtte zijn gedachten naar de hemel.

Het duurde even voor Harrison de schok van de les van die ochtend genoeg verwerkt had om weer te kunnen nadenken. Bijna een halfuur lang kon hij niet anders dan voor zich uit staren en naar denkbeeldige insecten slaan die over hem heen kropen. Toen keerde het licht terug en werd hij echt bang.

De extreme fascinatie van de man voor de moordenaars in de natuur daargelaten – had Jarves hem werkelijk bekend dat hij moedwillig het leven van een man geruïneerd had? Sterker nog, had hij daar niet over opgeschept? Maar wat hem echt geraakt had, hem tot in zijn beenmerg geraakt had, was dat Jarves het gepast gevonden had om hem die dingen toe te vertrouwen.

De beslissing om dat te doen had hij vanmorgen genomen. Natuurlijk was de hele selectieprocedure voor de stage er een onderdeel van, maar deze morgen was het moment geweest dat Jarves hem bestudeerd had en definitief besloten had ermee door te gaan.

Wat had de weegschaal op die manier doen doorslaan? Wat zag Jarves in hem of dacht hij in hem te zien, dat hij dacht dat Harrison bevattelijk zou zijn voor zulke gewelddadige theorieën? Wat zag Jarves dat hij dacht dat Harrison zou juichen over de ruïnering van een andere man?

Dat zou hetzelfde zijn als wanneer er een van de Fly Boys voor hem borg wilde staan bij de andere bendeleden. *Hij is wel goed, jongens. Hij kan als de beste mensen op hun hoofd knuppelen.*

Wat deed Jarves denken dat Harrison Shaw er zo een was?

Als een navolger van Christus. Zo wilde Harrison dat anderen hem zagen. Als Jezus Christus deze morgen in de kamer was geweest, zou Jarves dan deze presentatie over roofdieren gegeven hebben? Zou hij er dan over opgeschept hebben dat hij een man te gronde gericht had?

Zomaar opeens voelde Harrison zich als een van Jarves' motvlinders, volmaakt gecamoufleerd en onzichtbaar in een slechte wereld.

In de eenzaamheid van J.K. Jarves' juridische bibliotheek, gingen Harrisons gedachten naar het gebed. Opeens werd alles hem duidelijk. Twee ruimtes bepaalden zijn wereld: een bovenzaal in een kerk, waar mannen zichzelf vernederden en baden en waar genezing en verzoening was; en een bibliotheek in een herenhuis, waar mannen plannen beraamden om persoonlijke imperia op te bouwen ten koste van andere mannen. Na wat hij vanmorgen gezien en gehoord had, kon hij onmogelijk verder gaan als Jarves' stagiair. Hij moest zich terugtrekken en die gedachte maakte hem doodsbang.

Harrison was dankbaar dat hij Fifth Avenue achter zich had en hij voelde een enorme behoefte om iemand bij zich te hebben. Katie was de eerste die hem in gedachten kwam. Hij liep naar Five Points. De buurt voelde bijna schoon aan nadat hij opgesloten had gezeten in een kamer met al die roofdieren en Katie, ondanks haar versleten kleren, leek wel een engel.

Misschien was het zijn verbeelding, maar toen ze hem in

het zicht kreeg, vertraagde ze haar stap zodat hij haar kon inhalen. Of het nu echt zo was, of maar verbeelding, het bezorgde hem een warm gevoel van binnen.

'Ik hoopte dat ik je zou vinden,' zei hij toen hij haar inhaalde.

Katie stopte haar handen weg, net als altijd, maar niet voor Harrison er een glimp van opgevangen had. Mouser had zijn opdracht uitgevoerd. Ze droeg de handschoenen. Je wist het nooit met Mouser. Harrison zou niet verbaasd geweest zijn als de jongen ze verkocht had.

Alsof de handschoenen nog niet genoeg waren, zag Harrison nog iets wat hem blij maakte. Uit haar beurs, die niet meer was dan een bruine stoffen zak met een koordje, stak het uiteinde van de roze waaier. Hij kon het niet helpen dat hij zich afvroeg of ze hem, als ze alleen was, uitklapte en ernaar keek en aan hem dacht.

'Wel, u hebt me gevonden,' zei ze met neergeslagen ogen. 'Wat wilt u?'

'Laten we die hoek omgaan,' stelde Harrison voor, 'dan zijn we uit de wind.'

De lucht was de hele dag al leigrijs. Het was een van die dagen waarop je niet kon zeggen of het nu morgen of avond was zonder op de klok te kijken. De wind was het laatste halfuur opgestoken, een wilde noordooster.

Ze keek hem wantrouwend aan, maar ze sloeg de hoek om. Dat ze nu alleen maar van de hoofdstraat af waren, maakte hun ontmoeting al meer intiem.

'Ik zie dat je de handschoenen hebt gekregen,' zei Harrison.

'Vist u weer naar een compliment, meneer Shaw?'

'Nee!' Dat deed hij echt niet.

'Ik ben er blij mee, heel erg bedankt.'

'Ik ben blij dat je er blij mee bent.'

'Is dat alles, meneer Shaw?' vroeg Katie. 'Het is koud.'

'Ik wilde je gewoon graag even zien, dat is alles.'

'Waarom?'

'Moet daar een reden voor zijn? Ik wilde gewoon bij je zijn. Met je praten.'

'Als iemand een ander aanhoudt op straat, dan is daar meestal een reden voor.'

Waarom maakte ze het hem zo moeilijk? Had hij zijn genegenheid niet duidelijk gemaakt? Was ze gewoon verlegen, of was dit haar manier om hem duidelijk te maken dat ze niet geïnteresseerd was?

Isaäc Hirsch had hem het een en ander over vrouwen geleerd. Het was op een van die luie zomeravonden na een drukke dag – zwemmen in de rivier, rennen, vissen en uitgescholden worden omdat ze in het magazijn rondhosten. Toen de zon onderging, kwam het gesprek op meisjes,

'Ze willen je graag horen zeggen dat je hun jurk of hun haar of hun schoenen leuk vindt,' had Isaäc uitgelegd. 'Een klopje op de arm of een goede grap is niet goed genoeg voor hen.'

Destijds had Harrison gedacht dat Isaäc maar wat beweerd had. Hij stond erom bekend dat hij met gezag sprak over allerlei onderwerpen waar hij niets van wist.

Maar over meisjes had hij het toch bij het rechte eind gehad.

'Ik wilde je zien,' zei Harrison, 'omdat ik je leuk vind.'

'Nu steekt u de draak met mij!' Ze draaide zich om om weg te gaan.

'Nee! Katie, ik meen het! Ik vind je leuk!'

Ze draaide zich weer om. 'Kijkt u eens naar me, meneer Shaw! Kijkt u eens goed. Wat kunt u voor leuks aan mij zien?'

'Je ogen.'

De snelheid en de overtuiging van zijn antwoord verbijsterden haar.

Zich nu bewust van haar ogen, keek Katie nu voor de langste tijd niet op. Toen ze het deed, maakte haar blik zijn knieën week.

'Dank u, meneer Shaw,' zei ze. 'Dat is heel vriendelijk van u.' Ze draaide zich om.

'Mag ik je nog een keer zien?' riep Harrison haar na.

Katie keek om over haar schouder. 'Dat zou ik leuk vinden.'

Als ze eetbaar geweest waren, dan had Harrison een maand op die vijf woorden kunnen leven.

Pas toen hij Five Points uit was, herinnerde hij zich dat hij van plan geweest was om haar te vragen naar de vrouw in het 'woongebouw' die haar en Mouser niet kende.

'De stage opgeven?' riep George Bowen. 'Denk je niet dat je een beetje overreageert?'

Misschien had Harrison het niet goed genoeg uitgelegd. Hij had de tehuisdirecteur verteld over de slachtvogel en de bidsprinkhaan – inclusief het verhaal over de vrouw en de kolibrie – en de Afrikaanse slang. Als Bowen de klauwier had gezien, met zijn uitpuilende ogen...

'Rijke mensen zijn vaak excentriek,' zei Bowen. 'Daar moet je mee leren leven.'

'Dit gaat verder dan excentriek zijn. Wie weet hoeveel mannen Jarves geruïneerd heeft? Hij heeft me maar over één verteld.'

'Ga zitten,' beval Bowen.

Harrison ging zitten in de stoel met rechte rugleuning naast het bureau van George Bowen. Hij was op die stoel opgegroeid. Hij had daar gezeten toen Bowen hem vertelde dat hij aangenomen was op het college en daarna voor de rechtenstudie. Hier was het dat hij raad gekregen had over hoe hij problemen moest vermijden, over integriteit en financiën, over het belang van teruggeven zodat andere jongens geholpen konden worden. Hij had in deze stoel gezeten toen Bowen hem het strooibiljet had laten zien over de doordeweekse gebedssamenkomst in een kerk in Fulton Street.

Net als anders was het bureau naast de stoel bedekt met stapels rekeningen en papierwerk. George Bowen deed z'n hele boekhouding zelf.

'Laat mij je iets uitleggen over rijke mensen,' zei George. Hij schoof een stapel papier die tussen hen in lag van de ene kant van het bureau naar de andere kant. 'Vaak ontwikkelen zulke mensen vreemde opvattingen omdat ze zover afstaan van het leven. Ze hebben niet de dagelijkse zorgen die de meeste mannen hebben. Ze hoeven zich geen zorgen te maken over of ze wel genoeg eten hebben tot het eind van de maand en of ze wel een dak boven hun hoofd hebben. Ze hoeven niet te werken om te overleven. Als gevolg daarvan hebben ze te veel tijd om te denken. En een man die te veel tijd heeft kan op allerlei buitenissige ideeën komen over het leven.

De natuur fascineert hen,' legde hij uit. 'Mogelijk omdat ze zichzelf ervan afgezonderd hebben. Wat weet een man als J.K. Jarves over het leven in het wild? Het bos is voor hem een plaats om zich te vermaken. Natuurlijk zijn zijn aardige theorieën niet meer waard dan het geloof dat de wereld rust op de ruggen van een oneindig aantal schildpadden. Geloof me, Harrison, hoe bizar zijn presentatie voor jou ook geweest moet zijn, ik twijfel eraan of je, als je doorgaat, enig substantieel verband zult ontdekken tussen dat en de manier waarop hij het recht beoefent.'

Nu hij op zijn gemak zat en luisterde naar objectieve raad, vroeg Harrison zich af of hij inderdaad te heftig gereageerd had. Had hij een paar vliegen en opgezette vogels hem bang laten maken? Zijn schok over Jarves' presentatie leek hem nu overdreven, bijna onnozel.

'En Eli Hodge dan, de man die Jarves geruïneerd heeft?' vroeg hij.

'Meneer Jarves houdt van competitie en hij heeft een erg groot ego. Zulke mensen overdrijven vaak hun overwinningen.'

Harrison knikte. Dat was waar. Hij had het vaak gezien, het meest recent tijdens de rechtenstudie.

'Denk nog maar eens over je beslissing na,' drong Bowen aan. 'Het zou zonde zijn om een kans als deze weg te gooien. Het is je toekomst waar we het over hebben.'

'Misschien hebt u wel gelijk,' zei Harrison.

George Bowen had geen gelijk. Harrison ontdekte dat snel genoeg. Zijn lessen in het herenhuis gingen van bizar naar meer dan bizar.

De serie hoorcolleges ging de volgende morgen verder.

'Overleving, Harrison. Dat is het enige doel in het leven,' zette Jarves uiteen. 'Om in leven te blijven terwijl iedereen om je heen doodgaat.'

Jarves liep heen en weer terwijl hij doceerde. Soms richtte hij zijn opmerkingen tot Harrison, maar vaak ook tot de uitstalling van moordenaars die nog steeds op zijn bureau stond.

'En tot dat doel moeten we alles aanwenden. Rijkdom. Macht. Wetten. Opleiding. Sociale status. Als we iets nodig hebben, dan moeten we dat tegen elke prijs zien te bemachtigen. Om het simpel te houden, Harrison, stel je voor dat je een man bent die in een hol woont. Het zijn moeilijke tijden. Jij en je partner en nageslacht zijn aan het verhongeren. Je bent aan het jagen geweest, maar er was niets te vinden en je bent met lege handen thuisgekomen. Echter, je buurman heeft wel wat bemachtigd. Wat doe je? Laat je je gezin sterven terwijl zijn gezin eet en leeft? Nee. Niet als de overlevingsmogelijkheden binnen je bereik liggen. Je doet wat nodig is om te overleven.' Jarves greep in de lucht, de toeslaande bidsprinkhaan imiterend. 'Of zijn gezin sterft, of jouw gezin sterft. Welk zal het zijn?'

'Je zou hem kunnen vragen om zijn vlees te delen,' opperde Harrison.

Jarves was om twee redenen teleurgesteld. In de eerste plaats omdat hij onderbroken werd. Blijkbaar was de vraag retorisch geweest. En in de tweede plaats om het antwoord zelf.

Harrison verdedigde zijn antwoord. 'U zei: met alle middelen. Het lijkt mij dat er één mogelijkheid zou zijn om een soort overeenkomst met hem te sluiten – misschien door hem een deel van jouw volgende buit aan te bieden of iets wat hij hebben wil in ruil voor eten. Als hij het daarmee eens is, dan hoef je niet te vechten, je krijgt toch wat je nodig hebt en misschien krijg je er zelfs een vriend door.'

Het moet gezegd worden dat Jarves Harrisons woorden overwoog. 'Mogelijk. Natuurlijk zou hij wel gek zijn om een deel van zijn eten over te geven, maar er is zeker geen voedseltekort in deze wereld? Dus... een goed antwoord... hem van zijn vlees af kletsen is een goede benadering.'

Kletsen? Harrison wilde bezwaar maken.

Jarves legde hem het zwijgen op. Het interactieve deel van de les was voorbij. 'Echter, het probleem met jouw benadering is dat je aanneemt dat hij niet begrijpt dat overleving het doel van het leven is. Maar het is de natuurlijk orde, jongen. Je zou kunnen aanvoeren dat we in een beschaafde maatschappij leven. Dat we geen holbewoners meer zijn. Maar dat is een kronkelredenering. Wanneer is het mensdom ermee gestopt deel uit te maken van de natuurlijke orde?' Zijn wijsvinger werd een uitroepteken. 'Ah! Zie je? Dat zijn we niet! Door de hele geschiedenis heen zijn al de wetten, al de regels, moraal en ethiek ingesteld door hen die de macht hadden om één reden en alleen die reden – om hun de middelen te geven om te overleven ten koste van de zwakkeren.'

Hij nam de glazen bol op met de klauwier.

'Denk je dat deze jongen, nadat hij zijn prooi op een doorn gespietst heeft, 's nachts wakker ligt en zich afvraagt wat anderen van hem denken? Of deze...'

Hij pakte de bidsprinkhaan op.

'Gebruikt deze jongen zijn dagen om zich zorgen te maken of zijn vrienden hem wel mogen? Natuurlijk niet! Zij begrijpen het! Er is maar één doel in het leven – overleven!'

Hij was nog niet klaar.

'Je vraagt misschien: "Waarom hebben we dan een maatschappij en wetten? Waarom gaan we dan niet terug naar de dagen van de holbewoners, waar het ieder voor zich is?" Dat zal ik je vertellen. We zijn nooit opgehouden in die dagen te leven. Het is nog steeds ieder voor zich. Het leven is meedogenloos, jongen. De maatschappij is door slimme mensen bedacht als een list. Het is de perfecte camouflage, waardoor we in staat zijn om onze prooi te benaderen, te glimlachen, te dansen en mensen die niet nadenken te laten geloven dat we beschaafde mensen zijn. De man die de natuur begrijpt, weet beter.'

Hij zweeg even om dat idee te laten bezinken.

'Weet je wat mijn grootste uitdaging met jou is?' vroeg hij.

'Nee, meneer.'

'Om jou te leren hoe fout het onderwijs van jouw voogd, George Bowen, is. Hij begrijpt het niet. Hij is een blatend schaap tussen blatende schapen. Hij leert jongens om als schapen te denken, om als schapen te handelen, en dat is precies wat de wolven willen dat hij doet.'

Voor Harrison bezwaar kon maken, begon Jarves aan een serie voorbeelden van een door klauwieren geïnspireerde rechtsfilosofie. Verhalen over overdonderde juryleden, omgekochte rechters, trappen achteruit en politieke gunsten, allemaal in ruil voor gunstige uitspraken. Over oplichting en bedrog. Zetten en tegenzetten. Hinderlagen, juridisch en letterlijk. Alles onder het mom van fatsoen.

De middagen waren niet beter. De morgens brachten hoorcolleges, de middagen sociale lessen van Victoria. Het was geen verrassing voor Harrison toen hij bij Victoria gebracht werd voor 'theelessen' – over hoe hij een kopje en schoteltje moest hanteren.

Gekleed in een lichtgele jurk die ruiste als ze liep, bleef de altijd keurig nette juffrouw Jarves staan, terwijl Harrison op een stoel midden in de salon zat. Harrison kon niet besluiten wat scherper was – haar blik, haar humeur of haar tong.

'Elke baviaan kan theedrinken aan een tafel,' begon ze, 'maar een heer kan zowel het kopje als het schoteltje in balans houden en tegelijk amusant en onderhoudend zijn.' Ze liet een boek op Harrisons hoofd balanceren. 'Wat betreft uw houding. Uw rug moet recht zijn, uw hoofd koninklijk en vast.'

Aan zijn handen deed ze een paar zware werkhandschoenen. Harrison voelde zich belachelijk.

Met een klap in haar handen, riep Victoria een bediende met een zilveren theeblad binnen.

'Er zal u gevraagd worden of u thee wilt,' zei ze. 'De juiste reactie is glimlachen en licht knikken.'

'Knikken? Met een boek op mijn hoofd?'

'Moet u altijd zo tegenstribbelen?' riep Victoria. Ze pakte het boek van zijn hoofd en legde het op haar eigen hoofd. Ze knikte, haast meer met haar ogen dan met haar hoofd, maar het was onmiskenbaar een knik.

'Nadat u geknikt hebt,' zei ze, terwijl ze het boek teruglegde op Harrisons hoofd, 'moet u zichzelf een kopje thee inschenken, twee suikerklontjes in het kopje doen, de thee roeren met een lepeltje en dan zowel het kopje als het schoteltje optillen en zonder morsen op uw schoot zetten.'

'Met handschoenen aan?'

Victoria negeerde de vraag. 'O, nog één ding. U moet dit doen terwijl u mij amuseert met een anekdote.'

'Een anekdote?'

'Een *geestige* anekdote. U hebt toch uw geest meegenomen, meneer Shaw? Of hebt u die achtergelaten in het tehuis?'

'Wat als ik geen thee wil?'

'U wilt uw gastvrouw niet beledigen, meneer Shaw. U neemt altijd thee. Als u het niet binnen wilt krijgen, dan doet u alsof u drinkt.'

'Dat lijkt me een heel gedoe om niets.'

'Bent u klaar, meneer Shaw?'

Harrison zuchtte. 'Ik ben klaar, juffrouw Jarves.'

Ze pakte een ruiterzweep.

'Waar is dat voor?'

'Discipline. Voor als u de fout in gaat, meneer Shaw. Staat u mij toe het u te demonstreren.'

Wham! Ze sloeg hem op de onderarm.

'Au!' riep Harrison. Het boek viel op zijn schoot.

'Plaatst u alstublieft het boek op uw hoofd, meneer Shaw, dan kunnen we beginnen.' Ze riep de bediende naast zich. 'Meneer Shaw, hebt u zin in thee?'

Harrison knikte met zijn ogen.

'Wat was dat?'

'Een knik. Net zoals u net deed.'

'Dat is zeker niet zoals ik het deed. Dat was een knipoog, geen knik. Uw hoofd bewoog niet. Probeert u het nog eens.'

Ze stelde de vraag opnieuw.

Dit keer had Harrisons hoofd bewogen. Hij wist dat omdat het boek ervan afgleed en neerviel op het theestel, dat uit de handen van de bediende geslagen werd. De thee golfde uit de pot en de suikerklontjes rolden als dobbelstenen over de vloer.

Wham!

'Au!'

Victoria sloop de kamer uit. Het kostte de bedienden ruim tien minuten om de stoel en de vloer schoon te maken voor ze opnieuw konden beginnen. De omslagen van Harrisons broekspijpen zaten onder de thee.

Bij zijn tweede poging slaagde Harrison erin om het boek boven op zijn hoofd te houden, maar thee schenken met handschoenen aan bleek lastiger dan hij verwacht had. Hij miste zijn doel en er ging een straal thee langs de rand van het kopje.

Wham!

'Au!'

De derde poging verliep net als de tweede.

Wham!

'Au!'

Bij de vierde poging slaagde Harrison erin om in het kopje te mikken, maar toen hij met een tangetje de suiker greep, kneep hij te hard en de suikerklontjes spatten uit elkaar.

Wham!

'Au!'

Het thee schenken was al moeilijk, maar het vinden van een gepaste anekdote was nog moeilijker. Juffrouw Jarves vond het verhaal over toen hij en Isaäc en Murry in de rivier zwommen en Albert Deckers broek stalen en daarvoor in de plaats een jurk voor hem achterlieten zodat hij met franje en hoepels door de straten van Brooklyn moest rennen niet grappig.

Ook het verhaal over Francis White die onder schooltijd steeds in slaap viel, vond ze niet grappig. Op een dag had Isaäc, die naast hem zat, zich voorovergebogen, hem aangestoten en gefluisterd: 'De leraar heeft je net gevraagd om te bidden!' Dat had hij niet. De leraar stond met zijn rug naar de klas een zin op het bord te schrijven. Maar midden in de klas was White opgesprongen en begonnen te bidden.

Twee verhalen. Twee zweepslagen.

Een week lang probeerde Harrison de stage te redden. Daarna kon hij het niet langer uithouden. Jarves' griezelverhalen over juridische haarkloverijen bezorgden hem nachtmerries en zijn armen waren rood van de striemen, met dank aan Victoria Jarves. Voor Harrison kon zijn beslissing om te stoppen niet duidelijker zijn dan wanneer het met grote letters op J.K. Jarves' behang stond geschreven. Zijn dagen in dit huis waren geteld en ze waren ten einde gekomen.

Hij zou het Jarves de volgende morgen vertellen.

'O, meneer Shaw,' zei Victoria toen hij aan het einde van de dag wegging, 'ik geloof dat u nog steeds mijn waaier hebt. De roze.'

Harrison had gehoopt dat ze dat vergeten was. 'De waaier.'

'Ja. Die u gebruikt hebt als visitekaartje. Ik neem aan dat u nu gedrukte kaartjes hebt?'

'Binnenkort. Ze zullen over een paar dagen klaar zijn.'

'Dan zult u mijn waaier niet langer nodig hebben.'

'Als het u niet uitmaakt, juffrouw Jarves, dan zou ik hem van u kunnen kopen...'

Ze keek hem vreemd aan.

'Ik ben erop gesteld geraakt. Dat begrijpt u toch? Het is een soort aandenken aan onze tijd samen.'

'Het spijt me, meneer Shaw, maar juist die waaier is een familieaandenken. Hij was van mijn moeder.'

'Een familieaandenken? Dat hebt u me nooit verteld.' Er ging een rilling van afschuw door hem heen.

'Meneer Shaw, u hebt mijn waaier toch nog wel?' Haar ogen waren gevuld met tranen.

'Ik kan hem vervangen!' zei Harrison onhandig.

Victoria begon te huilen. 'Een familieaandenken, meneer Shaw? Kunt u ook de herinneringen aan een gestorven geliefde vervangen die ermee verbonden waren?'

Harrison voelde zich een schurk.

'Mijn grootmoeder heeft die waaier meegenomen uit Southampton. Grootvader had hem aan haar gegeven op de avond dat hij haar ten huwelijk vroeg. Volgens het verhaal nam ze hem eerst niet serieus en sloeg ze hem ermee op de arm.'

Dat kon hij gemakkelijk geloven. Slaan leek een familietrek.

Snikkend ging Victoria verder. 'Dus nam grootvader de waaier van haar over, legde hem aan de kant, pakte haar handen en vroeg haar voor de tweede keer.'

Harrison voelde zich als een hond. Nee, een hond was te edel. Harrison voelde zich als een worm. *Kom op met de glazen bol.*

'Ik weet niet wat ik moet zeggen.'

'Wat is er precies mee gebeurd? Wanneer hebt u hem voor het laatst gezien?' Ze keek hem hoopvol aan, alsof ze hem kon helpen het terug te vinden.

Misschien kon hij een andere waaier kopen en met Katie ruilen.

Zijn aarzeling wekte haar wantrouwen.

'U hebt hem verkocht, hè, meneer Shaw?'

'Nee! Dat heb ik niet! Juffrouw Jarves, geloof me, ik zou nooit...'

Victoria staarde hem ontzet aan. Er ging een sierlijk wit handje naar haar mond. 'U hebt hem aan een andere vrouw gegeven!'

Harrison had niet gedacht dat hij zich nog slechter kon voelen. Hij had verkeerd gedaan.

'Juffrouw Jarves, als ik had geweten dat...'

'Ja dus. U hebt hem aan een andere vrouw gegeven.' Ze werd kwaad. 'Was dat de dank voor mijn diensten, meneer Shaw?'

'Juffrouw Jarves!' riep Harrison.

'Wel?' In afwezigheid van een waaier, wapperde Victoria met haar hand. 'Ik kan niet geloven dat u de waaier van mijn grootmoeder gebruikt hebt om te betalen voor de bevrediging van uw vleselijke lusten!'

'Juffrouw Jarves, ik heb de waaier van uw grootmoeder niet voor zoiets gebruikt. Ik zal proberen hem terug te krijgen. Meer kan ik u niet beloven.'

Victoria wendde zich van hem af. Ze bleef met haar hand wapperen. 'Zorgt u daarvoor, meneer Shaw. Zorgt u daarvoor.'

Ze begon weg te lopen. Bij de deur draaide ze zich om. 'Gezien de huidige stand van zaken, meneer Shaw, denk ik niet dat ik onze theelessen nog kan vervolgen.'

'Volkomen begrijpelijk,' zei Harrison gedwee. Hij had immers al hetzelfde bedacht.

16

Na een onrustige nacht ging Harrison terug naar Fifth Avenue. Hij was zich ervan bewust dat het waarschijnlijk de laatste keer was dat hij langs Millionaire Row liep. Het had de avond tevoren gesneeuwd. De straat, de huizen, de naakte takken van de bomen waren allemaal verdwenen onder een maagdelijk witte laag die schitterde in de ochtendzon. De eerste sporen in de sneeuw waren die van hem. Als de broodkruimels uit het sprookje zouden ze hem de weg naar huis wijzen.

Zijn handschoenen waren vijf winters oud. Er was een gat in de top van zijn rechter wijsvinger gekomen.

Is er niet een soort gezegde dat zegt: 'Als er een vinger bevriest, wordt de hele hand gevoelloos'? Zo niet, dan zou dat er moeten zijn.

Hij schoof zijn onbedekte vinger in zijn broekzak. Zijn vingers zochten naar warmte, maar in plaats daarvan vonden ze een munt met een spleet. De vorige avond was gebleken dat de munt een langere geschiedenis had dan hij geweten had.

'Heb je je geluksmunt nog bij je?' had George Bowen hem gevraagd.

Dat was zijn reactie op het nieuws dat Harrison na lang nadenken toch besloten had om de stage op te geven. Verward door de vraag had Harrison de munt uit zijn zak gevist en hem aan Bowen gegeven. Zoals bij iedereen die de munt aanraakte, ging Bowens vingertop meteen naar de spleet.

'Herinner je je wanneer ik je die gegeven heb?' vroeg hij.

'Op mijn vijfde verjaardag.'

'Je vierde.'

'M'n vijfde. In hetzelfde jaar waarin de slaapzaal gebouwd werd.'

Bowen rekende het na. 'Je hebt gelijk. Je vijfde.' Hij onderzocht de munt. 'Ik heb hem in geen jaren gezien. Er is iets met deze munt dat je moet weten en dat misschien invloed heeft op je beslissing.'

Harrison had zich op dit gesprek voorbereid. Hij had vast besloten dat Bowen hem er niet een tweede keer van zou afbrengen om zich terug te trekken.

'Deze munt was van J.K. Jarves,' zei Bowen. 'Hij heeft hem je gegeven.'

Hij zweeg even om het nieuws tijd te geven om door te dringen. Een goed idee, want Harrison was erdoor geschokt.

'Wat... ik wist niet... hoe... kan dat?' stotterde Harrison.

Bowen grijnsde schalks. 'Ik hoop dat je je vragen in de rechtszaal beter formuleert.' Hij haalde diep adem. Dat was een teken dat de uitleg voor Harrison niet gemakkelijker te verteren zou zijn dan het oorspronkelijke nieuws.

'In de nacht van de brand,' begon hij. 'De nacht dat je moeder stierf... zoals ik je eerder verteld heb, kort voor de vloer onder haar inzakte, gaf ze jou aan een redder. Wat ik je niet verteld heb, is dat hij J.K. Jarves heette.'

Harrison huiverde en probeerde het nieuws te verwerken. 'Weet u dat zeker? Hoe weet u dat?'

'Er is nog meer.'

'Meer? U gaat me toch niet vertellen dat Jarves mijn vader is?'

Bowen lachte. 'Dat zou nog eens een mooi verhaal zijn, hè?'

Niet na wat ik meegemaakt heb, dacht Harrison.

Bowen stak de munt op. 'Nee. Jarves is jouw vader niet. Hij gaf me deze munt in de nacht dat hij je gered had, omdat hij wist dat je net wees geworden was. Hij zei me dat ik hem als geluksmunt aan jou moest geven als je oud genoeg was om dat op prijs te stellen.'

'Dat klinkt niet als de J.K. Jarves die ik ken.'

'Mensen veranderen.' Bowen gaf de munt terug aan Harrison.

'We zaten krap bij kas in die dagen,' zei Bowen.

'Zitten we dat niet altijd?'

Bowen grijnsde. 'Er was geen geld voor een verjaardagscadeau, dus gaf ik jou de munt. Je had het moeilijk toen. Je beste vriend had het tehuis net verlaten.'

'Gary Richmond.' Harrison had in geen jaren aan Gary gedacht. Het beeld van een rond gezicht zonder tanden en met grote oren dat lang niet groot genoeg was voor de sproeten die erop zaten, kwam hem in gedachten. Gary was een aanstekelijke giechelaar geweest. Dat waren gelukkige tijden geweest.

'Je miste hem verschrikkelijk,' riep Bowen hem in herinnering. 'Je nam die munt die avond mee naar bed en je vertelde me dat je hem, als je oud genoeg was, zou gebruiken om een treinkaartje te kopen en Gary te bezoeken.'

Harrison woog de munt.

'Er is meer,' zei Bowen.

'Nog meer? Hoe kan er nog meer zijn?'

'Jarves heeft jouw college-opleiding betaald.'

'Maar ik dacht dat u...'

'Ik heb je verteld dat ik ervoor gezorgd heb en dat heb ik ook. Wat ik je niet verteld heb, is dat ik het geld al had. Met de munt gaf Jarves me een klein bedrag. Hij was erdoor geraakt dat jij binnen drie maanden allebei je ouders had verloren. Bedenk wel, het was geen fortuin. Harold Fielding hielp me het te investeren.'

Harrison kende meneer Fielding. Hij was de president van de Fidelity Bank en een lid van de raad van bestuur van het tehuis.

'Dat geld werd jouw studiebeurs.'

Harrison bewoog onrustig. 'Weet Jarves dat hij...'

'Dat weet ik niet. Ik heb het mezelf ook afgevraagd. Ik heb

geen direct contact meer met hem gehad sinds de nacht van de brand.'

'Hij heeft nooit naar mij geïnformeerd?'

'Herinner je je dat je zei dat alle andere kandidaten iemand hadden die hen aanprees, alleen jij niet?'

'En u zei me toen dat ik daar niet zo zeker van moest zijn.'

'Wie weet?'

'Alleen daarom al hebt u mij ertoe aangezet om voor de stage te solliciteren!' riep Harrison.

'Er was altijd een kans dat hij zich jou zou herinneren.'

'Dus u denkt dat hij mij daarom uitgekozen heeft?'

'Dat zul je hem moeten vragen.'

'De munt.'

'Wat is daarmee?'

'Jarves heeft de munt gezien,' zei Harrison. 'Op de dag van het sollicitatiegesprek. Hij heeft de munt gezien. Sterker nog, hij heeft hem in handen gehad.'

Bowen stak zijn handen op. 'Zie je, daar heb je het.'

Maar wat had hij? Daar had Harrison de hele nacht mee geworsteld. Wist Jarves dat hij Harrisons weldoener was? En als dat zo was, waarom had hij dan niets gezegd?

Het was moeilijk om je in te denken dat dit dezelfde man was. Geld geven aan een wees was niet exact hetzelfde als wat een klauwier of een bidsprinkhaan zou doen.

Bowens openbaring had Harrison niet van zijn plan afgebracht, maar het had het hem wel moeilijker gemaakt om te doen wat hij doen moest.

De sneeuw knerpte onder zijn laarzen terwijl hij naar de deur van het herenhuis liep. Zijn rechterhand werd eindelijk warm in de zak met de munt en dus reikte hij met zijn linkerhand naar de deurklopper.

Had hij al wel een besluit genomen over de naam van de koperen leeuw?

Hoe moest hij de man die hem het leven had gered en zijn

opleiding had betaald vertellen dat hij om morele en ethische redenen niets meer met hem van doen wilde hebben?

J.K. Jarves was in een goede stemming. Het eerste teken was dat de bedienden in een goede stemming waren. Charles groette Harrison aan de deur met iets van een glimlach. Kort nadat hij naar de bibliotheek geleid was, daverde Jarves door de deur met een plezierig: 'Goedemorgen, meneer Shaw. En hoe gaat het vandaag met u?'

Harrison kon het niet helpen dat hij zich afvroeg wie Jarves vannacht te gronde gericht had dat hij nu in zo'n goede stemming was.

Het zou erg overdreven zijn om te zeggen dat Jarves iets huppelends in zijn lopen had. Maar zijn granieten gezichtslijnen leken nu bijna vleselijk en zijn stenen gedrag was licht zorgeloos.

'Klaar om aan het werk te gaan?' zei Jarves. 'Ah! Maar eerst...'

Hij liet Charles komen en bestelde koffie.

Hij was de laatste keer dat hij koffie besteld had toch zeker niet vergeten?

'En wat van die Franse cakejes. Die met chocolade en met...' Hij maakte een kronkelende beweging met zijn vinger.

Wat het ook was, Charles wist waar hij het over had. 'Heel goed, meneer.'

Dus J.K. Jarves hield van zoet.

'Die kleine cakejes heb ik in Frankrijk ontdekt,' zei hij tegen Harrison. 'Ik vond ze zo lekker dat ik een banketbakker mee terug genomen heb voor gelegenheden als deze.'

Harrison vroeg zich af of hij lang genoeg zou blijven om een van de cakejes te proeven.

'Dan nu aan het werk,' zei Jarves. 'Kom mee.'

Jarves liep naar het bureau. Harrison ging naast hem staan. Voor hem stonden de dode roofdieren, zo opgesteld dat alle ogen naar hem opkeken.

Jarves viste in zijn zak. 'Hier is hij.' Hij haalde een ring tevoorschijn en legde die op de tafel tussen hemzelf en de andere roofdieren. Hij was van goud met een barnsteen, groot maar smaakvol. De ring was identiek aan degene die Jarves droeg.

'Ik heb een hekel aan gedoe,' zei Jarves, 'behalve natuurlijk wanneer het me van pas komt tijdens een proces.' Hij lachte om zijn eigen grap. 'Pak op. Hij is van jou.'

Een rij dode ogen keek toe hoe Harrison de ring oppakte. Harrison voelde hun blikken nadrukkelijk.

'Je bent nu deel van de gemeenschap van elitemannen,' zei Jarves. 'De mannen die deze ring dragen zijn gebonden door een gemeenschappelijke levensfilosofie die zo oud is als de natuur zelf. Om er een paar te noemen...'

Harrison probeerde hem te onderbreken.

Jarves stond het hem niet toe. 'Rechter Harold Rutherford. Rechter Edwin Walsh. Rechter Horace Mayhew. Congreslid Roger Dorr. De gouverneur van New Hampshire, Lenox Beckwith. En nu: Harrison Shaw. We hebben geen formele organisatie, maar we vormen een los verband van gelijkgezinde mannen. Het is bekend dat we bij bepaalde gelegenheden onze krachten bundelen voor ons aller voordeel.'

Gezien hun overlevingsfilosofie vroeg Harrison zich af hoe hecht hun broederschap kon zijn. Maar inderdaad, zelfs jakhalzen leven samen in troepen tot het tijd is om te doden.

Hij wist niet wat hij moest zeggen. Jarves bedoelde dit duidelijk als een grote eer.

'Ik verdien dit niet,' zei hij.

Jarves sloeg hem op de schouder. 'Nee, zeker niet. Maar dat zul je doen.'

Harrison kon het niet langer uitstellen. Hij moest iets zeggen. De hele nacht had hij zijn openingszin geoefend.

'Meneer Jarves,' zei hij. 'Herkent u dit?' Hij haalde zijn zilveren geluksdollar tevoorschijn.

Jarves keek naar de munt. Hij pakte hem niet aan. 'Een gewoon zilverstuk.'

'Kijkt u eens beter.'

'Wat is dit, meneer Shaw?'

'Alstublieft, meneer.'

Jarves nam de munt aan. Hij ging met zijn vinger over de snee. Hij grijnsde. 'Dit is de munt die jij in Charles' zak gestopt hebt. Goed gedaan, trouwens. Edwin Walsh was woest dat je ons met gelijke munt terugbetaalde. Ik was onder de indruk. Je snelle denken heeft je deze stage opgeleverd.'

'Dus u herkent de munt niet?'

Jarves kneep zijn ogen tot spleetjes. 'Waar heb je het over?'

'U weet niet wie ik ben.'

Het was duidelijk dat Jarves niet erg van mysteries hield. Zijn toon werd geagiteerd. 'Als je iets duidelijk wilt maken, doe dat dan.'

George Bowen had het fout gehad. Jarves had hem niet aangeprezen.

Harrison zei: 'U hebt mij deze munt gegeven. Lang geleden.'

Jarves onderzocht de munt opnieuw, maar schudde zijn hoofd. 'Ik kan me niet herinneren dat ik je deze munt heb gegeven.'

'Ik was nog een kind. Er was brand in een woongebouw.'

Jarves deed een stap achteruit. De herinnering aan die nacht kwam terug. 'Je moeder kwam om.'

'U hebt me gered.'

Jarves was daar nu terug in zijn gedachten. 'De vloer zakte in,' zei hij met een afwezige stem. 'Ze gaf me haar baby. Er was een man op de ladder achter mij. Ik zei haar dat ze moest volhouden. Toen draaide ik me om en gaf de baby door naar beneden. Toen ik me weer omdraaide, was ze weg.'

'Ik ben die baby.'

Knikkend zei Jarves: 'Er was nog een jongeman. Hij vocht onvermoeibaar die nacht. Het was zijn eerste week in dienst van de YMCA als ik het me goed herinner.'

'George Bowen.'

'Was dat George Bowen? Dat zal wel, ja. Die jongeman was George Bowen.'

'Een jaar later stichtte hij Newboys' Lodge.'

Jarves grinnikte. 'Ik zou die twee nooit als één en dezelfde man gezien hebben. Hij is dik geworden.'

'U hebt hem geld gegeven.'

'Ja! Ja, dat heb ik. Dus hij heeft dat geld gebruikt om zichzelf op weg te helpen? Het was voor jou bedoeld.'

'Hij heeft het geïnvesteerd. Ik heb het college bezocht voor dat geld. U hebt me naar het college laten gaan.'

'Goed, ik zal...' zei Jarves.

De bibliotheekdeuren gingen open. Er kwam een jong dienstmeisje binnen met een karretje met koffie en de cakejes. Met een laatste blik erop gaf Jarves de munt aan Harrison terug.

'Nou, dit wordt haast een soort feest, nietwaar?' bulderde Jarves. Hij liep door de kamer naar het karretje. 'Hoe wil je je koffie hebben, Shaw?'

'Met suiker. Geen melk.'

'Kom hier, m'n jongen.'

J.K. Jarves noemde hem zijn jongen!

Harrison kwam bij hem bij het koffiekarretje.

'Proef eens.' Jarves bood hem een klein chocoladecakeje aan. 'Dat smaakt geweldig.'

Harrison was niet in de stemming voor koffie met cake. Er lag nog een onafgemaakte zaak tussen hen. 'Meneer Jarves...'

Jarves belde voor Charles. De huisknecht verscheen meteen. Jarves fluisterde hem iets in het oor. Charles knikte en verliet de kamer.

'Meneer Jarves...' probeerde Harrison opnieuw.

'Laat ik je eens over die nacht vertellen,' zei Jarves opgewekt. Hij pakte een van de cakejes op en propte het in zijn mond.

Wat zou Victoria zeggen als ze haar vader zo zag eten?

'Ik heb er in jaren niet aan gedacht. Het is logisch om te zeggen dat jouw levensloop erdoor veranderd is, maar je weet waarschijnlijk niet dat mijn leven er ook door is veranderd.' Jarves likte suiker van zijn vingers, pakte een ander cakeje en liet het op de rand van zijn schoteltje balanceren. 'Laten we hier gaan zitten.'

Hij leidde Harrison naar een paar gestoffeerde stoelen, die intiem bij elkaar stonden met een klein tafeltje met een lamp ertussen. Jarves ging in de ene stoel zitten en zette zijn kopje en schoteltje op het tafeltje. Hij viel aan op zijn tweede cakeje terwijl Harrison bij hem kwam.

Harrison slaagde erin wat van zijn koffie op het schoteltje te morsen toen hij ging zitten. Hij week bij die fout instinctief terug, want hij verwachtte een zweepslag op zijn arm.

Jarves werkte met smaak zijn tweede cakeje weg en klopte de kruimels van zijn handen. 'Ik herinner me die nacht van de brand nog goed, maar om andere redenen. Het was mijn gebouw dat afbrandde.'

'Uw gebouw?'

'Het was mijn eerste investering in onroerend goed. En bijna mijn ondergang. Die brand ruïneerde mij bijna.'

Er was een zachte klop op de deur.

'Binnen,' zei Jarves.

Charles kwam binnen. Hij gaf Jarves een zakhorloge.

Harrison herkende het. Het was het horloge dat onder de glazen bol bewaard werd, waarvan hij beschuldigd was dat hij het gestolen had.

Harrison en Charles keken elkaar aan.

'Het lijkt erop dat het lot bepaald heeft dat wij elkaar meerdere keren in ons leven tegenkomen,' zei Jarves. Hij stak het horloge op, zodat Harrison het kon zien. 'Dit droeg ik die nacht. Ik dacht dat mijn laatste uur geslagen had om zestien minuten over één die nacht. Ik vocht tegen de brand. Mijn jas vatte vlam en ik viel. Ik werd bijna bedwelmd door de rook. Ik heb dit horloge bewaard om mezelf eraan te herinneren dat de dood ook een roofdier is. Hij had me die nacht bijna te pakken. Ons beiden bijna. Ironisch dat we nu op deze manier weer samenkomen, vind je niet?'

Jarves legde het horloge op het tafeltje tussen hen in. 'Uiteindelijk bleek dat het mijn beste vriend was die die brand aangestoken had.'

'Uw beste vriend? Waarom zou hij dat doen?'

'Jaloezie. Er is niets moeilijker voor een man dan te moeten toezien hoe het zijn beste vriend voor de wind gaat. We hadden samen de rechtenstudie gedaan. We hadden dezelfde achtergrond. Moeilijke jeugd. Arme familie. Geen connecties. We hebben heel wat nachten doorgebracht tot over onze oren verdiept in de studieboeken.'

Zijn gedachten dreven terug. 'Ik had net mijn eerste belangrijke rechtszaak gewonnen en het geld gebruikt om dat onroerend goed te kopen. Ik had me daarvoor tot op het hemd uitgekleed. Veel geleend. We deelden in die tijd een kamer en liepen elke dag langs het gebouw op weg naar het gerechtsgebouw. Het gebouw greep hem aan. Hij moest het elke dag passeren en het herinnerde hem eraan dat ik op weg was naar boven. Hij deed nog steeds onbelangrijk werk als klerk. Hij had eigenlijk het verstand niet voor rechten. Ik had het erover dat ik op mezelf wilde gaan wonen. Dus gooide hij een fakkel in het gebouw om mij bij zich te houden.'

Harrison keek weg om zijn emotie te verbergen. Rivaliteit en jaloezie. Zijn moeder was omgekomen door de rivaliteit en jaloezie tussen twee mannen.

'Hoe bent u daarachter gekomen?' mompelde Harrison.

'Hij heeft het me verteld. Het schuldgevoel werd hem te sterk.'

Harrison keek Jarves in de ogen.

'Hebt u het hem vergeven?'

Er gleed een schaduw van teleurstelling over Jarves' gezicht, een glimp van verdriet.

'Ik liet hem arresteren.' Jarves stond abrupt op en vulde zijn koffiekopje weer. Zelfs in de simpele daad van de kamer doorlopen straalde de man nog zelfvertrouwen, macht en onweerstaanbare kracht uit. 'Zeg eens, Harrison. Wat zijn de roofzuchtige trekken van de blauwe reiger?'

'Meneer Jarves, ik moet...'

'De roofzuchtige trekken van de blauwe reiger, meneer Shaw.'

Harrison zuchtte. Zijn hart was er niet bij. Hij antwoordde toch. 'De blauwe reiger staat bewegingloos en slaat dan snel toe als zijn prooi binnen zijn bereik komt.'

Jarves draaide zich om en keek hem aan. 'Schitterende schepselen. Hun stiletto-achtige snavel springt met een verbazingwekkende snelheid naar voren. Hun prooi ziet ze nooit aankomen. Ik heb de reiger bestudeerd bij de Black Swamp Creek, waar die in de Chesapeakerivier stroomt. Indrukwekkend. Elke vogel heeft zijn eigen territorium. Net als elk van ons die deze ring dragen zijn eigen territorium heeft.'

Hij grinnikte. 'Eens zag ik hoe een reiger een vis spietste. Een andere reiger probeerde hem weg te kapen. Beide vogels vielen in het water. Je hebt nog nooit zo'n herrie gehoord.' Jarves slenterde terug naar zijn stoel en ging zitten. 'Die reiger leerde me wat ik met James moest doen – mijn Judasvriend, en met alle anderen die ik zou tegenkomen, met inbegrip van hen die deze ring dragen. Ik wachtte tot hij uit de gevangenis kwam. Ik palmde hem in. Sloot vriendschap met hem. Ik wachtte, wachtte, wachtte, net als de reiger, tot het juiste moment.' Jarves dronk zijn koffie. 'James zag het niet aankomen.'

'Hebt u hem gedood?'

Een droge glimlach. 'Ik heb hem geruïneerd. Ik heb elke kans vernietigd die hij had op een betekenisvol leven. Ik heb hem veroordeeld tot een levende hel zodat hij elke dag zou wensen dat hij dood was.'

Nog een slok van zijn koffie.

'Het was de brand in dat gebouw die mij aanzette tot een levenslange studie van de roofdieren in de natuur. Ik had al eerder langs deze lijnen gedacht, maar het was James die betekenis gaf aan mijn gedachten.'

Harrison kon niet meer verdragen. Dit moest stoppen en wel meteen.

'Ik kan deze ring niet aannemen,' zei hij. Hij legde de ring op het tafeltje.

Jarves staarde naar de ring en toen naar Harrison.

'Als dit een daad van nederigheid is, Shaw, dan ben ik niet onder de indruk. Pak die ring op.'

Harrison slikte moeilijk en stond op. 'Ik heb er veel over nagedacht, maar ik ben tot de conclusie gekomen dat ik mij moet terugtrekken als uw stagiair.'

Daar. Hij had het gezegd.

Stalen ogen staarden hem aan, ogen net zo hard en zonder schittering als die van de koperen leeuw op de voordeur. Alleen zat er een geest achter deze ogen. Een dreigende geest.

'Begrijpt u mij niet verkeerd,' zei Harrison. 'Ik ben u dankbaar voor alles wat u voor mij gedaan hebt.'

Jarves bewoog zich niet. Hij knipperde niet met zijn ogen. Zijn borst ging op en neer, met een steeds grotere golfbeweging alsof er een dodelijke storm in hem woedde.

'Het is gewoon dat...' Harrison schraapte zijn keel. 'Het is duidelijk dat we... wel, ik denk dat ik het beste kan zeggen dat we verschillende levensopvattingen hebben.'

Nog steeds geen beweging. Nog steeds de starende blik.

'Ik... ik wil u niet teleurstellen, meneer. Daarom denk ik dat ik me beter nu kan terugtrekken, voor we nog verder gaan.'

Zo plotseling dat het angstwekkend was, was de storm voorbij. Jarves leek kalm. Hij dronk zijn koffie. 'Ik vind uw humor niet leuk, meneer Shaw.' Jarves zette gewoon zijn kopje neer en pakte de ring op. Hij onderzocht de barnsteen.

'Meneer Jarves, ik heb dit besluit niet gemakkelijk genomen. Echter, na voldoende overweging...'

Jarves gooide de ring naar hem toe met een plotselinge woestheid. De ring legde hem het zwijgen op en raakte zijn wang. Hij sloeg net onder zijn rechteroog tegen zijn wang en vloog half door de kamer.

Jarves stond overeind. 'Wie denk je wel niet dat je bent?' donderde hij. Zijn ogen leefden, wild van woede. Zijn kaak en nekspieren waren strak gespannen en vuurrood. 'Je bent niets! Niemand! Je bent een stuk vuil! Wie denk je dat je bent dat je mijn huis binnen kunt komen om me dit te vertellen? Andere mannen plegen een moord voor deze betrekking. Jij hebt niet te kiezen! *Ik* kies!'

Harrison voelde aan zijn wang waar de ring hem geraakt had. Het deed zeer en was vochtig. Er was bloed.

De deur ging open. Charles stak zijn hoofd naar binnen, zag wat er gebeurde en verdween weer.

Jarves liep op Harrison toe en drukte hem neer in de stoel. Jarves boog zich over hem heen.

'Ik hoor niet in uw wereld,' riep Harrison. 'Dat weten we allebei. Ik weet dat u uw redenen had om mij uit te kiezen, maar het is toch duidelijk dat ik gelijk heb?'

'Ik trek je uit de modder en dit is hoe je me betaalt?'

Harrison wipte met zijn heupen over de zijkant van de stoel. Een lastige manoeuvre, maar hij kon nu overeind komen. 'Meneer Jarves, ik waardeer alles wat u gedaan hebt...'

'Je waardeert niets! Je bent een indringer. Een bedrieger. Een hansworst. Ik heb je dingen in vertrouwen verteld. Namen. Ik vertrouwde je.'

'En ik zal uw vertrouwen niet beschamen, meneer Jarves. Daar kunt u op rekenen.'

'Daar heb je gelijk in. Je zult je mond houden.' Jarves liep naar het bureau om bij zijn soortgenoten te zijn. 'Omdat je weet wat er met je zal gebeuren als je ook maar één woord uit van wat je in dit huis gehoord hebt.'

Jarves pakte de glazen bol met de klauwier op, de vogel die zijn slachtoffers op doornen spietste en dan een overwinningslied zong.

'Meneer Jarves...'

'Eruit.'

'Als ik nog één ding mag zeggen...'

'Ik ben tegen mijn instinct in gegaan door jou uit te kiezen. Ik wist dat je vuilnis was. Toch heb ik je uitgekozen. Ik heb maar van een paar dingen in mijn leven spijt, meneer Shaw. De meeste spijt heb ik omdat ik je die nacht niet met je moeder heb laten verbranden.'

Een huivering van afschuw verkilde Harrison tot op het bot.

'Eruit.'

Harrison wilde niet dat het zo zou eindigen. Hij wist dat er niets meer was wat hij kon zeggen. Maar hij vond dat hij het toch moest proberen. 'Meneer Jarves...'

'Eruit!'

'Misschien zult u ooit...'

'Eruit! ERUIT! MIJN HUIS UIT!'

De klauwier kwam naar hem toe vliegen. Jarves gooide en de vogel scheidde zich van de bol. Hij was vrij en vloog naar Harrison. Zijn moorddadige ogen puilden uit.

Harrison dook.

De bol spatte uiteen tegen de deur. De vogel kwam erachteraan en viel op de vloer met zijn gezicht naar boven. Harrison moest over de klauwier heen stappen om de kamer uit te gaan. Harrison wist dat hij dood en opgezet was, maar hij was er zeker van dat de vogel naar hem hapte toen hij de kamer uit vluchtte.

17

Twee dagen nadat Harrison de stage had opgegeven, sloeg J.K. Jarves toe. De politie deed een inval in Newboys' Lodge en sloot het.

De inval haalde alle kranten. De lijst van overtredingen was lang. Gestolen goederen. Wapens. Explosieven. Onzedelijke tekeningen, waarvan de beschrijving het publiek schokte. George Bowen werd gearresteerd. Het gebouw ging stevig op slot. De bewoners werden de straat op gejaagd.

De aanval op het tehuis was even overweldigend als plotseling. Bowen verklaarde dat hij onschuldig was. De bewoners waren verontwaardigd. Ze hadden geen van de dingen die in beslag waren genomen gezien. Wel, misschien een paar messen. Er luisterde niemand naar hen. Het maakte niemand wat uit. Hooguit bevestigde het de publieke opinie over zulke plaatsen – niets dan dieven en vandalen, zwervers en ongewensten.

Het vreemde bij de inval was dat alleen George Bowen gearresteerd was. Voor Harrison was dat niet zo vreemd. Jarves had Bowen tot doelwit gekozen omdat hij wist dat de ondergang van Bowen Harrison meer zou raken dan elke persoonlijke aanval. Hij had gelijk.

'Herinner je je dat ik je vertelde dat mijn investering in jou zich ooit zou uitbetalen?' zei Bowen, die een luchtige stemming probeerde vol te houden toen Harrison hem in de gevangenis opzocht.

'Ik zal m'n best doen om u niet teleur te stellen.'

Bij zijn eerste rechtszaak kon Harrison Shaw persoonlijk niet meer betrokken zijn. Hij was eerder in de rechtszaal geweest, om aanvragen in te dienen en advocaten te assisteren. Maar niet eerder had hij als advocaat de leiding gehad. Er stond zoveel op het spel. Als hij de zaak verloor, zou George Bowen de gevangenis in gaan. Hij moest winnen. Zo simpel was het.

Bowen was optimistisch toen het proces begon. Zijn geloof in Harrison was duidelijk. Bowen deed wat hij altijd had gedaan – aanmoedigen, steunen en in zijn jonge pupil geloven. Harrison van zijn kant voelde die steun. Hij kwam vol vertrouwen de rechtszaal binnen.

Zijn vertrouwen stierf een snelle dood toen het proces nog maar dertig seconden oud was.

De rechter riep beide juristen bij zich. Hij wilde een paar basisregels vastleggen, of dat zei hij tenminste. Zijn werkelijke bedoeling was om zijn ring te laten zien. Een gouden ring met een barnsteen. Net zo een als Jarves aan Harrison had aangeboden. De aanklager droeg eenzelfde ring waar hij met zijn duim mee speelde, elke keer als hij bij Harrison in de buurt was.

Het proces was een schijnvertoning. Het hele stuk was uitgeschreven door J.K. Jarves en het werd zonder enige improvisatie opgevoerd door de rechter en de aanklager. Harrison had geen kans. Elke beslissing was in zijn nadeel, terwijl de aanklager bewijsstukken, ooggetuigenverklaringen en verklaringen van deskundigen op elkaar stapelde.

George Bowen werd neergezet als een smerig crimineel kopstuk dat het tehuis gebruikte om zijn schandelijke bezigheden te camoufleren. De aanklager beschuldigde hem ervan dat hij onschuldige jongens gebruikte om een netwerk van gokken, prostitutie en illegale wapenhandel te onderhouden.

Harrison was gefrusteerd en voelde het onvermijdelijke aankomen, maar hij vocht een heldhaftige strijd. Maar hij had geen wapens. Hij was een infanterist tegen een leger met cavalerie en kanonnen. Maar de zwaarste klap kwam niet van de tegenstanders. Hij kwam van George Bowen.

'Je moest Jarves de stage nu eenmaal in het gezicht gooien, nietwaar?'

Bowen had zich neergelegd bij zijn lot. Terwijl het proces voortging en George Bowens levenswerk en goede naam systematisch te gronde gericht werden, was hij gemelijk geworden. Er waren geen bemoedigende woorden meer op zijn lippen, geen opbeurende gesprekken meer, geen hoop meer op een schitterende toekomst. Hij was ontmoedigd. Gebroken.

Na het vonnis werd Bowen de rechtszaal uit geleid. Zijn laatste woorden tegen Harrison waren: 'Hoe koud denk je dat het vandaag op straat zal zijn?'

Bowen dacht aan Isaäc Hirsch en Jimmy Wessler en al de anderen die geen plek meer hadden om te wonen.

In de dagen na het proces probeerde Harrison George Bowen te bezoeken. De plek waar hij gevangenzat werd The Tombs genoemd, een naargeestig gebouw in een soort Egyptische bouwstijl. Er waren vier verdiepingen met een binnenplaats in het midden. Er was een brug over de binnenplaats heen om gemakkelijk van de ene kant naar de andere kant te komen.

De cellen waren klein en laag met een open spleet om licht binnen te laten. De celdeuren waren van dik ijzer, net de deuren van een oven. De gevangenen die Harrison zag, hadden een vaalgele huid en ze waren smerig. De geuren herinnerden hem aan Five Points.

Een bewaker escorteerde Harrison naar George Bowens cel. De deur ging open.

George zat weggekropen in de hoek. De bewaker schreeuwde naar hem dat hij een gast had. Harrison sprak tegen hem. George Bowen draaide Harrison zijn rug toe. Hij wilde hem niet spreken.

Harrison zag George Bowen nooit weer. Jaren later hoorde hij dat George was vrijgelaten en naar Philadelphia was gegaan waar hij voor zijn broer werkte, een slager.

18

Het was de lente van 1858. Noch Harrison, noch de stad was volledig ontdooid na de winter. Dat zou ook niet gebeuren hier op de kades. De schaduwen van de gebouwen en de zoute wind die van de East River aan land kwam, werkten samen om van het wachten een koude ervaring te maken, ondanks de heldere luchten boven zijn hoofd.

Harrison klemde zijn jas dicht. Hij stond zo op de kade, dat hij de mensen als windscherm kon gebruiken. Hij koos gesprekspartners met een gunstige positie ten opzichte van de wind in plaats van mensen die hij kende.

Het leek wel of de halve stad hier was. Net als hij kwamen ze allemaal om te horen of de berichten klopten.

Maar meer dan een persoonlijke belangstelling had Harrison naar de kades gebracht. Hij was aan het werk. Na het proces van George Bowen had Harrison gesolliciteerd bij elk rechtskantoor in de stad. Niemand wilde hem in dienst nemen. Ze zeiden het hem niet recht in zijn gezicht, maar hij vermoedde dat ze bang waren voor Jarves. Hij hoorde ze fluisteren achter zijn rug. Zijn juridische carrière was voorbij.

Hij voelde de doorn van Jarves' vendetta ook in zijn persoonlijke leven. Het tehuis was weg. Zijn vrienden verstrooid. Hij kwam Isaäc zo nu en dan tegen in Five Points, maar hun gesprekken waren gedwongen. Harrison kampte met depressieve buien.

Een van de vreemdste veranderingen voor Harrison, zonder enig verband met zijn andere problemen, was de verdwijning van Katie en Mouser. Het was alsof de modderige straten van Five Points hen hadden opgeslokt. Hij was naar het woongebouw teruggegaan om hen te zoeken. De vrouw met de drie kleine kinderen was er nog en ze keek net zoals de vorige keer dat hij er geweest was. Wekenlang wachtte hij Katie bijna elke avond op op de route waar ze na haar werk langs moest komen. Ze kwam nooit opdagen.

Het enige deel van zijn leven dat onveranderd bleef was de oude North Dutch Church in Fulton Street. Dat bleek zijn redding te zijn. Jeremiah Lanphier, sprak met de kerkenraad en kreeg toestemming voor Harrison om tijdelijk in de kelder van de kerk te wonen. In ruil daarvoor zou Harrison een paar van de meer opmerkelijke verhalen over de opwekking documenteren. De opwekking liet nog geen tekenen van achteruitgang zien. Er kwamen nog steeds meer mensen naar de gebedssamenkomsten. In de hele stad werden kerken, theaters en vergaderzalen opengesteld om te bidden. Uit steden in het hele land werden vergelijkbare bezoekersaantallen bij gebedssamenkomsten gerapporteerd.

Het was het verslag over een buitengewoon spiritueel fenomeen dat Harrison naar de kades gebracht had. Verslaggevers, dominees, nieuwsgierige omstanders, allemaal wachtten ze samengedrongen tegen de kou gespannen op de terugkeer van de *Levant*, een vierkant getuigd zeilschip.

Ze zagen het in de verte. Het was net de haven binnengevaren. En hoe dichter het naderde, hoe luider het verwachtingsvolle geroezemoes werd.

Volgens het verslag was er iets fenomenaals gebeurd aan boord. Toen het schip nog ver van het land verwijderd was, had de kapitein laten weten dat het schip in nood was. Twee woorden waren er gevolgd: 'Stuur dominee.'

Een uur eerder had er een klein fregat aangelegd. Die was bij het binnenvaren de *Levant* gepasseerd. Het verhaal dat door die bemanning verteld werd, was als het waar was verbazingwekkend. Het verspreidde zich door de straten als een brandalarm.

Harrison keek toe hoe het naderende schip aanlegde. Hij

was geen zeeman. De enige tijd die hij op het water had doorgebracht was aan boord van de veerboot tussen Manhattan en Brooklyn. Maar hij had genoeg schepen zien aanleggen om te weten dat er iets mis was. Er was maar een handvol mannen aan de touwen. Een bemanning van niks. Waar was de rest?

De zeelieden die de touwen bemanden hadden vreemde gezichtsuitdrukkingen. Ze keken somber. Sommigen huilden.

De kapitein verscheen aan dek.

'Een dominee!' riep hij naar de kades. 'Is daar een dominee?'

Er waren er veel. Vier werden er toegelaten aan boord.

Er gingen dertig minuten voorbij. Veertig. Een uur.

Er zette zich een angstig voorgevoel vast in de menigte.

Toen kwamen de eerste zeelieden aan wal. Onder hen was de kapitein. Ze lachten. Sommigen huilden, met hun armen om elkaar heen geslagen.

De menigte op de kades rende op hen toe en iedereen praatte tegelijk. Harrison schoof met de rest mee tot hij op gehoorsafstand van de kapitein was.

Het gezicht van de man was door de zilte zee verweerd en hij was achter in de dertig. Mager. Zijn huid was gebruind en leerachtig door een leven lang op zee. Hij probeerde te praten. Zijn stem begaf het. Hij schraapte zijn keel en probeerde het opnieuw. 'Ik heb nooit zoiets gezien in heel mijn leven. Ik heb ooit gezien hoe een walvis een boot opslokte bij de Antillen. Ik heb het sint-elmusvuur gezien dat een mast zo helder verlichtte dat de nacht veranderde in dag. Maar ik heb nooit zoiets gezien als dit.'

Er werden hem tientallen vragen tegelijk gesteld.

Hij wuifde ze allemaal weg. 'Als jullie luisteren, zal ik het vertellen! En denk erom, ik ben geen dominee. Ik kan niet zeggen dat ik begrijp wat ik gezien heb, of er betekenis aan geven. Ik weet alleen maar wat er gebeurd is.'

Zijn onderlip trilde van emotie. Het was ontzettend om deze stoere zeebonk tranen te zien wegslikken.

Eindelijk zei hij: 'Jensen was de eerste. We waren ongeveer anderhalve kilometer van de kust, op weg naar een haven. Jensen werkte aan een stuurboordlijn, toen hij plotseling losliet en naar zijn borst greep alsof hij een soort hartaanval had.'

De kapitein keek over zijn schouder naar het schip. 'Jensen moet jullie dit zelf vertellen. Het is zijn verhaal.'

Een geroep in de menigte overtuigde de kapitein ervan dat hij verder moest gaan.

'Goed, goed! Rustig maar!' riep hij. 'Zoals ik zei, greep hij naar zijn borst. Een enorm gewicht drukte hem neer. Het deed hem knielen. En voor we het wisten, riep hij allerlei verschrikkelijke dingen, dat hij zo'n grote zondaar was en dat hij verdoemd was en dat er geen hoop voor hem was.

Nou, dat hij een zondaar was, was voor ons geen verrassing.' Hij grinnikte. 'We kennen hem al drie jaar. Ja, meneer, hij is een lage en smerige schurk. Drinken, bedriegen, gokken, vloeken, zuipen. Wij deden dat ook allemaal, maar Jensen deed het beter dan de rest van ons. Dus daar lag hij plat op het dek te jammeren.'

De kapitein snikte en veegde met zijn mouw een traan van zijn wang. 'Voor we het wisten, voelden we het allemaal.'

'Wat voelden jullie?'

'Nou, de vrees voor de almachtige God! Als je het gevoeld had, dan zou je het weten. Wij wisten het allemaal. De Geest van God werd over ons uitgestort. Niemand onder ons ontsnapte eraan. Het raakte het hele schip. En ik wil je wel zeggen, dat het iets machtig sterks was. Machtiger dan alles wat ieder van ons ooit eerder gezien of gevoeld had, en dat wil wat zeggen! Het gooide ons allemaal op onze knieën. En we konden alleen nog maar denken wat een verrot stel wij waren en dat niemand van ons nog iets goeds in zich had. Nog geen greintje.'

Er kwam een steenkoude, ernstige uitdrukking op het gezicht van de kapitein. 'Ik zeg je, het is iets afschuwelijks als je jezelf ziet zoals God je ziet. Er is geen erger, slechter gevoel in de wereld. Dan vraag je je af waarom Hij niet gewoon...' De ogen van de man werden glazig. Zijn kin trilde.

'Misschien was er iets mis met het eten of het water,' opperde een verslaggever.

De kapitein beet hem toe: 'Doe niet zo stom, man!' Hij ontstak in woede. 'Ik zeg je toch wat we gezien en gevoeld hebben. Wij allemaal! Ik vaar al sinds m'n elfde. Denk je niet dat ik het zou weten als het buikpijn was?'

'Waarom liet u een dominee komen?'

'Waarom?' bulderde de kapitein. 'Als een man ziek is, dan laat je een dokter komen! Als een man in zijn ziel geraakt is en dicht bij de dood is, dan laat je een dominee komen.'

'Had u geen Bijbel aan boord?'

'Op een schip? Waarom?'

'Was er niemand onder uw bemanning die al regelmatig naar de kerk ging?'

De kapitein reageerde hierop alsof hij iets wilde zeggen, maar dan van gedachten veranderde. 'Tot nu toe zou ik een man waarvan ik wist dat hij een Bijbel bij zich had, nooit aannemen op een van mijn schepen. Ze kunnen verdraaid lastig zijn tussen een troep vloekende, drinkende, ontuchtige zeelieden. Maar kijk nu. Ik heb een heel schip vol mannen die bidden en zingen en God prijzen!'

Na een tijdje ging de kapitein terug aan boord om naar zijn mannen te kijken. Met een aantekeningenblok in de hand liep Harrison rond over de kade om te luisteren hoe de ene na de andere zeeman ongeveer hetzelfde verhaal vertelde. Ze waren ongeveer anderhalve kilometer van de kust toen plotseling en onverwacht de Geest van God uitgestort was over het schip.

Wat Harrison het meest opwond in dit incident – en in de opwekking in het algemeen – was de zuiverheid ervan. De

Geest van God waaide als de wind door de stad, door het land en nu over de zee, zonder menselijk instrument van wat voor soort dan ook. Geen prediking. Geen organisatie. Alleen tijd voor gebed.

Harrison nodigde drie van de zeelieden uit voor de gebedssamenkomst in Fulton Street om hun verhaal te vertellen. Terwijl hij hun de weg wees, ontdekte hij Mouser.

De jongen stond nog geen vijftien meter bij hem vandaan bij een zeeman en wat de vrouw en het kind van de zeeman leken. Mousers krantenjongenspet was zoals altijd zo diep over zijn hoofd getrokken, dat zijn ogen bijna onzichtbaar waren. De zeeman wees naar het schip. Mousers aandacht was op het schip gericht.

Harrison liep naar de jongen toe. Hij hoopte dat hij bij hem kon komen voor Mouser hem aan zag komen.

Toen Harrison op vier meter afstand was, zag Mouser hem en rende weg.

'Mouser! Wacht! Ik wil gewoon praten!'

De jongen keek niet om. Hij rende door.

Mouser had een goede start. Binnen een paar passen was hij uit de menigte. Zijn benen bewogen snel. Harrison moest meerdere groepen mensen ontwijken, voor hij uit de menigte was.

Op de hoek van Beekman Street keek Mouser over zijn schouder. Hij was op weg naar Five Points. Als de jongen Chatham Street zou oversteken voor Harrison hem had ingehaald, dan was het te laat.

Harrison haalde de hoek van Beekman Street net op tijd om Mouser te zien verdwijnen in Water Street. Harrison was niets ingelopen. Eerder had Mouser de afstand tussen hen vergroot. Bij Water Street nam Harrison de bocht wijd. Hij ging langzamer lopen. Toen stopte hij, bleef midden op straat staan, en boog zich voorover met zijn handen op zijn knieën. Zijn longen vochten om lucht.

Mouser was nergens te zien. Met de vastberadenheid van een hond zette Harrison zich weer in beweging. Naar Five Points? Misschien had hij geluk.

Hij kon het gewoon niet begrijpen. Waarom ging Mouser voor hem op de loop? De jongen had hem ontweken sinds de column van Conant was verschenen. Dacht Mouser echt dat hij daar nog boos over was? De jongen was slim. Kon hij niet bedenken dat Harrison kwaad was op Conant en niet op hem?

Harrison bleef staan. Hij had geen andere keus, of hij zou omvallen.

Misschien gaat hij niet terug naar Five Points, dacht hij. *Misschien gaat hij...*

Het was een rare gedachte, maar een die het waard was om te volgen.

Bij de volgende hoek ging Harrison de richting in van het appartement van Horace Conant.

De hardhouten vloer was korrelig onder zijn schoenen. Harrison schoof zijn voeten heen en weer om wat van de viezigheid eraf te krijgen voor hij de bekende gang door liep. Het kostte wat tijd voor zijn ogen aan het donker gewend waren. De muren hadden vochtplekken en hij moest zich een weg banen door de rommel, maar het was een paleis vergeleken bij de woongebouwen in Five Points.

Was Mouser hierheen gekomen? Hij wist het niet.

Hij kwam langs een deur die hem scheidde van een echtelijke ruzie. Een luide. Het klonk alsof het paar maar een halve meter van hem af stond. Een dun houten deurpaneel scheidde hem van hen.

'Ik ben je vrouw, niet je maîtresse!'

'Je bent wat ik zeg dat je bent!'

'Hoe kun je van mij verwachten dat ik van je houd als je stinkt als een riool? Kijk dan hoe vies je bent!'

'Ja? Kijk naar jezelf! Waar zou ik me voor moeten wassen?'

Er was een harde bons tegen de deur.

'Blijf van me af!'

'Ik geef je een duw wanneer ik dat wil!'

Harrison haastte zich de gang door. Hij wilde daar niet staan als de deur openging. Er waren andere geluiden toen hij verder liep naar het appartement van Horace Conant – een huilende baby, het gerinkel van ijzeren potten, een vrouw die hardop klaagde dat haar werkgever geen rekening met haar hield, dat hij alleen maar lette op zijn quota.

Bij Conants deur hief Harrison zijn hand op om te kloppen. Hij stopte.

Wat als Mouser daarbinnen was? Als hij wist dat het Harrison was, zou hij dan wegrennen? Het raam uit klimmen?

Harrison legde zijn hand op de deurklink. Hij aarzelde. Een leven lang beleefdheid en verlegenheid stond tussen hem en zo'n brutale daad. Wat als Conant niet gekleed was? Of bezig?

Kloppen of binnenvallen?

Harrison nam een besluit. Hij had zijn hele leven geklopt. Dit keer zou hij zomaar binnenvallen.

Harrison haalde diep adem en liep het appartement van Horace Conant binnen.

Hij bleef meteen staan.

'Wat doet u hier?' riep hij.

Achter Conants bureau, geschrokken door de indringer, zat Victoria Jarves.

'Kun je niet kloppen?' riep ze.

Harrisons reactie was niet als geschokt te beschrijven. Verbijsterd kwam dichter in de buurt.

Het was een allervreemdst gezicht. Het hoofd van Victoria

Jarves op het lichaam van Mouser. Het was haar hoofd, ja. Daar was geen twijfel aan, al zat haar haar in de war. En het was het lichaam van Mouser. Daar was ook geen twijfel aan. Zijn lichaam. Zijn kleren.

Gejaagd greep ze de krantenjongenspet van het bureau en zette die snel op haar hoofd. Ze begon de zwarte krullen eronder te schuiven. Dat zag er dom uit. Na een tijdje realiseerde ze zich dat en ze stopte met het vechten tegen de krullen. Ze gooide de pet op tafel.

'Waar kijk je zo naar?' riep ze.

In de hoek van de kamer lag Horace Conant in zijn gebruikelijke positie. Met zijn gezicht naar beneden op een matras. Snurkend.

'Wat doe je hier?' schreeuwde Victoria.

Instinctief stak Harrison zijn hand in zijn zak en haalde zijn visitekaartje tevoorschijn.

'Je denkt zeker dat dat grappig is.'

Dat was het. Harrison dacht helemaal niet. Zijn hersens hadden het opgegeven. Hij had nooit verwacht Victoria Jarves weer te zien en zeker niet hier. Toch was ze er. Hij had achter Mouser aan gezeten en hij had hem ingehaald. Dacht hij. Of toch niet?

'Wel? Ga je nog wat zeggen?'

Ze was boos. Waarom was ze boos? En wat had ze met Mouser gedaan? Harrison probeerde iets te zeggen. Zijn mond ging open, maar er was geen zinnige gedachte die hij kon uitspreken.

'Mouser...' was alles wat hij uit kon brengen.

'Je wilt Mouser?' Victoria greep de krantenjongenspet weer en dit keer schoof ze haar haar er handig onder. Met de pet bijna over haar ogen getrokken kwam ze achter het bureau vandaan.

'Hier ben ik, meneer Harrison,' zei Mouser.

De gedaanteverwisseling was plotseling. Compleet. Echt.

'Wilt u dat ik u meeneem naar Worth Street? Misschien naar Crown's Grocery om wat te drinken? O, dat vergat ik. U wilt niet dat ik naar Crown's Grocery ga, hè? Niet met die prostituees en gokkers en dronkenmannen. Geen goede invloed op een beïnvloedbare jongen als ik.'

Plotseling was de pet weer af. Mouser was weg.

'Of heb je liever John Blayne?' Ze nam een uitdagende pose aan. 'Hé, Harrison. Wat zeg je ervan als we samen eens naar Lady Belmont zouden gaan en plezier met haar hebben?'

Het was Blaynes stem.

Victoria's hoofd.

Mousers kleren.

Harrisons hart kneep zich samen.

Zijn stem haperde tot hij er eindelijk in slaagde om een paar begrijpelijke woorden uit te brengen. 'Jij bent Mouser...'

Victoria lachte. Het was haar lach, ja. Aantrekkelijk, maar spottend. 'Heel goed. Een beetje traag, maar je bent er toch uitgekomen.'

'Weet... weet Katie dat?'

'Katie?'

'Van Mouser. Weet zij dat jij... maar, dat moet wel, toch, dat ze weet dat Mouser een meisje is, ik bedoel jij, maar hoe...'

Victoria boog zich voorover en rommelde in een tas.

Een misselijkmakend gevoel overspoelde Harrison.

Voor hij het wist, stond Katie achter het bureau van Horace Conant. In haar gehandschoende hand had ze een roze waaier – *de* roze waaier. Hij zwaaide rustig heen en weer.

'Ik boen,' zei Katie.

19

Aan de New Yorkse haven was een geïmproviseerde gebedssamenkomst ontstaan. Sommige van de zeelieden van de *Levant* en hun gezinnen hadden zich in een cirkel verzameld om te praten en te bidden. In Five Points werd Isaäc Hirsch in zijn ribben getrapt omdat hij zich in Bottle Alley probeerde te vestigen in de hoek van iemand anders. Op het kantoor van de *Herald* waren de redacteuren en het productiepersoneel bezig de editie van de volgende dag af te maken. En in het appartement van Horace Conant voelde Harrison Shaw zich beroerd.

De schok was aan het wegtrekken.

'Doe je mond dicht voor er een vlieg in vliegt,' zei Katie.

Ze had nooit eerder zo tegen hem gepraat. Ze had nooit eerder zo naar hem gekeken. Het was niet Katies manier van kijken, schichtig als een reekalf; het was de blik van Victoria Jarves: doe wat ik zeg, net zolang tot je het goed doet.

Katie nam haar sjaal van haar hoofd en ze was weer Victoria.

Harrison werd overspoeld door emoties. Donker. Zwaar. Als een anker dat hem naar beneden dreigde te trekken.

'Nou, zeg iets!' schreeuwde Victoria.

Maar dat kon hij niet. Hij probeerde het. Het lukte niet.

Zijn geest was afgedaald naar een lager bestaansniveau. Er waren geen woorden meer, alleen warrelende verwarring, die net zomin tot rust gebracht kon worden als de golfbeweging van de oceaan.

Hij draaide zich om en liep de kamer uit.

Harrison Shaw liep door de straten, maar hij wist niet door welke. Zijn ogen letten niet op de dingen waar een voetganger meestal op let. Zijn gedachten waren naar binnen gekeerd, terwijl hij doelloos ronddwaalde.

Hij telde zijn verliezen, te beginnen met George Bowen, die zowel een vader en een moeder als een vriend voor hem geweest was. Harrison kon zich de tijd niet herinneren dat meneer Bowen geen deel van zijn leven had uitgemaakt. Nu praatte de man niet meer met hem, hij wilde hem niet meer zien.

Dan was er het tehuis. Meer dan gewoon een plek om te wonen. Een thuis. George Bowens levenswerk. De plaats waar Isaäc en Jimmy de straten ontvluchtten, samen met ontelbaar veel anderen die daar een tijd hadden vertoefd. Zijn vrienden voor het leven waren verstrooid. Ze waren dakloos. Hij was een van de gelukkigen. Hij had tenminste nog een dak boven zijn hoofd; hij had een heel gebouw boven zijn hoofd. Maar hoe dankbaar hij er ook voor was, de kelder van de kerk was vochtig. Hij sliep tussen de rommel, niet tussen vrienden. *Tenzij je de ratten meetelde.*

Hij had zijn carrière als advocaat op moeten geven. Jaren van studie voor niets. Een begeerde stage weggegooid. Hij had grote dromen gehad over het helpen van anderen. Nu was hij degene die hulp nodig had.

Hij had Mouser verloren. En Katie.

Hij deed zijn ogen dicht en kreunde.

O, Katie. Al had hij haar niet echt gekend, hij was verliefd geworden op de droom dat hij haar liefhad. En nu te bedenken dat ze weg was. Dat hij haar nooit meer zou zien.

Hoe kon een hart zo zeer doen om iemand die nooit bestaan had?

Maar de pijn was echt. Het knagende gevoel van verlies was echt. Het was alsof ze gestorven was. Maar ze was toch niet werkelijk dood? Ze leefde in Victoria Jarves. Het waren haar bruine ogen die hem gevangen hadden.

Nee, onmogelijk! Victoria Jarves en Katie waren twee totaal verschillende mensen. Te bedenken dat er iets van Katie in Victoria zat was... was – hij huiverde – was de werkelijkheid.

Harrison greep met beide handen naar zijn hoofd.

Hij kwam er nog niet uit. Hij kon – hij zou – zichzelf niet toestaan toe te geven dat hij al die keren dat hij met Mouser en Katie was, eigenlijk met Victoria Jarves was!

'En hoe zit het met de waaier?' schreeuwde hij in de lucht. Een oudere man die achter hem liep, schrok ervan.

De man stak de straat over en hield Harrison wantrouwend in de gaten.

Hoe zit het met de waaier? mompelde Harrison nu in zichzelf. *Victoria gaf hem aan mij. Ik gaf hem aan Katie, die hem aannam, terwijl ze al die tijd wist dat hij van Victoria was. Toen vroeg Victoria, die wist dat ik hem aan Katie had gegeven, hem weer terug! Terwijl ze hem al die tijd al had!*

Er was een spelletje met hem gespeeld. Vanaf het begin was er een spelletje met hem gespeeld. Had Victoria Jarves geweten wie hij was op de dag van het sollicitatiegesprek? Dat moest wel. Hij had Katie en Mouser toen al gekend. Ze moest hem herkend hebben.

'Al die tijd... al die tijd... AL DIE TIJD!' schreeuwde hij.

Hij maakte rechtsomkeert naar het appartement van Horace Conant.

Er was een vraag die hij beantwoord wilde hebben.

'Waarom?'

De deur van Horace Conant vloog open. Harrison ademde zwaar door een combinatie van uitputting en de woede die hem op zijn terugtocht had voortgedreven.

Victoria Jarves zat aan het bureau. Ze las. Het licht door

het raam was genoeg. Hij kon van het papier genoeg zien om te zien dat het handgeschreven was.

In de hoek had Horace Conant zich nog niet bewogen.

Victoria keek op. 'Ik wist wel dat ik die deur op slot had moeten doen.'

'Geef antwoord,' schreeuwde Harrison.

'Waarom wat?'

'Waarom heb je het gedaan?'

'Wat gedaan?'

Katies sjaal lag over de hoek van het bureau gedrapeerd. Harrison pakte hem op en bood hem haar aan als bewijs. 'Dit. Waarom dit? Waarom Katie?'

'Als je teruggekomen bent om aanklager te spelen, dan heb ik daar geen tijd voor. Goedendag, meneer Shaw.' Ze richtte haar aandacht op het papier.

Met de sjaal nog in zijn hand liep hij om het bureau heen naar haar toe. 'Ik wil een antwoord!' schreeuwde hij met een stem waar ze beiden van schrokken.

Ze nam de sjaal van hem over, deed hem om haar hoofd. 'Ik boen,' zei ze, met afgewende ogen.

'Doe dat niet...' waarschuwde hij haar.

Haar stem kreeg een donkerder, mannelijke klank. 'Juffrouw Katie, ik vind je leuk.'

Nu was ze Katie weer. 'Meneer Shaw, u steekt gewoon de draak met me.'

Harrison was weleens eerder kwaad geweest, maar nooit eerder zo. Het was een beest, zo groot, dat het alle verstand, alle gedachten verduisterde en hij kende nog maar één emotie – woede.

Zijn vuist dreunde op de tafel. 'WAAROM?' gromde hij.

'Omdat ik een vrouw ben!' gromde ze terug.

Katies ogen, Katies houding waren weg. Alle doen alsof. Alle spel. En er was ook geen spot meer. Alles wat er overbleef, was Victoria Jarves zoals hij haar nog nooit gezien had.

‘Ik heb meer nodig dan dat,’ zei Harrison.

‘Er zijn veel dingen die je nodig hebt, maar die je niet zult krijgen.’ Victoria gooide de sjaal in de open tas op de vloer. ‘Laat me nu alleen.’

‘Ik ga niet weg zonder antwoorden.’

Ze pakte het papier op en keek ernaar. Ze deed alsof ze het las, maar Harrison wist dat ze dat niet deed. Dat kon niet.

‘Het is duidelijk wat je doet.’ Harrison stapte achteruit.

‘Je hebt gelijk. Het is duidelijk. En nu wegwezen.’

‘Je verkleedt je op al die manieren. Je sluipt rond, zoals toen op het bal toen je verkleed was als strijder. Je luistert. Je speelt luistervinkje. Je verzamelt verhalen. En dan ren je terug naar hier om de informatie te verkopen aan Conant.’

‘Gefeliciteerd,’ zei ze vlak. ‘Je hebt het helemaal begrepen. Ga nu weg.’

Hij trok het papier uit haar hand. ‘En zo te zien schrijf je ook nog op wat hij dicteert. Werkelijk, juffrouw Jarves. Een dictaat? Is dat niet een beetje beneden uw stand?’

Ze greep naar het papier, net toen hij zag wat erop stond. Hij hield het buiten haar bereik en las het hardop.

Spirituele opwekking – zegt men

Het was een verhaal over de *Levant*.

‘Wat bedoelt Conant: “Zegt men”? Hij was er niet bij.’ Harrison kwam dichterbij. ‘Maar jij wel. Je zou toch op z’n minst denken dat je het verhaal goed zou vertellen!’

Ze pikte het papier terug. ‘Ik heb het goed verteld.’

Harrison schudde zijn hoofd. ‘Conant zal dat niet laten drukken. Het is de waarheid niet. Hij is journalist.’

‘Ik zou het waarderen als je gewoon vertrok!’ Ze had bijna tranen in haar ogen.

‘Wanneer staat hij op?’ Harrison liep naar de kant van het bed, wat een grote vergissing was, te oordelen naar de geuren die uit de hoek opstegen. Hij wendde zich tot Victoria. 'Maak hem wakker. Ik zal hem vertellen wat er gebeurd is.'

'Ga alsjeblieft weg.'

'Ik ga niet weg voor ik meneer Conant gesproken heb. Wanneer wordt hij wakker?'

Ze staarde hem aan.

Hij staarde haar aan en deed zijn armen over elkaar.

'Mooi,' zei ze. 'Laat me met rust als ik aan het werk ben.'

'Mooi. En ik maak gewoon meneer Conant wakker om met hem te praten.'

Harrison liep naar het bed.

'Laat hem met rust,' zei Victoria.

Harrison boog zich voorover en porde Conant met een vinger.

'Laat hem met rust!' herhaalde ze.

'Meneer Conant, ik wil met u praten, meneer,' zei Harrison. Hij porde nog steeds.

Om de een of andere reden irriteerde het Victoria mateloos dat Harrison Horace Conant porde. Waarschijnlijk ging hij er daarom mee door.

'Meneer Conant? Meneer Conant?'

Harrison merkte dat Victoria haar ogen sloot alsof ze zichzelf probeerde te beheersen.

'Meneer Conant?'

Ze beet op haar lip.

'Meneer Conant?'

'Ik ben Horace Conant!' schreeuwde Victoria.

De dronkenman in de hoek bewoog.

Harrison stond op.

Victoria loerde naar hem vanachter het bureau. Ze liep naar de voorkant van het bureau. 'Die man daar in de hoek heeft in meer dan een jaar geen woord meer geschreven.'

'Maar zijn columns...'

'*Mijn* columns.'

Harrison schudde zijn hoofd. 'Hij vertelt je wat je moet schrijven.'

'Waarom zeg je dat?' riep Victoria. 'Waarom? Omdat ik een vrouw ben? Denk je dat ik niet kan schrijven omdat ik een vrouw ben?'

Er stond iemand anders voor hem dan degene die aan Fifth Avenue woonde en haar middagen gebruikte om zweepslagen uit te delen aan stagiairs. Deze vrouw was zelfbewust, gedreven. De Victoria van Fifth Avenue was verwend en gemeen. Weer toneelspel?

'Conant stond op het punt ontslagen te worden,' zei ze. 'Ik ontmoette hem op een sociale bijeenkomst. Hij was dronken.'

'En wie was je toen je hem ontmoette?'

'John Blayne,' zei ze met een wrange glimlach. 'Ik heb altijd verslaggever willen zijn en dit was mijn kans om met een schrijver te praten die prijzen gewonnen had.'

'Alleen was hij minder indrukwekkend dan je verwacht had.'

'Hij viel in slaap in zijn chocolademousse.'

Harrison keek even naar Conant. Buiten bewustzijn zijn leek zijn normale toestand.

'Die week ben ik hierheen gegaan...' Ze dacht even na. 'Ik weet niet precies meer waarom ik hierheen kwam. Misschien dacht ik net als jij. Dat ik gewoon voor hem kon werken, of dat ik op de een of andere manier zelf aan het schrijven kon gaan.'

'Een baan? Victoria Jarves in een betaalde baan?'

Ze was doodernstig toen ze zei: 'Je weet niet wat schrijven voor mij betekent.'

Ernstig genoeg om de grijns van Harrisons gezicht te vegen.

'Toen ik hier was, kwam er een loopjongen om zijn column te halen. Horace was er net zo aan toe als nu en ik kon op zijn bureau nog geen stukje van een artikel vinden.

De loopjongen had al met die mogelijkheid gerekend. Hij bracht een bericht van de redacteur mee. Als Horace om vijf uur die middag geen column had, was hij niet langer in dienst van de krant.'

'En je kon jezelf niet tegenhouden.'

'Het was een mogelijkheid om erachter te komen of ik goed kon schrijven.'

'Publiceerden ze het?'

'Sinds ik Horace Conants column schrijf, is de oplage groter geworden. En Horace, ik bedoel, *ik* heb twee journalistieke prijzen gewonnen. Ik heb een brief van de redacteur waarin staat dat de column nooit zo goed geweest is. Natuurlijk was de brief gericht aan Conant en zoals gebruikelijk vergezeld van...'

'Een fles whisky.'

'Die Horace opdrinkt,' zei ze.

Even was Harrison zijn woede vergeten. 'Dan heb je jezelf toch wel bewezen. Waarom onthul je niet gewoon wat je gedaan hebt? Als ze hersens hebben bij de krant, dan geven ze jou Horace Conants column.'

Victoria verstijfde. 'Ze laten vrouwen geen columns schrijven of verslaggever zijn. En al deden ze dat wel, dan nog zou mijn vader mij nooit toestaan om verslaggever te zijn.'

'Daarom de vermommingen.'

'Daarom de vermommingen,' echode Victoria.

'Maar waarom zoveel?'

'Ze beschermen mij op verschillende manieren en geven mij toegang tot verschillende plaatsen. Nu heb ik een vraag voor jou.'

Harrison deed zijn armen over elkaar. Hij mocht haar nog steeds niet.

'Wat ga je nu doen?'

'Ik ga naar huis.'

'Ik bedoel, hiermee? Jij weet het nu. Verder weet niemand

anders het. Als het bekend wordt, is het voorbij. Dan kan ik nooit meer schrijven.'

Ze was kwetsbaar. Daar genoot Harrison van.

'Ik moet erover nadenken.'

'Wat valt er na te denken?'

'Ik ga nu.' Hij liep naar de deur.

'Wat valt er na te denken?'

'Tot ziens, juffrouw Jarves, of wie u echt bent.'

'Wacht. Geef me je woord dat je mijn geheim bewaart. Ik zal je geloven.'

'Welk geheim, juffrouw Jarves? Er zijn er zoveel.'

'Beloof me dat je niemand vertelt over Horace Conant.'

'Tot ziens, juffrouw Jarves.'

20

Wraak was niet wat Harrison in gedachten had. Maar dat hij het geheim van Victoria Jarves kende, gaf hem wel een bevredigend gevoel van macht, iets wat hij nooit eerder bij haar gevoeld had. Hij kon alleen niet begrijpen waarom hij het niet eerder doorgehad had. Nu was het overduidelijk voor hem.

Na het gebeuren in de kamer van Horace Conant had hij haar elke week twee, misschien drie keer gezien en dat was geen verrassing. Hij en Victoria deden allebei hetzelfde werk. Ze zochten verhalen. Zij voor de *Herald*. Hij voor de oude North Dutch Church. Dus was het logisch dat ze elkaar zo nu en dan tegenkwamen.

Een week na het gebeurde zag hij haar buiten bij de bar van Matt Brennan in Pearl Street. Het was bekend geworden dat mannen die naar de bar kwamen voor een hartversterkend middel, in plaats daarvan met de Geest vervuld werden. De eigenaar had de politie gevraagd er iets aan te doen. Zijn bar was elke avond goed vol, maar hij was bezig failliet te gaan. De mannen baden in plaats van dat ze dronken. Hij wilde dat daar wat aan gedaan werd, maar wat kon de politie doen? De Heilige Geest arresteren?

Toen Harrison arriveerde, zag hij Victoria een paar mannen interviewen die eerst dronken leken. Victoria moest haar uiterste best doen om hen langzamer en om de beurt te laten praten, zodat ze hun verhaal kon opnemen.

Ze was verkleed als een jongen, een combinatie van een krantenjongen en een loopjongen. Harrison had die vermomming nog niet eerder gezien. Maar nu hij het wist, zag hij niets anders dan Victoria Jarves in jongenskleren, die met een paar mannen praatte die ervan overtuigd waren dat ze een van hen was.

Harrison kende de waarheid, maar ieder ander trapte erin. Harrison keek toe hoe ze meerdere mannen na elkaar interviewde. Geen van hen leek er ook maar enig idee van te hebben dat ze een vrouw was.

Hij naderde haar van achteren, zodat ze hem niet kon zien. Toen hij achter haar stond, iets naast haar, luisterde hij hoe ze het interview deed. Ze was goed. Haar vragen getuigden van inzicht, misschien een beetje bevooroordeeld. Ze was er sceptisch over of wat ze vertelden wel de waarheid was.

Toen het interview voorbij was, bleef ze alleen staan en zette de laatste zinnen op papier.

Harrison boog zich dicht naar haar oor. 'Hallo, Victoria.'

Hij maakte haar aan het schrikken. Ze draaide zich vliegensvlug om. Verbaasd. Toen ze zag wie het was, was ze boos.

'Praat niet zo hard!'

'Weet je vader dat je hier bent?'

'Ik begrijp niet wat jij daarmee te maken hebt.'

Ze liep weg. Hij volgde haar.

Ze draaide zich voor de tweede keer om en schrok weer dat hij nog steeds achter haar was.

'Hoe wist je het?' fluisterde ze. Ze voelde aan de achterkant van haar hoofd of er geen krullen zichtbaar waren.

'Je gelooft die mannen niet die je geïnterviewd hebt, hè?'

'Nee. Hoe wist je dat ik het was?'

'Waarom geloof je ze niet?' Hij maakte een gebaar naar de mensen die uit de bar naar buiten kwamen. Brannons bar had in zijn hele bestaan nog niet zoveel 'Amens' en 'Halleluja's' gehoord. Het was een vreemd gezicht.

'Ik geloof ze niet, omdat het niet logisch is. Er moet een verklaring zijn en die zal ik vinden.'

'Ik kan het je uitleggen. Het is een *opwekking*.'

Victoria lachte schamper. 'Hoe wist je dat ik het was?'

Ze was doodernstig. Dat hij haar kon herkennen had haar diep verontrust, net als op de dag van het sollicitatiegesprek, toen hij Desire du Paris had geroken.

Harrison gaf zich gewonnen. 'Ik wist het gewoon. Ik keek op en ik wist het, meer niet.'

'Iets moet me verraden hebben.'

'Misschien je handen.'

Ze riep de verdachten naar voren en onderzocht ze. Ze droeg geen handschoenen.

'Katie verborg ze altijd voor mij.'

'Omdat het niet de handen van een schoonmaakmeisje waren,' zei ze. Ze onderzocht ze nog steeds. Nu ze ze verdacht, greep ze in een zak en haalde een paar handschoenen tevoorschijn. De handschoenen die Harrison aan Mouser had gegeven om aan Katie te geven. Of beter, de handschoenen die hij aan Victoria had gegeven om aan Victoria te geven en die nu gedragen werden door Victoria.

Het zien van de handschoenen deed hem pijn aan zijn hart.

'Volg me niet langer.' Ze deed een paar stappen en keerde zich om. 'Het kostte vader weinig tijd om je te vervangen,' zei ze met een gemene lach. 'Eén dag.'

'Whitney Stuart III?'

'Die twee doen het geweldig.'

Victoria draaide zich om en verdween in de avond.

De volgende keer dat hij haar zag, droeg ze een andere vermomming met handschoenen. Ze had zelfs een kleine snor weten te regelen.

Het kostte Harrison een paar minuten om zijn lachen onder controle te krijgen voor hij haar kon benaderen. Hij deed het op dezelfde manier als op de avond bij Brennans bar. Van achteren.

'Hallo, Victoria,' fluisterde hij in haar oor.

Dit keer was ze net zo verbaasd, maar bozer. Ze greep hem bij zijn mouw en trok hem aan de kant. 'Doe dat niet weer!'

Zijn pas gevonden macht over haar kon het verlies van Katie niet vergoeden, maar het was toch op een vreemde manier bevredigend.

'En heb je nog wat bruikbaars opgevangen?' vroeg hij.

Ze stonden voor een zagerij. De eigenaar en zijn zoon hadden elkaar jarenlang op een gewelddadige manier beconcurreerd. Ze hadden de *Herald* voorzien van heel wat verhalen over brandstichting, sabotage en vechtpartijen. Het was gewoon een kwestie van tijd geweest voor de een de ander zou vermoorden. Nu stonden ze daar arm in arm te verkondigen dat ze hun bedrijven gingen samenvoegen. Ze prezen de Heilige Geest die hun stormachtige relatie geheeld had.

'Ik draag handschoenen. Hoe wist je dat ik het was?'

'Hoe verklaar je dit?' reageerde hij, verwijzend naar de mededeling van vader en zoon.

'Tijgers verliezen hun strepen niet. Een van hen voert iets in zijn schild. Ik vermoed dat de zoon een spelletje speelt. Hij zal de oude man in zijn slaap vermoorden. Hoe wist je dat ik het was?'

Harrison schudde zijn hoofd. 'Hoe kun je negeren wat er om je heen gebeurt?'

'Ik geloof niet in spookverhalen,' reageerde ze. 'Mensen doen dingen omdat hun dat op termijn voordeel oplevert. Al die aardigheden zijn maskers om weg te komen met moord – in dit geval letterlijk. Nou, hoe wist je het?'

'Ik weet niet hoe ik het wist. Ik wist het gewoon.'

'Is het de snor?'

'De snor is best.'

Maar hij maakte hem wel aan het grinniken.

'Als het de snor niet is, wat is het dan?'

'Ik weet het niet! Ik kan het je niet zeggen. Misschien is het je geur.'

Ze keek hem aan en dacht aan Desire du Paris. 'Ik draag er geen.'

'Geen parfum. Je eigen geur. Weet je hoe dieren de geur van andere dieren herkennen?'

Natuurlijk wist ze dat. Ze was de dochter van J.K. Jarves.

'Nou, misschien kan ik jouw geur herkennen. Ik bedoel, ik kon de parfum door een muur heen ruiken.'

Ze staarde hem lang aan, toen liep ze nijdig weg.

Hij ontdekte haar een paar weken later op de Fulton Street Market, een openluchtevenement waar boeren hun producten en vissers hun dagelijkse vangst verkochten. Het was een rauwe troep van kopers en verkopers die handel dreven en zo nu en dan opzij stapten voor het vee dat langs de straat gedreven werd of de varkens ontweken die zich te goed deden aan de groenten van gisteren die in de goten gegooid waren.

Harrison was daar niet voor een opwekkingsverhaal. Hij was er omdat hij al een groot deel van de week hunkerde naar een beetje maïs. Hij zag haar vanaf een afstand. Ze was vermomd als een soort John Blayne, alleen dan niet in het kostuum van een strijder. Ze zag hem niet.

Hij voelde een hand op zijn schouder.

'Jij bent toch Harrison Shaw?'

Hij draaide zich om naar de vraagsteller en kwam oog in oog te staan met een man van ongeveer zijn eigen leeftijd en lengte. Een dunne neus en lippen pasten bij het lange gezicht dat uitliep in een puntige kin.

'Ik ben Roger Curtis, verslaggever van de *Chicago Tribune*.

Ik heb rondgekeken. Jij bent toch degene die verhalen verzamelt voor de kerk?'

'Dat klopt.'

'Ik zou graag even met je praten. Je een paar vragen stellen.'

Harrison knikte instemmend.

Curtis haalde een aantekeningenblok en een potlood tevoorschijn. 'Wat voor verhalen heb je tot nu toe?'

'Over de opwekking?'

'Ja, over de opwekking. Goeie verhalen?'

'Wil je ze in de *Tribune* zetten?'

'Hé, ik stel hier de vragen, goed? Anders gaat dit de hele dag duren.'

Roger Curtis van de *Tribune* had duidelijk geen belangstelling voor de opwekking. Hij had waarschijnlijk deze opdracht gekregen van zijn redacteur. Maar wat maakte dat uit voor Harrison? Als de verhalen over de opwekking in de *Tribune* geplaatst werden, dan was dat toch goed?

'Wil je horen hoe het allemaal begonnen is?' vroeg hij. 'Ik was bij de eerste gebedssamenkomst.'

'Goed. Waarom niet?'

De man had net zoveel enthousiasme als een jongen die moet werken terwijl zijn vrienden aan het zwemmen zijn.

'Het was afgelopen september, de drieëntwintigste,' begon hij. Hij wist de datum nog omdat hij die pas had opgeschreven voor zijn project. 'De ontmoeting moest op het middaguur beginnen, maar om die tijd kwam er niemand. Jeremiah Lan...'

Hij was de aandacht van de verslaggever al kwijt. De man keek over Harrisons schouder naar iets achter hem.

De verslaggever vloekte.

Harrison draaide zich om om te zien waar hij naar keek. Het was Victoria.

'Dat is een van Horace Conants jongens,' zei Curtis. 'Er moet daar een verhaal zijn. Ik weet het.'

'Er zijn hier altijd veel verhalen,' zei Harrison.

'Nee, je begrijpt het niet,' zei Curtis zonder zijn ogen van Victoria af te wenden. 'Horace Conant heeft een neus voor het goede spul. Als hij een van zijn jongens gestuurd heeft om met die visser te praten, dan is er wat aan de hand.'

Hij deed zijn aantekeningenblok dicht en begon zich te bewegen in de richting van Victoria en de visser. Hij stopte eerst bij een groentekraampje en deed alsof hij een aardappel onderzocht. Hij keek om naar Harrison. 'Wacht op me.'

Als het de *Chicago Tribune* niet geweest was, had Harrison niet gewacht. Hij keek lichtelijk vermaakt toe hoe de verslaggever naar Victoria Jarves sloop tot hij binnen gehoorsafstand was. Pas toen de verslaggever haar zo dicht genaderd was, bedacht Harrison dat hij eigenlijk iets moest doen om Victoria te waarschuwen. Hij wist niet waarom; het leek gewoon het juiste om te doen. Maar het was onnodig. Victoria beëindigde haar interview en was al snel tussen de marktbezoekers verdwenen.

'Niks ontdekt,' mopperde Curtis toen hij terugkwam. Zijn gedachten waren nog steeds bij wat er gebeurd was. 'Ik zou terug kunnen gaan om met die visser te praten. Om hem te vragen wat hij die jongen van Horace Conant verteld heeft.'

Harrison lachte. Victoria hield iedereen voor de gek, behalve hem. Roger Curtis van de *Tribune* had geen enkel vermoeden dat hij geobsedeerd werd door een vrouwelijke verslaggever.

'De dingen zijn niet altijd wat ze lijken, meneer Curtis.'

Curtis keek hem wantrouwend aan. 'Wat bedoel je?'

'Die jongen van Horace Conant. De dingen zijn niet altijd wat ze lijken.'

'Waarom zeg je dat?'

'Niets bijzonders. Wil je die opwekkingsverhalen nog horen of niet?'

Curtis keek Harrison met een wantrouwende blik aan.

Toen keek hij weer naar de visser. 'Misschien later.' Hij keerde Harrison de rug toe en vertrok. Harrison was teleurgesteld dat de verhalen niet verteld zouden worden. Misschien moest hij later die week maar eens naar de *Tribune* lopen en met een van de redacteuren praten.

Met een paar maïskolven liep Harrison terug naar zijn kelderwoning. Er was iets verontrustends in de manier waarop de verslaggever naar hem gekeken had. Harrison kon het gevoel niet kwijtraken dat hij te veel gezegd had.

Drie dagen later, op het middaguur, was Harrison aanwezig bij de gebedssamenkomst in de bovenzaal van de oude North Dutch Church. Zoals gewoonlijk was het er vol. Jeremiah Lanphier had hem gevraagd een paar van de opwekkingsverhalen te vertellen die hij verzameld had.

Toen Jeremiah Harrison voorstelde aan de aanwezigen, stond Harrison op. Het trof hem opnieuw hoeveel verschillende mensen deze samenkomsten bezochten – er zaten klerken naast gewone arbeiders, boeren naast bankiers, dokwerkers naast ambtenaren. Het enige wat ze gemeen hadden was een dorst naar het spirituele. Je kon het in hun ogen zien, in hun gezichten vol verlangen.

Hij dacht dat hij maar moest beginnen met het verhaal over Brennans bar. Hij schetste het toneel van hoe het er op een normale avond in de bar aan toeging. Hij vertelde hun over Wilbur Hunt, een arbeider bij de Novelty Iron Works bij de rivier in Twelfth Street. Net toen hij, in Wilburs woorden, beschreef hoe 'de eerste golf van de Geest over hem heen spoelde', kwamen er voetstappen de houten trap op bonzen. Er had iemand haast.

Even later viel die persoon de zaal binnen.

Victoria.

Met een rood hoofd. Buiten adem. Gekleed als een vrouw. Met een krant in de hand geklemd. Ze keek de zaal door. Er was woede in haar ogen. Het was duidelijk dat ze iemand zocht. Voor Harrison, het doel van haar zoektocht, was het geen raadsel.

Haar ogen zochten een rij af, toen een andere.

Moest hij wat zeggen?

Dat was niet nodig. Ze had hem gevonden.

'Harrison Shaw!' schreeuwde ze. 'Jij slang!'

Er werden hoofden omgedraaid naar Harrison.

'Je vond dit zeker nodig, hè?' schreeuwde ze.

De hoofden werden teruggedraaid naar haar.

Jeremiah Lanphier naderde Harrison van achteren. Hij zei zacht: 'Ken je deze vrouw, Harrison?'

Als hij ooit in zijn leven in de verleiding gekomen was om te liegen, dan was het nu. Maar in deze zaal was de waarheid koning, hoe vreselijk of pijnlijk ook.

'Ik ken haar,' zei hij.

'Misschien moet je haar maar mee naar buiten nemen,' stelde Jeremiah voor.

Harrison verontschuldigde zich en werkte zich langs een nauw pad tussen de stoelen en de voeten van de mannen die tegen de muur stonden door naar de deur.

Victoria schreeuwde: 'Heb je hier nog wat plezier aan beleefd?' Ze hield hem een opgerolde krant voor.

Terwijl hij naar haar toe liep, voelde Harrison alle ogen op zich gericht. Toen hij halverwege was, greep een hand zijn arm vast. Hij draaide zich om en zag een man met grote wenkbrauwen.

'Als de vrouw zulke moorddadige ogen heeft,' raadde de man hem aan, 'verknoei dan geen tijd met uitleggen. Vraag gewoon om genade, jongen. Vraag om genade.'

21

'Je hebt me daar in verlegenheid gebracht,' zei Harrison.

Ze stonden in de schaduw van de oude North Dutch Church. De straat met aan weerszijden bomen was stil, op Victoria's geschreeuw na.

'Je vond dit zeker nodig, hè?' schreeuwde ze. 'Dit is wraak op mijn vader, hè?'

Ze sloeg hem met de krant op de schouder.

'Waar heb je het over?'

'Hierover!' Ze sloeg hem opnieuw. 'Alsof je dat niet weet!'

'Wat?'

Weer een klap.

Harrison deed een stap achteruit om buiten het bereik van haar arm te komen.

'Je moest hem raken, hè? Nou, je hebt gekregen wat je wilde. Ik ben geruïneerd. Je hebt je wraak.'

Victoria hield haar kaken op elkaar geklemd. Ze vocht tegen haar tranen. Echte tranen, andere dan de theatrale waterstromen die ze in het herenhuis geproduceerd had. Ze leek echt gewond. Toch... Harrison kon het niet helpen dat hij zich afvroeg of dit niet weer een van haar toneelspelletjes was.

Aarzelend stak hij een hand uit. 'Victoria, echt, ik...'

Ze gooide de krant tegen zijn borst. Hij ving hem op en sloeg hem open. Het was de *Tribune*. De voorpagina:

GEVIERDE COLUMNIST VAN DE HERALD IS EEN BEDRIEGER
door Roger Curtis

Deze krant is erachter gekomen dat de columnist van de New York Herald, *winnaar van meerdere prijzen, niet langer de column schrijft die onder zijn naam verschijnt. Ooit was hij bekend om zijn geestige en bij tijden bijtende opmerkingen over de New Yorkse betere kringen. Maar het aantal lezers van zijn column nam af en er kwamen veel gepubliceerde schandalen over Conants drankmisbruik. Tot nog toe geloofde men dat de geëerde schrijver, toen zijn carrière op de rand van de afgrond wankelde, zich terugtrok, zijn drankgebruik matigde en zich weer ijverig op het schrijven stortte. Na een wonderlijke ommekeer toonden zijn columns weer de geestigheid die hem beroemd gemaakt had. Maar dat was allemaal een illusie.*

Horace Conant ligt dronken in zijn appartement. En zijn herleefde column? Het werk van een jonge vrouw. Het afgelopen jaar heeft Victoria Jarves, dochter van de advocaat J.K. Jarves, Horace Conants columns voor hem geschreven. De redacteur van de New York Herald, *Thomas Mayfair, ontkent dat hij iets van deze uitvlucht wist, maar gegeven de hang van de* Herald *naar sensatie…*

'Je bent naar hem toe gegaan, hè?' Victoria Jarves stak haar handen op. 'En de *Tribune* nog wel! Waarom kon je geen andere krant uitkiezen?'

'Ik heb geen krant uitgekozen!' riep Harrison.

Hij probeerde haar het artikel terug te geven. Toen realiseerde hij zich dat hij bezig was haar het wapen terug te geven dat ze gebruikt had om hem te slaan. Gelukkig voor hem pakte ze het niet aan.

'Hoe kun je daar zo staan te liegen?' gilde Victoria. 'Jij bent de enige mogelijke bron voor dat verhaal. Niemand anders wist het.'

'Maar ik heb niet…'

'Wat heb je niet? Je hebt Roger Curtis dat verhaal niet gegeven? Je hebt Roger Curtis zelfs nooit ontmoet? Denk je dat ik dat geloof?'

Harrison schuifelde met zijn voeten. 'Ik heb hem ontmoet.'

'Ah! Daar! Nu geef je het toe.'

'Maar ik heb hem het verhaal niet gegeven.'

'Je moet iets gezegd hebben!'

Harrison huiverde. 'Ja, ik heb wel iets gezegd. Maar dat was niets.'

'Niets. Je hebt niets gezegd en voor ik het weet betrap ik Roger Curtis van de *Tribune* terwijl hij het appartement van Horace Conant doorzoekt.'

'Je hebt hem betrapt in het appartement?'

'Wat dacht je dat hij anders zou doen nadat je hem getipt had?'

'Ik heb hem niet getipt. Niet echt.'

'Wat heb je dan wel gedaan?'

'Ik heb misschien iets gezegd.'

'Je hebt iets gezegd. Wat heb je precies gezegd?'

Ze was bezig het uit hem te trekken.

'Ik heb hem gezegd dat de dingen niet altijd zijn wat ze lijken.'

Victoria stond met haar handen in de zij te wachten tot hij alles vertelde.

'We stonden op de markt in Fulton Street. Hij zag je. Hij noemde je een van Conants jongens. En ik zei iets over dingen die niet altijd zijn wat ze lijken.'

Ze staarde hem ongelovig aan. 'Dat heb je hem verteld?'

'Het was een onschuldige opmerking.'

'Onschuldig?' riep Victoria. 'Zo'n opmerking tegen een verslaggever is als bot met vlees voor een bulldog.'

Dus was hij er verantwoordelijk voor. Harrison voelde zich beroerd. 'Wat zeiden ze...' begon hij.

'Ze stoppen met de column. Ik word nooit meer gepubliceerd.'

'Maar... maar het was goed. Wat je schreef. Het was goed. Net zo goed, zelfs beter – zelfs Curtis geeft dat toe – dan Horace Conant. Waarom laten ze je niet gewoon doorgaan met de column? Je hebt bewezen dat je dat kunt.'

'Ik heb ze bedrogen.'

'Goed. Een andere krant dan? Eén die behoefte heeft aan...'

'Ik ben een vrouw! Dringt dat nog steeds niet tot je door? Ze laten een vrouw niet voor hen schrijven!'

'Zelfs als...'

'Ze laten een vrouw niet voor hen schrijven.'

Harrison liet zijn schouders hangen.

Victoria had ook geen stoom meer.

'Hoe heeft je vader gereageerd?' vroeg Harrison.

'Eerst was hij woest. Hij houdt niet van de aandacht die het meebrengt.'

Roofdieren houden niet van felle lichten, dacht Harrison.

'Maar na een tijd werd hij rustiger. Hij heeft me uitgescholden, maar nadat hij de ergste woede kwijt was, zei hij dat hij trots op me was.'

'Victoria, ik had nooit...'

Maar ze was klaar met hem. Ze draaide zich om en verdween om de hoek van de kerk.

'Wacht!'

Harrison kon haar zo niet laten vertrekken. Hij haalde haar in. Haar jurk ruiste vastberaden terwijl ze verder liep.

'Victoria.'

Ze deed alsof ze hem niet hoorde. Zijn gedachten schoten terug naar toen hij Katie riep op de straten van Five Points. Toen ze zich omdraaide, zag hij de gelijkenis tussen de twee. Dezelfde lengte. Ze draaide zich op dezelfde manier om als Katie had gedaan.

'Ik heb je niets meer te zeggen,' zei Victoria.

'Luister dan gewoon.'

Haar verzet was af te lezen uit haar houding. De scherpte van haar woede was afgevlakt, maar dat betekende niet dat hij helemaal weg was.

'Ik kan het hier niet bij laten,' zei hij. 'Er moet iets zijn, waarmee ik je kan helpen.'

'Je wilt me niet helpen.'

Hij had moeten weten dat ze niet kon luisteren.

'Natuurlijk wil ik je helpen.'

'Je wilt je beter voelen, dat is wat je wilt. Je voelt je beroerd om hoe de dingen gelopen zijn en nu wil je je beter voelen.'

'Ik voel me beroerd...'

Haar gezicht toonde gemaakt medelijden. 'En het doet zeer, hè, Harrison? En je wilt dat de pijn weggaat, hè?'

'Ik voel me verantwoordelijk,' zei Harrison, 'en ik wil je helpen om het weer in orde te maken.'

Ze deed haar armen over elkaar en bestudeerde hem. Niet hoe hij keek – dat was ongetwijfeld pathetisch – maar dieper. Ze keek naar hem alsof ze in zijn ziel keek.

'Waarom denk je dat dat is, Harrison? Heb je jezelf dat ooit afgevraagd? Waarom help jij mensen?'

'Ik begrijp niet...'

'Je doet het altijd. Daarom ging je naar Five Points, toch? Om mensen te helpen? De sjaal en de muts voor Dicey Timrod. Het hoestdrankje voor Laura Hamblin. Eten voor de deur van Katie en Mouser. Katies handschoenen. Waarom doe je zulke dingen, Harrison? Heb je jezelf ooit afgevraagd waarom?'

Hij had er nooit één gedachte aan besteed. Dat deden mensen gewoon. Ze hielpen anderen. 'Mij is altijd geleerd dat ik mensen die minder gelukkig zijn dan ik moet helpen.'

'Je doet het omdat je het prettig vindt om jezelf te zien als de redder van de wereld. Dat is waarom je het doet,' stelde ze nadrukkelijk.

Hij fronste. 'Nee, dat heb je mis.'

'Je doet het zodat mensen je zullen bedanken. Je doet het zodat de mensen tegen je op zullen kijken. Je doet het voor de eer, Harrison. Je houdt van de aanbidding, van de aandacht die je krijgt omdat je goed bent, omdat je anderen helpt. Toen je Katie naar het eten vroeg. De handschoenen. Toen je haar de roze waaier gaf. Ik zag het in je ogen.'

Ze nam Katies houding aan. Hoofd naar beneden. Ze keek schichtig op. 'Vist u naar een compliment, meneer Shaw?'

Ze werd weer Victoria. 'Je wilde het haar horen zeggen, omdat het je een goed gevoel gaf. Vertel me niet dat je er niet van droomde om op een wit paard Five Points in te rijden en Katie daar vandaan te halen. En dat ze haar armen om je nek zou slaan en je zou kussen, maar vooral, dat ze je voor altijd dankbaar zou zijn omdat je haar uit Five Points weggehaald had. Zelfs als je die droom droomde, vulde je hart zich met vreugde, nietwaar, Harrison?'

De waarheid? Natuurlijk was het zo. Tot dit moment had Harrison zich niet gerealiseerd hoeveel plezier die droom hem gegeven had. Maar dat niet alleen. Elke keer als George Bowen met trots naar hem gekeken had, elke keer als Bowen hem een compliment gaf omdat hij iets goed gedaan had, was Harrison daar blij mee geweest. Hij had alles willen doen om ervoor te zorgen dat George Bowen trots op hem was. En Five Points? Hij had de sjaal en de muts en het hoestdrankje wel anoniem achtergelaten, maar als hij eerlijk was tegen zichzelf, moest hij toegeven dat hij gehoopt had dat ze er ooit achter zouden komen wie de geheime Samaritaan was. En dat zou hem plezier doen.

'Nou, Harrison, ik wil geen deel zijn van jouw kruistocht. Ga maar iemand anders redden.' Victoria draaide zich om en liet hem daar staan. Haar woorden verlamden hem als vergif.

'Wacht!'

Hij vocht tegen de verlamming. Hij schudde zijn hoofd om het helder te maken. Hij haalde haar weer in.

'Wat deed *jij* in Five Points? Al die vermommingen. Mensen om de tuin leiden. Ze in de val laten lopen. Ze gebruiken.'

Het lukte hem haar opnieuw te laten stoppen.

'Laat maar, Harrison.'

'Nee. Ik wil het weten. Je vond het heel grappig om mij voor de gek te houden. Om me achter m'n rug uit te lachen. Me in de val te laten lopen.'

'Ik heb je nooit in de val laten lopen,' beet ze.

'Nee? Nou, je bracht me wel in gevaar. Ik heb je gered van een aframmeling en als gevolg daarvan werd ik zelf in elkaar geslagen. Ik denk dat ik daarom wel het recht heb op een paar antwoorden.'

Daar dacht ze even over na. 'Goed. Ik zocht naar nieuwsverhalen.'

'Voor de column van Horace Conant.'

'Ja, en voor andere verhalen.'

'En je moest mensen om de tuin leiden om die te krijgen?'

Ze gaf hem weer een van die blikken van: 'Waar kom jij vandaan?'

'Natuurlijk moest ik mensen om de tuin leiden! Denk je dat er in Five Points iemand met mij zou willen praten als ik daar aan kwam lopen, gekleed als nu? Hoever denk je dat ik dan gekomen was? Vergeet Five Points. Noem me eens één plek in de stad waar ik gekleed als Victoria Jarves vragen had kunnen stellen voor een nieuwsverhaal en serieus genomen zou zijn. En zelfs als ik een verhaal had gekregen, zouden ze het dan gedrukt hebben?'

'Wees nu eens eerlijk,' zei Harrison. 'Je beleefde er plezier aan dat je iedereen voor de gek hield en ze liet geloven dat je iemand was die je niet was. Ik zag het in je ogen bij het bekendmakingsbal toen je John Blayne was. Je vond het leuk om mensen om de tuin te leiden.'

Victoria gebruikte haar hand om een grijns te bedekken. 'Ik vond het zeker leuk met jou. Vooral toen je jezelf voor gek zette met Katie.'

Harrison voelde zijn gezicht kleuren.

'Maar dat was niet de reden dat ik daar was,' zei ze snel. 'Ik zocht verhalen die de *Herald* zou willen drukken. Aangrijpende verhalen. Verhalen over leven en dood en drama's en gevaar. Dat zijn de verhalen die ik wil schrijven.' Ze was nu doodernstig. 'Herinner je je het verhaal van Helen Jewett?'

Harrison schudde zijn hoofd.

'Nee, natuurlijk niet.'

Harrison wilde zich tegen de belediging verweren.

Ze legde hem het zwijgen op. 'Ik bedoel alleen maar dat het al heel wat jaren geleden gebeurd is. Ik ken het alleen omdat ik oude nummers van de *Herald* doorgelezen heb. Het was een sensationeel verhaal. Helen Jewett was een mooie jonge vrouw, een prostituee. Op een dag werd ze dood gevonden in haar kamer in Thomas Street. Haar hoofd was opengespleten met een bijl en haar bed in brand gestoken.'

Harrison trok een grimas.

'De verslaggever die dat verhaal deed vond een stapel liefdesbrieven die ze had gekregen van een goed ontwikkelde klerk van een juwelenzaak in Connecticut. Hij werd gearresteerd. Het was een aangrijpend verhaal over een afgewezen minnaar – tragisch en dramatisch. Iedereen in New York volgde het. De oplage van de *Herald* verdrievoudigde. Ik zoek mijn eigen Helen Jewettverhaal. Of beter, ik *zocht* het. Zelfs als ik een verhaal vond, hoe zou ik het dan gedrukt krijgen? Zelfs al was ik geen vrouw. De *Herald* zal nu nooit meer wat van mij willen drukken.'

'Er zijn andere kranten. De *Tribune* bijvoorbeeld.'

'De stoffige oude *Tribune*. Die drukken nooit de verhalen die ik wil schrijven. De *Tribune* drukt de verhalen die de mensen nodig hebben. De *Herald* drukt de verhalen die de mensen willen. Zelfmoorden. Moorden. Branden. Ze hebben ooit een ooggetuigeverslag gedrukt van een executie met de guillotine in Frankrijk.'

'En dat is het soort verhalen dat jij wilt schrijven? Waarom?'

Victoria liet haar hoofd hangen. 'Wat is er aan de hand, Harrison? Ben je bang dat Katie dat niet goed zou vinden?'

'Maar je kon die verhalen toch niet schrijven onder Horace Conants naam?'

'Nee. Ik wist dat ik Horaces columns niet altijd zou kunnen schrijven. Ik dacht gewoon dat ik er klaar voor moest zijn als ik iets anders moest gaan doen.'

Harrison begon na te denken. 'Waarom ga je niet onder een ander mannelijk pseudoniem schrijven? Je levert je artikelen in via een loopjongen, net als Conant – zoals je deed toen je deed alsof je Conant was – je weet wel wat ik bedoel.'

Victoria haalde haar schouders op. 'Ik heb daar al aan gedacht. Misschien werkt het. Voor een tijdje. Het probleem is dat de loopjongens niet altijd betrouwbaar zijn. Als een van hen wist dat ik het was die de artikelen schreef, dan zou hij me vroeg of laat verraden.'

Harrison grijnsde. 'En als de artikelen aan de uitgever worden aangeboden door een juridische vertegenwoordiger?'

Victoria's hoofd ging weer naar beneden toen ze daarover nadacht. 'En wie moet die juridische vertegenwoordiger dan zijn?'

Harrison spreidde zijn armen uit.

'Geen sprake van,' zei ze.

'Natuurlijk moeten de artikelen op zichzelf kunnen staan. Je kunt je nu niet meer verbergen achter de reputatie van Horace Conant. Dus als je niet goed genoeg schrijft, dan zouden ze mij dat kwalijk nemen.'

'Ik schrijf goed!' hield Victoria vol. 'De mensen hebben gezegd dat de artikelen die ik voor Horace heb geschreven zijn beste werk waren.'

'Ja, maar ze dachten dat *hij* ze geschreven had. Als ze een artikel krijgen van een onbekende, zijn ze sceptisch. Het moet erg goed geschreven zijn, zodat ze er niet aan voorbij kunnen. Maar als je niet denkt dat je op dat niveau kunt schrijven...'

'Houd me niet voor de gek, Harrison. Daar ben je niet goed in.'

'Waarom probeer je het dan niet? Jij schrijft een artikel. Ik breng het naar de redacteur en onderhandel over de publicatie.'

Victoria schudde haar hoofd. 'Ik vind het geen prettig idee.'

'Waarom niet?'

'Het brengt jou weer in de rol van redder.'

Harrison glimlachte. 'Misschien moet je daar dan maar mee leren leven.'

Victoria zuchtte. 'Goed. Ik doe het – onder één voorwaarde.'

'En dat is?'

'Dat je er meer uithaalt dan alleen dat je weer de grote kruisvaarder speelt.'

Nu was het Harrisons beurt om ernstig te zijn. 'Ik ben dan weer advocaat.'

22

Ze ontmoetten elkaar twee keer op een afgesproken tijdstip voor het grote ijzeren hek van het stadhuis. Twee keer kwam Victoria opdagen met lege handen.

'Ik heb nog geen goed verhaal gevonden,' zei ze.

'Is het lastig om het huis uit te komen, sinds de Horace Conant-affaire?' vroeg Harrison.

'Dat is geen probleem. Ik zie vader nauwelijks. En hij is veel te druk met zaken en met Whitney Stuart het leven zuur te maken om mij in de gaten te kunnen houden. Wat dat betreft is er niets veranderd. Ik kan nog steeds komen en gaan wanneer ik wil.'

Whitney Stuart III. Jarves' nieuwe stagiair. Harrison vroeg zich af of Whitney al voorgesteld was aan de collectie roofdieren. Of deed hij nog steeds onzinnig onderzoek?

'Geef je Whitney ook les over hoe hij een salon binnen moet komen?' Harrison hoopte dat het antwoord negatief was.

Victoria glimlachte. Het was een leuke glimlach. Een glimlach tussen vrienden. Harrison genoot ervan.

'Whitney Stuart III heeft geen lessen in etiquette nodig. Die waren speciaal voor boerenkinkels uit Brooklyn,' zei ze.

'Denk je dat je volgende week iets hebt?'

'Wie zal het zeggen? Ik heb nog niets bedacht.'

'Gebeurt er niets in Five Points?'

'Alleen de normale dingen. Knokpartijen. Straatgevechten. Corruptie. Niets opwindends. Niets buitengewoons. Niets sensationeels. Dit eerste verhaal moet uniek zijn.'

'Ik heb wel wat verhalen,' zei Harrison. 'Die zijn uniek. In elk geval sensationeel. Er is nog nooit zoiets in New York gebeurd.'

Victoria trok haar neus op. 'Niet die verhalen over de Heilige Geest.'

'Roger Curtis van de *Tribune* wilde ze hebben.'

'Curtis wilde ze hebben?'

'Hij kwam bij mij.'

Victoria dacht erover na en zei toen: 'Nee, ik geloof het gewoon niet. Die verhalen zijn niet echt. Ze zijn verzonnen.'

'Dat zijn ze niet!' protesteerde Harrison. 'Er gebeuren verbazingwekkende dingen overal in de Verenigde Staten – dingen die alleen verklaard kunnen worden door een invasie van een almachtige geestelijke aanwezigheid in onze wereld.'

Hij had haar interesse gewekt. Hij kon het aan haar gezicht zien. 'Weet je wat? Ik zal je rondleiden. Je aan mensen voorstellen. Luister naar hun verhalen. Onderzoek ze. Ga ertegenin. Doe alles wat je kunt om hun verhalen te weerleggen. Als je bewijst dat ze vals zijn, dan heb je een geweldig verhaal – honderden New Yorkers die samenspannen in het grootste onzinverhaal dat de stad ooit gekend heeft.'

Victoria luisterde.

'Maar als je die verhalen niet kunt weerleggen, dan heb je ook een verhaal. Dan heb je bewezen dat de almachtige God op een vreemde, maar krachtige manier onze stad binnengekomen is. Hoe dan ook, je hebt een verhaal.'

'Een onzinverhaal, hè?'

'Iets waar je alles van wilt weten!' grijnsde Harrison. Toen zei hij meer serieus: 'Maar je moet wel de waarheid vertellen.'

'Een onzinverhaal waar de hele stad aan meedoet.'

'Honderden mensen.'

'Misschien kan ik daar wel eens naar kijken,' zei Victoria.

'Dus je doet het?'

'Ik moet dan wel veel tijd met jou doorbrengen. Ik neem aan dat dat de prijs is die ik voor mijn verhaal moet betalen.'

'En ik kijk er ook naar uit om tijd met jou door te brengen,' zei Harrison plagend, maar er zat wel een element van waarheid in.

'Wanneer beginnen we?' vroeg Victoria.

'Als je er klaar voor bent.'

'Heel goed. Ik heb nog twee uur voor ik thuis moet zijn. Kunnen we in twee uur iets doen?'

'Ik kan je meenemen naar de bar van Matt Brennan in Pearl Street. Daar zijn een paar mannen waar je mee zult willen praten.'

'Ik kan daar niet heen gaan als ik zo gekleed ben,' zei Victoria.

Daar had Harrison niet aan gedacht. 'Hoe ga je daar heen?'

'Niet als Katie.'

'Nee, niet als Katie. Zeker niet als Katie.'

'Ik zou als Mouser kunnen gaan.'

'Waarom niet als Victoria, maar dan in een jurk waarin je niet zo erg opvalt?'

'De mannen praten niet met mij als vrouw.'

'Wel als ik bij je ben. Ik ken die mannen.'

'Als mezelf gaan?'

'Is dat een probleem?'

Ze dacht er even over na. 'Goed. Ik zie je hier, morgen zelfde tijd.'

'Best. Ik zal er zijn.'

'En, Harrison?'

'Ja?'

'Doe me een plezier. Noem me Tori als je me voorstelt. Ik heb een hekel aan de naam Victoria.'

'Het bureau in het midden. Die man die staat te schreeuwen.'

Harrison bedankte de receptionist. Het had Tori minder dan een dag gekost om het verhaal te schrijven nadat ze in

Brennans bar geweest waren. Het was goed. Nu was het aan Harrison om het te verkopen.

Hij zocht zijn weg tussen een wirwar van bureaus door. De meeste waren onbezet. In het midden stond een korte dikke man iets tegen een jongen te schreeuwen over een boodschap naar de drukkerij. De jongen rende weg. Blijkbaar had hij het geschreeuw niet persoonlijk opgevat.

De man achter het bureau zag Harrison komen. 'Wat wil je?' blafte hij.

'Thomas Mayfair?'

Mayfair nam hem van het hoofd tot de voeten geringschattend op. 'Vertel de burgemeester voor de laatste keer dat hij geen rectificatie krijgt. En maak dat je wegkomt.' Hij viel neer in zijn stoel en viel aan op een stapel papier.

'Ik vertegenwoordig de burgemeester niet,' zei Harrison.

De afschuw deed Mayfairs gezicht verstarren. 'O, nee toch, je bent advocaat.'

Mayfair was een gedrongen man met een stevige borstkas. Zijn mouwen waren opgerold waardoor zijn dikke harige armen zichtbaar waren, die duidelijk meer gedaan hadden dan pennen bewegen. Geïrriteerd veegde hij met zijn hand over de gladde huid van zijn voorhoofd naar zijn kruin.

Harrison haalde papieren uit zijn tas. Hij stak ze uit naar Mayfair, die ernaar keek maar niet de indruk wekte dat hij ze zou aannemen.

'Ik vertegenwoordig T.E. Campbell, een jonge getalenteerde schrijver. Namens mijn cliënt geef ik u dit artikel in overweging. Ik geloof dat u zult ontdekken dat het past in het redactiebeleid van de *New York Herald*.'

Er kwam een geamuseerde grijns op het gezicht van Mayfair. 'Je bent wel een beetje oud voor een loopjongen, hè, jongen?'

'Ik ben bereid te wachten tot u klaar bent met lezen,' zei Harrison.

Mayfair schudde zijn hoofd. 'Ik publiceer niets van schrijvers die ik nooit ontmoet heb. Zeg Campbell dat hij een afspraak kan maken. Als hij indruk maakt, zal ik hem een kans geven.'

'Ik ben bang dat dat niet mogelijk is,' zei Harrison. 'Mijn cliënt geeft er de voorkeur aan om weinig aandacht te krijgen.'

'Zeg je cliënt dan maar dat hij dat dan maar bij een andere krant moet doen.' Mayfair ging weer aan het werk.

Harrison hield het artikel uitgestoken. 'Dertig seconden. Meer vraag ik niet. Geeft u het artikel dertig seconden. Als het u niet interesseert, dan ga ik weer weg. Maar ik wil er wel wat om verwedden dat u na die dertig seconden niet alleen dit artikel wilt, maar dat u mijn cliënt een exclusief contract aan wilt bieden.'

Mayfair rolde met zijn ogen. Had Harrison zijn hand overspeeld? Hij gokte erop dat Tori's werk goed genoeg was om direct Mayfairs aandacht te trekken. Dat was in elk geval wel bij Harrison gebeurd toen hij het voor het eerst gelezen had.

'Ik geef je tien seconden,' zei Mayfair.

'Afgesproken.' Harrison stak het papier verder naar hem uit.

De redacteur leunde voorover. Eerst las hij zonder het papier van Harrison over te nemen.

Er gingen tien seconden voorbij.

Mayfair nam het artikel van Harrison over. Hij ging in zijn stoel verder lezen.

MOORD VOORKOMEN DOOR EEN HEILIGE ACHTERVOLGER
door T.E. Campbell

Op 9 april 1858 liep Jesse Kirkland Brennans bar in Pearl Street binnen met een moordplan in zijn hoofd. Hij was niet zozeer zenuwachtig voor de moord – hij was op dat punt vastberaden – maar omdat hij gevolgd werd.

Die avond was het in de bar drukker dan anders. Kirkland ging toch naar binnen om van de straat af te komen en om voor de laatste keer dronken te worden, want als hij zijn vrouw en kinderen vermoord had, zou hij zichzelf doden. Hij ging met zijn gezicht naar de deur zitten en bestelde iets te drinken. Hij wist niet dat zijn achtervolger al in de bar was.
Kirkland kende de bar en de omgeving. Hij had zijn hele leven doorgebracht tussen dieven en moordenaars. In zijn riem was een mes gestoken met een lemmet van twintig centimeter dat hij zojuist gekocht had voor de moorden. Hij wilde stilte.
De Kirklands hadden gelukkiger dagen gekend in hun driejarig huwelijk. Jesse Kirkland was getrouwd met de liefde van zijn schooljaren. Ze hadden kinderen willen krijgen en de stad uit trekken. Kirkland had flink geïnvesteerd om zijn droom werkelijkheid te laten worden. Toen kwam de financiële crisis. Hij raakte alles kwijt. Zijn vrouw had een zware bevalling. De baby was vaak ziek. De doktersrekeningen stapelden zich op. Kirkland zat diep in de schulden. En zijn vrouw kampte dagelijks met een depressie. Het paar vocht voortdurend. Dit was niet de bedoeling van hun leven, dacht hij. Er was geen hoop op uitkomst en daarom besloot Kirkland dat ze alleen vrede zouden vinden in de dood.
Juist toen stootte er iemand tegen hem aan. Hij morste wat van zijn drank. Het was een rumoerige avond. Er waren er te veel dronken en het was er te lawaaierig. Kirkland besloot te vertrekken. Misschien had zijn achtervolger het opgegeven.
Net toen hij opstond, greep een hand hem van achteren bij zijn schouder. In één soepele beweging greep Kirkland met zijn ene hand het mes en met de andere hand de hand van de man, draaide zich om en stak met het mes naar de keel van de man. 'Wat wil je, maat?' schreeuwde hij.
'Ik bedoel er niets verkeerds mee, meneer!' riep de man. 'Ik wilde u alleen maar vragen: hebt u de Heilige Geest?'
Kirkland bevroor.
De man ging verder: 'Ik kwam hier om wat te drinken met mijn

maats... maar vanavond was er iets anders. Ik kwam binnen en ze zongen, en ik bedoel hardop zingen! Ik had ze nog nooit zo gezien. Maar ze waren niet dronken. Ze waren vervuld van de Heilige Geest. En, wel, we baden en wat gebeurde er toen? De Geest vervulde mij ook! Dus ik wilde gewoon weten, meneer, hebt u de Heilige Geest?'

Kirkland begon te trillen. Hij viel neer op zijn knieën. Hij huilde. 'Waar ik vandaan kom,' vertelde Kirkland deze verslaggever, 'wil iemand die een hand op je schouder legt je een oneerbaar voorstel doen of je een mes tussen je ribben steken, maar deze man zei: "Meneer, hebt u de Heilige Geest?" Mijn achtervolger had een dodelijk schot en raakte me recht in het hart. Toen daalde de Geest neer en maakte me weer levend!'

Hij legde uit: 'Ik weet nu dat het de Heilige Geest was Die mij achtervolgde. En die avond, in de bar van Brennan, kwam het in orde tussen mij en God.'

Toen Jesse Kirkland die avond laat naar huis ging, was hij gewapend. Niet met een mes, zoals zijn plan geweest was, maar met een Bijbel en met gebed.

Kirklands verhaal is maar een van de verbazende hoeveelheid verhalen over een mysterieuze beweging die door New York City trekt en door honderden omliggende steden en dorpen. Niet alleen in kerken, maar in theaters en in – de meest onwaarschijnlijke plaats – Brennans bar.

'Ik ben de laatste man waarvan je zou denken dat hij ooit zou gaan geloven,' beweerde hij. 'Niet na al die verschrikkelijke dingen die ik elke dag op mijn werk zie.'

Ziet u, de man die een moord wilde plegen, is een politieman. Iemand die misdaden onderzoekt. Jesse Kirkland is het hoofd van New York City's moordbrigade.

'Wat vindt u ervan?' drong Harrison aan. 'Kunt u het gebruiken?'

Mayfair haalde zijn neus op, herlas een gedeelte en gooide

het toen op zijn bureau. *Een goed teken,* dacht Harrison. Hij gaf het niet terug en zei Harrison niet dat zijn tijd op was.

'Wel?'

'Goed geschreven,' gaf Mayfair toe. 'Het verhaal is minder. Het zou beter geweest zijn als Kirkland eerst zijn vrouw en kind vermoord had en dan God had gevonden. Dan was er meer bloed. Onze lezers houden van bloed.'

'Mijn cliënt is bereid het te verkopen voor...'

'Niet zo snel.'

'Maar u zei dat u het goed vond.'

Mayfair keek hem strak aan. 'Wat is hier aan de hand?'

'Wat bedoelt u?'

'Ik bedoel, wat is er aan de hand? Ik ben al veertig jaar redacteur. Ik heb heel wat schrijvers gelezen, genoeg om ze uit elkaar te kunnen houden. Ik ken deze stijl.'

Harrison bewoog nerveus.

'Hoe zei je dat je heette?' vroeg Mayfair.

'Harrison Shaw.'

Mayfair knikte heftig. 'Ja, ja. Die gouden jongen van J.K. Jarves.'

'Ik ben niet meer verbonden aan J.K. Jarves.'

'Is dat zo? Maar je bent wel verbonden aan zijn dochter, hè, jochie?' Mayfair pakte het artikel op en gooide het over het bureau heen. 'Ik kan het niet gebruiken.'

'U zei dat u het goed vond.'

'Dat was voor ik wist dat het door een vrouw is geschreven.'

Harrison schuifelde met zijn voeten. Als hij ten onder zou gaan, dan zou hij strijdend ten onder gaan.

'Wie weet dat? Er leest toch niemand de namen van de schrijvers.'

'Het spijt me, jochie.'

Harrison pakte het artikel op. 'Dan ga ik ermee naar de *Tribune*.'

'Die willen het ook niet. Te pikant voor hun smaak.'

'*Tribune*-verslaggever Roger Curtis kwam pas bij me, op zoek naar dit soort verhalen.'

Mayfair ging rechtop zitten. Harrison had iets in hem geraakt. De concurrentie tussen de kranten was heftig.

'Ik zou hun kunnen laten weten dat T.E. Campbell een vrouw is,' zei Mayfair.

'Dat zou kunnen. Maar wat zou dat uitmaken? Dit is een goed verhaal. Overal in New York horen mensen over de geestelijke opwekking die bezig is. De belangstelling is groot. Waarom een goed verhaal weggooien?'

Mayfair dacht daar overna. 'Kan ze er meer krijgen?'

'Mijn cliënt kan zo veel verhalen krijgen als u wilt drukken.'

'Ah,' gromde Mayfair. Hij greep het artikel. 'Wie leest er nu de namen van de schrijvers?'

23

Harrison was verrukt over de positie waarin hij zich bevond. Hij had nooit verwacht dat hij daarin terecht zou komen. Sterker nog, als iemand hem een paar weken geleden verteld had, dat hij in deze positie zou komen, dan zou hij misschien wel hebben gehuiverd. Maar nu was het prettig. Meer dan prettig. Dat kwam vooral door het spontane ervan. Victoria Jarves had haar armen om zijn hals geslagen. Haar wang drukte tegen zijn oor.

'Echt? Gaan ze het publiceren?' gilde ze.

Als iemand Harrison een paar weken geleden verteld had dat Victoria Jarves kon gillen van verrukking, dan zou hij het waarschijnlijk niet geloofd hebben.

'Dat niet alleen,' zei hij. 'Ze willen meer. Zo veel als je ze geven kunt.'

Ze trok zich terug en klapte van vreugde in haar handen. 'Meer? Maar waar moet ik meer verhalen vinden?'

'Ik kan je zat aanknopingspunten geven.'

Ze keek hem aan en matigde zich een beetje. 'Ik kan niet nog meer van zulke verhalen schrijven.'

'Meneer Mayfair zegt dat hij die wil.'

'Maar ik wil...'

'Weet ik. Moorden. Mysteries. Schandalen. Bloed. En ik weet zeker dat meneer Mayfair die verhalen ook wil. Maar tot je je perfecte moord gevonden hebt, kun je opwekkingsverhalen doen.'

'En hij vermoedt niets over...'

'O, hij weet het. Hij herkende je schrijfstijl.'

'Hij weet het?'

'Hij vond het eerst een probleem. Natuurlijk heb ik niet

bevestigd dat jij de cliënt was. Hij wil je hoe dan ook publiceren. Zo goed ben je.'

'Maar opwekkingsverhalen...'

'Jij gaat ze aan de kaak stellen, toch?'

Er kwam twijfel in haar ogen. Harrison kon niet geloven wat hij zag. Begon ze te vermoeden dat het waar was wat ze hoorde? Maar ja, waarom niet? Ze had Jesse Kirkland het vuur na aan de schenen gelegd. Hetzelfde had ze gedaan met Matt Brennan, de bareigenaar en met nog een aantal mannen die daar die avond waren. Alles was precies gebeurd zoals zij het beschreven hadden. En blijkbaar was dat genoeg om twijfel in Tori's ogen te brengen.

Het tweede artikel dat T.E. Campbell aan de *Herald* leverde, begon zo:

EEN ROMMELIG VERHAAL
door T.E. Campbell

De schoonmaak is de plaag van de arbeiders na elke publieke bijeenkomst. Overal waar twee of meer mensen bijeenkomen, is afval. Gebedssamenkomsten in het kader van de opwekking vormen geen uitzondering. Aan het eind van elke samenkomst gaan er vrijwilligers tussen de stoelen door om de rommel en allerlei dingen die achtergelaten zijn op te ruimen. Daarover gaat dit verhaal. Zulke rommel hebt u nooit gezien. De arbeiders hebben wapens, messen, vergifflesjes en zakken met grote geldsommen opgepakt. In de Presbyterian Church in Mercer Street hebben ze een zwaard uit de tijd van de Onafhankelijkheidsoorlog gevonden.
'Het is niet ongebruikelijk dat we wapens en zo vinden,' zegt Harold Beecher. 'Ieder heeft een verhaal.' Harold kan het weten. Elke week ruimt hij de rommel van honderden bedegangers op.

Men kan alleen maar speculeren over waarom mensen zulke dingen meenemen naar een gebedssamenkomst. Maar er zijn twee dingen duidelijk. In de eerste plaats dat die dingen expres worden achtergelaten. Het zijn geen dingen die iemand uit verstrooidheid vergeet. En in de tweede plaats dat er een tragedie verijdeld is, omdat die dingen achtergelaten zijn.
'Zelfs de rommel getuigt van de macht van de Heilige Geest om levens te veranderen,' stelt Beecher.

'T.E. Campbell,' peinsde Harrison. 'Hoe ben je bij die naam gekomen?'

Tori keek op van haar schrijfwerk. Ze zat aan een bureau in de zaal van de gebedssamenkomsten in de oude North Dutch Church. De laatste bezoeker van de samenkomst van die middag was net de trap afgedaald. Harrison en Tori waren alleen achtergebleven. Tori maakte aantekeningen over de samenkomst. Harrison ruimde rommel op.

'De T staat voor Tori,' legde ze uit. 'Ik had altijd al gedacht dat, als ik onder mijn eigen naam zou publiceren, ik me dan Tori Jarves zou noemen. De E staat voor Ellen, dat is mijn tweede voornaam. En Campbell is de meisjesnaam van mijn moeder.'

Ze ging verder met schrijven.

Harrison ging van stoel tot stoel. Hij bukte en raapte strooibiljetten op met de aankondiging van de samenkomst, stukken pakpapier, potloden, een zakdoek en...

'Hé, kijk nou eens.' Hij ging rechtop staan met een boksbeugel. Hij deed hem aan en bewoog zijn vingers. 'Ik vraag me af voor wie die bedoeld was.'

Tori luisterde maar half. Haar gedachten waren bij wat ze schreef.

'Het is de reikwijdte van dit alles die mij verbijstert.' Ze raadpleegde haar aantekeningen. 'Alleen vandaag al hebben we hier mannen gehad uit Maine, North Carolina... hier een uit Tennessee en een ander uit Ohio. En de brieven...' Ze sloeg een bladzijde om. 'New Hampshire. Kansas. Zelfs een uit Engeland. Daar zit misschien wel een verhaal in.'

'De wind blaast, waarheen hij wil,' citeerde Harrison.

'Wat betekent dat?'

'Dat is een Bijbeltekst. "De wind blaast, waarheen hij wil, en gij hoort zijn geluid, maar gij weet niet, vanwaar hij komt of waar hij heen gaat." Het beschrijft de Heilige Geest. Hij gaat waarheen Hij wil. We kunnen Hem niet zien, maar we weten dat Hij er is, net zoals we weten dat de wind er is omdat we de bladeren horen ruisen.'

'Dus je zegt dat we weten dat God bij ons is, omdat al deze rare dingen gebeuren,' zei Tori.

'Ja. Op die manier weten we dat God bij ons is.'

'Hebben jouw bladeren weleens geruist?'

Harrison deed de boksbeugel af. 'Vraag je me of ik God weleens ervaren heb?'

Tori knikte. Ze keek ernstig genoeg.

'Ik had een bekeringservaring toen ik jonger was.'

'Hoe was dat?'

'Nou, het gebeurde hier. Beneden in de kerkzaal. De dominee preekte over zonde. Ik voelde me veroordeeld. Schuldig. En toen de dominee zei dat al mijn zonden vergeven konden worden, dacht ik dat dat een goed idee was.'

'Hoe oud was je toen?'

'Tien.'

Tori glimlachte. Ze ging achterover zitten en deed haar armen over elkaar. 'Wat voor verschrikkelijke zonde kon je op die leeftijd op je geweten hebben?'

'Het gaat er niet om hoe erg de zonde is. Zonde is zonde.'

'En wat voor zonden had jij gedaan?'

Harrison bloosde. 'Dat vertel ik je liever niet.'

'Zeg, kom op! Ik wil weten of de kleine Harrison Shaw een slechte jongen was.'

'De normale dingen, denk ik. Ik loog weleens om uit de problemen te komen. Ik stal het geluksssteentje van Tommy Morris.'

'En na die tijd?'

'Je wilt weten of ik pas nog gezondigd heb?'

Tori lachte. 'Dat is niet wat ik bedoel, maar ja. Vertelt u mij uw zonden maar, meneer Shaw.'

Harrison grijnsde naar haar. 'Wat bedoelde je dan wel?'

'Heb je zelf nog geruis van bladeren ervaren sinds al dit geestelijke gedoe begonnen is?'

Harrison liet zijn hoofd hangen. Haar vraag raakte hem op een gevoelige plek. Hij was er opgewonden over dat hij de Geest zo vrij en dramatisch zag bewegen, maar hij had zelf geen geruis van bladeren ervaren, zoals Tori het noemde. Meer dan eens had hij zich gevoeld als een jongen die buiten staat en met zijn neus tegen het raam gedrukt naar het feest binnen kijkt.

'Nee,' zei hij.

'Wat doe je eraan om jouw bladeren te laten ruisen?'

Harrison ging weer aan het werk. 'De wind blaast, waarheen hij wil. Het is niet aan ons.'

Ze werkten een tijdje in stilte. Zij aan haar aantekeningen. Hij aan de laatste twee rijen stoelen.

Toen hij klaar was met de rommel, begon Harrison de stoelen recht te zetten voor de gebedssamenkomst van de volgende dag. 'Kijk ons toch eens. Wie zou gedacht hebben dat jij en ik nog eens zo samen zouden zijn?'

'Vist u naar een compliment, meneer Shaw?'

'Ik... nee. Het leek me gewoon... laat maar.'

Hij concentreerde zich op het rechtzetten van de rij. Rechter dan hij ooit geweest was. Rechter dan hij moest zijn. Rechter dan...

'Het spijt me,' zei Tori. 'Die opmerking was onnodig.'

Ze wist hoe ze hem moest raken, nietwaar? Sinds ze hem ervan beschuldigd had dat hij verslaafd was aan complimenten, had hij daar veel over nagedacht. Hij had ermee geworsteld. Hij wilde goed doen omdat het goed was en toch wist hij dat hij hield van de aandacht en de eer. Het was een zwakheid.

'Het is goed,' zei hij, maar het zou nog wel even duren voor zijn sidderende woede bekoeld was.

'Misschien had u het wel over iets heel anders, meneer Shaw?' vroeg ze luchtig.

Hij keek haar vragend aan.

'Misschien bedoelde u wel dat we alleen in deze zaal zijn, u en ik – alleen, zonder chaperonne?'

Harrison wist dat ze plaagde. Maar haar ogen waren wijd open, haar stem flirtte en de combinatie was Harrison bijna fataal. Eerst stond zijn hart stil en toen ging het over in galop.

Hij wilde antwoorden met iets luchtigs, iets geestigs. Maar hij kon niets bedenken. Sterker nog, hij kon *nergens* aan denken. Hij moest iets zeggen, maar hij had alleen maar stilte, een stilte die steeds langer duurde.

Zeg iets, zei hij tegen zichzelf. *Wat dan ook.*

'Eh... eh.' Hij schraapte zijn keel. 'Eh... het volgende.' Hij schraapte zijn keel opnieuw. 'Eh... het volgende interview is met vijf vrouwen net buiten de stad.'

Ze trok een wenkbrauw op. 'Vijf vrouwen?'

'Net buiten de stad.' Harrison slikte en begon weer te ademen.

'Vrouwen,' zei ze. 'Dat lijkt me wel wat. Misschien kan ik zo bij de waarheid over dit alles komen. Wat is hun verhaal?'

'Van de vijf vrouwen?'

Tori knikte met iets van een grijns.

'Eh, ze... ze baden samen voor hun echtgenoten, die nog steeds niet gered waren. Ze baden voor een van hen tot hij tot God kwam. Toen baden ze voor een andere tot hij tot God kwam. Vorige week is de laatste van de mannen gedoopt.'

'Mooi. Ik heb wel een paar vragen voor hen. Kan ik jou nog wat vragen?'

Harrison had de laatste rij stoelen rechtgezet en stond nu aan de kant met zijn armen over elkaar om aan te geven dat hij klaar was voor de vraag.

'Kom bij me,' zei Tori.

Bij haar komen? De herinnering aan de omhelzing lag nog vers in Harrisons geheugen. Maar hij dacht niet dat ze dat nu in gedachten had… of wel? Waarom vroeg ze hem om bij haar te komen?

Met al die dingen in zijn hart liep Harrison zo rustig als hij kon naar de tafel. Tori had een stoel gepakt en die voor hem bij de tafel gezet. Wist ze dat het naast haar zitten hem zo ontzettend zou afleiden dat hij misschien de vraag niet eens zou horen?

Hij ging zitten.

Ze zweeg.

Dacht ze er nog over na? Hoe dan ook – hoe langer ze zweeg, hoe langer hij naar haar kon kijken zonder de angst dat hij betrapt zou worden.

Misschien was het de nieuwe situatie, maar hij dacht dat ze veranderd was. Ze was zachter dan in het herenhuis. Dat bleek uit haar houding. Haar verschijning. Haar stem.

Tori haalde diep adem. 'Waarom doe je dit, Harrison?' barstte ze uit. 'Waarom help je me?'

Hij wilde antwoorden, maar hij wist niet wat hij moest zeggen.

Ze sprak alweer voor hij iets kon zeggen. 'Je hebt nooit iets slechts over vader gezegd, terwijl jullie tweeën met ruzie uit elkaar gegaan zijn. En je hebt nooit iets gezegd over de gemene dingen die ik met je gedaan heb.'

'Was je me dan niet gewoon wat aan het leren?'

'Ben je gek? Ik heb je gewoon misbruikt!'

'Door me om het huis heen te laten rennen.'

Tori knikte. Ze lachte ondeugend.

'De tuinhandschoenen.'

'Je met een rijzweep op de armen slaan,' voegde ze toe.

'Dat deed zeer! En die stomme waaier.'

'Die gaf je aan een ander meisje; je wist alleen niet dat ik dat was.'

'En de warme stoel? Hoe verschrikkelijk was dat?'

'Dat meende ik serieus,' zei ze. 'Dat was gewoon walgelijk.'

'Nou, ik heb je betrapt toen je me bespioneerde op de dag van het sollicitatiegesprek.'

'Ik ben de hele middag bezig geweest om die ellendige parfum van mijn huid te boenen.' Tori lachte.

'Ik had het op mijn broekomslagen toen ik naar Five Points ging. Ik kreeg er allerlei vervelende opmerkingen over.'

Tori lachte harder. 'Nou, waarom? Als hetzelfde met Whitney Stuart III gebeurd was, dan zouden vader en hij levenslang gezworen vijanden zijn.'

'"Het leven van een rechtvaardig man is een sterke boom. Generaties zullen schuilen onder zijn takken."'

'Nog een Bijbeltekst?' vroeg ze.

'Nee, dat komt uit het evangelie naar George Bowen, mijn voogd en mentor. Hij bedacht altijd dat soort uitdrukkingen. Sommige klonken wel logisch. Om andere lachten we.'

'Hij was de eigenaar van het tehuis?'

Harrison knikte. Er gleed een schaduw over zijn gezicht.

'Het spijt me,' zei Tori. 'Vader is een erg wraakzuchtig man. Het is een van zijn vervelendste eigenschappen.'

Harrison keek naar de dochter van J.K. Jarves. Hij vroeg zich af hoeveel ze over haar vader wist. Kende ze zijn hele filosofie rond de klauwier of was dat voor haar gewoon een vogel onder een glazen bol? Ooit zou hij haar dat vragen.

'Ik mis meneer Bowen,' zei hij. 'Het is alsof een heel deel van mijn leven opeens verdwenen is. En hoe meer tijd er verstrijkt, hoe moeilijker het te geloven is dat het echt was. Ik ben bang dat het op den duur voor mij niet meer zal zijn dan een droom.'

'Noem nog eens een paar van zijn uitdrukkingen. Herinner je je er nog meer?'

'Eh, een van zijn favorieten als iemand van ons ergens over in de put zat was: "Kijk niet naar je voeten, kijk naar de sterren."'

'Niet slecht voor een filosoof uit Brooklyn.'

'Eens kijken... een andere was: "IJdelheid is de drank van gekken." Hij gebruikte die als wij naar de rivier wilden en hij wilde dat we de slaapzaal schoonmaakten.'

Tori vond het leuk.

'Nog een,' zei Harrison. 'Hier moesten we altijd om lachen. Hij zei: "Er zijn momenten in het leven dat alles volmaakt is. Maak je geen zorgen, dat blijft niet zo."'

Ze lachte naar hem. Harrison wilde wel dat hij nog honderd Bowenismen had om haar voor altijd zo te laten lachen.

'Hij heeft duidelijk goed werk geleverd met het opvoeden van jou.'

Ze keek hem in de ogen. Hij was gehypnotiseerd. Wat meer was, hij keek terug en zij wendde haar ogen niet af. Ze vond het net zo prettig als hij.

Hoe vaak had hij over dit soort momenten gefantaseerd, als de zaal, de stad en de wereld niet bestonden. Het was gewoon hij en zij samen, van geest tot geest, van ziel tot ziel. Hij was in haar verloren. Hij had geen controle meer over zijn geest, over zijn ledematen, over zijn ademhaling, over zijn mond en daarom had het geen verrassing moeten zijn toen hij zei: 'Katie...'

'Wat?' beet Tori terug.

Harrison was zich er nauwelijks van bewust dat hij iets

gezegd had, maar zijn oren hoorden een naam. Echt, hij had niet...

'Wat zei je daar?' vroeg Tori. Het was haar stem van toen ze hem lesgaf in het herenhuis.

'Ik zei...'

'Je zei *Katie*!'

Harrison probeerde het luchtig op te nemen. 'Jij bent Katie en John Blayne en al die anderen...'

'Je bent nog steeds verliefd op haar, hè?'

Harrison schoof heen en weer. 'Nee, natuurlijk ben ik niet verliefd op haar. Ik ben nooit verliefd op haar geweest.'

'Zelfs al is ze een illusie. Een rol die ik gespeeld heb. Een verkleedpartij. Ik kan dit niet geloven.' Tori was boos en werd steeds bozer. Ze begon haar spullen bij elkaar te zoeken. 'Ik probeer aardig tegen je te doen en al die tijd zit jij daar met een niet bestaande Katie in je hoofd.'

'Dat is niet zo!' protesteerde Harrison.

Tori draaide zich om en keek hem aan. 'Ik ken die blik in jouw ogen!' schreeuwde ze. 'Die heb ik eerder gezien. Toen je naar *haar* keek!'

Harrison stond overeind en week achteruit.

'Ik moet naar huis.' Tori stormde de deur uit en de trap af. Ze liet een verbijsterde en verlegen Harrison alleen achter in de zaal van de oude North Dutch Church.

24

Het rijtuig ratelde prettig door Fourteenth Street en de stad uit. Harrison hield de teugels.

'Dit is de eerste keer dat ik de stad uit ga,' zei hij. 'En jij?'

Tori keek hem aan. Ze was aanbiddelijk met de wind in haar haar. 'Ik ben drie of vier keer deze kant uit geweest voor een ritje op zondagmiddag.'

'Met je vader?'

'Aanbidders.'

Harrison keek opnieuw naar haar. Hij vroeg zich af of de jongens die haar meenamen voor een ritje wisten wat ze deden. Het nieuws dat Victoria Jarves aanbidders had kwam niet als een verrassing. Harrison wilde er alleen niet over nadenken. Hij vroeg zich af of Whitney Stuart III een van hen was.

Het was een heerlijke dag. Een stralende lucht. Frisse lentelucht. Warm genoeg om geen jas nodig te hebben. Het was het soort dag dat alle zorgen verdreef. Wie met dit weer nog somber was, had echte problemen.

Het paard dacht er ook zo over. Toen ze in het open land kwamen, werd het dartel en het stelde Harrisons rijkunsten op de proef. Met een schok kreeg het rijtuig meer snelheid. Harrison trok de teugels strakker aan.

'Weet je zeker dat je weet hoe je een rijtuig moet besturen?' vroeg Tori.

'Ik heb heel wat keren met de wagen van het tehuis gereden. Die was veel zwaarder en het was in het drukke verkeer. Ik red me wel.'

Een van de ouderlingen van de kerk had Harrison aangeboden om voor die dag zijn rijtuig te lenen, toen hij gehoord had wat de bedoeling was. De ouderling was er een uitgesproken voorstander van dat de kranten te horen kregen over de opwekking.

Voor Harrison was het een dag alleen met Tori.

Het ritje op deze mooie lentedag was een afleiding die Tori van harte verwelkomde. Harrison was een afleiding die ze verdroeg in de wetenschap dat hij het ritje liever met Katie zou maken. Maar als ze daarover nadacht, werd ze boos. Ze koos ervoor om in plaats daarvan aan het komende interview te denken. Ze keek ernaaruit om met vrouwen te kunnen praten over die opwekkingsverhalen. Misschien zou ze nu de waarheid te horen krijgen.

Tori ging er prat op dat ze wist hoe vrouwen in elkaar zaten. Ze had ze geobserveerd en was zo op het idee gekomen om zich te vermommen. Ze had gemerkt dat vrouwen rollen speelden om te krijgen wat ze wilden. Die rollen konden verdeeld worden in twee categorieën: dominerend of manipulerend.

Een voorbeeld: een voor het oog zachtaardige matrone was het perfecte masker voor het dominerende type. Maar achter de gesloten deur van het huis regeerde het dominerende type alles en iedereen. Ze blafte bevelen en was nooit tevreden. In het openbaar was haar echtgenoot het toonbeeld van mannelijkheid, een grootindustrieel. Achter de gesloten deuren was hij een kruipende hielenlikker die voor zijn eigen bestwil deed wat hem werd opgedragen.

Vrouwen die een echtgenoot hadden met een sterkere wil moesten tevreden zijn met manipuleren. Tori's moeder was zo'n type vrouw geweest. Hoofdpijn. Klagen. Gespeeld flauwvallen. Piekeren. Vleien. Aandacht geven en onthouden. Dat waren de wapens die manipulerende vrouwen het liefst gebruikten.

In het openbaar schepten mannen openlijk op over de romantische veroveringen die ze thuis boekten. Op die manier verzachtten ze de wonden van hun mannelijke trots. Dat kon geen kwaad. Hun vrouwen lieten het toe, zolang ze hun eigen opschepperijen maar niet geloofden.

Ondertussen wisselden vrouwen regelmatig ervaringen uit. Hoe ze hun echtgenoten of hun kinderen of de een of andere winkelier zover kregen dat hij deed wat zij wilden. Ze vonden het heerlijk om strategieën uit te wisselen. Daarom had Tori er alle vertrouwen in dat ze de waarheid achter het zogenaamde wonder van de vijf biddende vrouwen zou vernemen. Als ze de vrouwen maar alleen te spreken kreeg.

Polly Denison was heel anders dan Tori verwacht had. Ze had verhalen gehoord over de gelovige vrouwen die op boerderijen woonden. Ze droegen vreselijk eenvoudige kleren. Mutsen. Lange zwarte jurken met capes over hun schouders, sjaals, zwarte schoenen en kousen. Ze droegen geen sieraden en hun persoonlijkheden waren zo duister als hun kledingkasten.

Maar de vrouw die de boerderij uitkwam was heel vrouwelijk in een simpele blauw-witte jurk. Het bruine haar dat op haar schouders viel trok de aandacht. Haar wangen waren gekust door de zon en ze had een gemakkelijke glimlach. Ze waggelde een beetje onder het lopen, want ze was hoogzwanger.

Het huis waar ze uit tevoorschijn kwam was bescheiden. Het dak moest gerepareerd worden en de witte verf op de buitenmuren bladderde er hier en daar af. Aan de achterkant rees een schuur op.

Polly begroette hen.

Harrison leunde dicht naar Tori toe en fluisterde: 'Ik heb

mijn visitekaartje meegenomen, maar het is nog niet het hele uur. Moeten we wachten?'

'Doe niet zo kinderachtig,' zei ze.

'Jullie zijn vroeg,' riep Polly hun toe. 'De andere vrouwen zullen er zo zijn. Ethan is in de schuur. Hij kan wel wat hulp gebruiken.'

'Iets wat een stadsjongen kan doen?' vroeg Harrison.

'Voor het meeste werk op de boerderij heb je alleen handen en spieren nodig.'

'Ik geloof dat ik die wel bij me heb.' Harrison nam afscheid van de vrouwen en ging op weg naar de schuur.

Dat was gemakkelijk, dacht Tori. Ze had alleen met de vrouwen willen zijn. Nu kon ze alleen met Polly praten. Van vrouw tot vrouw.

'Als u het niet erg vindt,' zei Polly, 'laten we dan op de veranda gaan zitten. Dan kan ik een oogje op Emma en Todd houden. En in huis is het een rommel.'

Er speelden twee kinderen vlakbij aan de rand van een stukje bos – Tori schatte ze op vijf en drie. Zo te horen hadden ze het naar hun zin.

Polly maakte het zichzelf gemakkelijk in een schommelstoel en bood Tori een andere naast haar aan. Toen Tori voorbij de voordeur liep, kon ze een glimp opvangen van de binnenkant van het huis. De meubels waren bescheiden. Netjes. Helemaal geen rommel.

Na het uitwisselen van wat opmerkingen over het lenteweer en over het ritje naar de boerderij, zei Tori: 'Het verhaal over hoe jij en je vriendinnen voor jullie echtgenoten gebeden hebben, heeft in de stad heel wat belangstelling gewekt.'

'Wilt u niet wachten tot meneer Shaw weer bij ons komt? En de andere vrouwen?' zei Polly.

Het was normaal dat de mensen aannamen dat Harrison de verslaggever was en dat Tori – wel, ze wist nooit zeker wat ze dachten dat ze was. En eerlijk gezegd wilde ze dat ook niet weten.

Tori wuifde de opmerking met haar hand weg. 'We werken nauw samen. Nu kan ik met je praten van vrouw tot vrouw. Ik breng hem later wel op de hoogte. We hebben ontdekt dat het soms voor een vrouw gemakkelijker is om openhartiger te praten met een andere vrouw, als je begrijpt wat ik bedoel.'

'Misschien wel,' zei Polly.

'Vertel me eens wat er gebeurd is,' drong Tori aan.

'Er valt niet veel te vertellen. God deed het moeilijkste werk. Wij deden niet meer dan onze mannen liefhebben en in God geloven.'

Polly begon met wat Tori als de openbare versie van het verhaal beschouwde. Dat was te verwachten. Als ze aan elkaar gewend geraakt waren, zou de vrouw zich meer op haar gemak voelen en het echte verhaal vertellen.

'We waren allemaal kerkelijke gezinnen,' zei Polly. 'Maar de mannen kwamen meestal met uitvluchten om niet naar de kerk te hoeven. Er moest iets aan een hek gedaan worden. Er stond een koe op kalven. Er moest een dak gerepareerd worden.'

'Zijn die dingen dan niet belangrijk?'

'Belangrijk, ja. Maar je kunt ook boeren zonder de eredienst te verwaarlozen. Het waren uitvluchten.'

Tori knikte. Het was zoals ze verwacht had. De vrouwen wilden hun mannen iets laten doen wat zij niet wilden. De truc was om uit te vinden hoe ze hen zover gekregen hadden dat ze het toch deden. Polly leek Tori niet het dominante type. Dat betekende manipulatie.

Polly ging verder. 'We hoorden van de wonderlijke dingen die de Geest van God in de steden in het hele land deed. Toen op een zondag viel het me in. We namen het gebed niet serieus. Ik bedoel, als God God is en Hij ons verteld heeft dat we onze problemen voor Hem moeten brengen, dan moeten we dat doen. Toch?'

Tori knikte. Het was een aanmoedigende knik, geen instemmende knik.

'Dus besprak ik het met de andere vrouwen. We hebben een keer per maand een zaterdag om te naaien, gewoon wij met ons vijven. We waren het er allemaal over eens dat we moesten beginnen om vurig voor onze mannen te bidden.' Ze boog zich voorover en raakte Tori's hand aan. 'Begrijp je, we hadden wel voor ze gebeden, natuurlijk...'

'Natuurlijk.'

'Maar we hadden niet *vurig* gebeden. Dus – ik denk dat het Harriët was die ermee kwam – we besloten om voor één van onze mannen tegelijk te bidden. Wij alle vijf. Vijf tegen één, zeg maar.' Ze lachte erom. 'Wel, vijf plus God tegen één. Ethan had gewoon geen kans.'

'Dus jullie gebruikten de tijd die voor het naaien bestemd was.'

'Die besteedden we aan het gebed,' zei Polly. 'Maar we vertelden het onze mannen niet. We wilden dat ze dachten dat we nog steeds naaiden.'

'Waarom moest het een geheim blijven?'

'Het zijn trotse mannen, juffrouw Jarves. Als het bekend werd dat we tegen onze mannen samenspanden in het gebed, nou, dan zou het net zijn alsof we hen goddeloos noemden, denkt u niet?'

'Goddeloos. Interessant woord.'

Polly lachte. 'Abigail kwam met dat woord. Zij leest het meest in onze groep.'

Het viel Tori op dat Polly Denison zich zo natuurlijk gedroeg. Ze sprak duidelijk en ze was aardig over haar vriendinnen.

'We besloten ook om een brief te sturen naar de gebedssamenkomst in Fulton Street in de stad,' zei Polly. 'We vonden dat het veranderen van de levens van vijf volwassen mannen geen gemakkelijke taak was. We wisten niet of er echt iemand met ons mee zou bidden; ik hoor dat er zoveel verzoeken zijn. Hebt u de brief gezien?'

'Die en de tweede waarin jullie de samenkomst vertelden over jullie succes.'

'Over *Gods* succes, juffrouw Jarves.' Polly ging achterover zitten en glimlachte alsof er verder niets meer te zeggen viel.

Voor Tori was het gesprek nog maar net begonnen. 'Jullie kregen wat jullie wilden – alle vijf de mannen gingen weer naar de kerk.'

'O, veel meer dan dat, juffrouw Jarves. Naar de kerk gaan is maar een symptoom van hoe de ziel eraan toe is. Alle vijf de mannen werden gered door de kracht van de Heilige Geest.'

Tori leunde voorover. Het was tijd om deze vrouw zover te krijgen dat ze wat opener werd. Ze vermoedde dat ze het verhaal over hun gebedsinspanningen expres hadden laten lekken. De mannen hadden het ontdekt. Ze hadden zich geschaamd. En ze waren weer naar de kerk gegaan om te voorkomen dat ze goddeloos zouden lijken. Dat woord had het hem waarschijnlijk gedaan.

Tori vroeg zacht: 'Zou je deze tactiek aan andere vrouwen aanbevelen?'

Polly antwoordde niet meteen. Ze staarde Tori aan. Ze nam haar op, waarschijnlijk omdat ze zich afvroeg of ze te vertrouwen was. 'U bent nog niet gered, hè, juffrouw Jarves?'

Tori werd van haar stuk gebracht. 'Ik begrijp niet wat dat te maken heeft...'

'Het is duidelijk dat u niet begrijpt wat hier gebeurd is,' ging Polly verder. 'Het ging er niet om dat wij onze zin kregen. Onze mannen waren niet gelukkig. Ze waren rusteloos. Kwaad op het leven, op zichzelf. Ethan maakte onmogelijk lange uren en dat ging vanzelf. Op een boerderij is er altijd iets te doen. Hij dacht dat hij gewoon zijn uiterste best moest doen. Als hij de opbrengst van de oogst maar zover kon opschroeven dat hij wat geld opzij kon leggen. Hij hield zichzelf altijd maar bezig, juffrouw Jarves, want als hij zich tijd gaf om te denken, dan moest hij zichzelf onder handen nemen. Dat wilde hij niet, want hij wist wat hij dan tegen zou komen. Hij was niet blij met wie hij was.'

Er kwamen mannenstemmen van de zijkant van het huis. Harrison verscheen met een man – Ethan, nam Tori aan. Ze gedroegen zich alsof ze elkaar al jaren kenden. De mannen pakten een paar stoelen en kwamen bij de vrouwen op de veranda zitten.

Ethan zette zijn strohoed af en wreef zich over de achterkant van zijn nek. Het was een grote hand en een grote nek; beide waren verweerd. Harrison leek een mager kind naast hem.

Toen Ethan op de veranda stapte, liep hij eerst naar zijn vrouw, gaf haar een kus en vroeg haar hoe ze zich voelde. Hij legde een hand op haar gezwollen buik en wreef er zacht overheen. Tori had nog nooit genegenheid tussen een echtpaar gezien.

Nog nooit. Haar ouders hadden een huis gedeeld en in twee verschillende werelden geleefd. De zijne en de hare. Tori kon zich niet herinneren dat ze elkaar aanraakten, laat staan dat ze genegenheid toonden. Hun gesprekken waren zakelijke gesprekken over huiselijke aangelegenheden en over afspraken.

Op aangeven van zijn vrouw begon Ethan te vertellen over wat er gebeurd was als gevolg van de gebeden van de vrouwen. 'Ik was buiten in het maïsveld,' begon hij. 'Natuurlijk groeide er geen maïs. Het was aan het einde van de winter. Ik was me aan het voorbereiden op het nieuwe seizoen. Ik dacht erover om het veld te vergroten.'

'Vertel haar welke dag van de week het was,' zei zijn vrouw.

'O, het was zaterdag. Polly en de dames waren aan het naaien bij Harriët Gardner. Tenminste, ik dacht toen dat ze dat deden.'

'Je wist niet dat ze voor je baden?' vroeg Tori. 'Je was er niet op de een of andere manier achter gekomen, misschien via via?'

Polly lachte naar haar.

Ethan schudde zijn hoofd. 'Nee. Ze zeiden dat ze aan het naaien waren. Ik had geen reden om iets anders te denken. Hoe dan ook, ik was op het land. De sneeuw was weg en de grond begon net te ontdooien. Opeens voelde ik een enorm gewicht op mij drukken. Nu ben ik een grote vent, juffrouw Jarves. Er zouden heel wat potige kerels nodig zijn om mij op mijn knieën te krijgen. Maar dat gebeurde en er was niemand in de buurt. Het was alsof een onzichtbare wijnpers mij op de grond drukte.' Hij gebruikte de palm van zijn hand om het te illustreren. 'Eerst dacht ik dat ik een beroerte had of zoiets. De druk was erg, maar het ergste was het ongelofelijke schuldgevoel dat over me kwam.'

'Schuldgevoel? Wat had je gedaan dat je je schuldig voelde?'

'Mijn leven, juffrouw Jarves. Elke dag wel honderd kleine dingen als ik iets deed of iets zei wat niet goed was, wat niet aardig was. Er waren ook grote dingen. In mijn verleden. Ik denk dat ik u nog niet goed genoeg ken om daarover te vertellen. Gelooft u me, als ik zeg dat er genoeg was om me schuldig over te voelen.

Hoe dan ook, al die dingen begonnen me in de gedachten te komen en ik vond het niet leuk. Helemaal niet leuk. En ik wist dat als ik op dat moment zou sterven – en ik dacht dat dat precies was wat er ging gebeuren – wel, laat ik maar zeggen dat ik wist dat ik elke straf verdiende die ik zou kunnen krijgen. En voor ik het wist, riep ik tot God, omdat Hij de Enige was Die ik kon bedenken Die mij zou kunnen redden.'

Hij zweeg. Hij beleefde het moment opnieuw. 'Ziet u, juffrouw Jarves, ik denk dat God me die dag heeft laten zien hoe Hij mij ziet. En geen van beiden waren we blij met wat we zagen.'

Er kwamen twee wagens naar het huis, zodat er veel stof opwaaide. In elke wagen zaten twee vrouwen.

Tori en Harrison werden voorgesteld aan de andere leden van de zaterdagse naaigroep.

Harriët Gardner was ruim tien jaar ouder dan de anderen. Ze was een moederkloek, vooral voor Polly, vanwege haar toestand. Anna King was een kleine vrouw met een plat gezicht en een dunne glimlach. Grace Adams was groot in de breedte en opgewekt. En Abigail McIntyre leek een wijsneus met haar uilenbril.

Voor de tweede keer binnen een paar minuten werd Tori getroffen door het vertoon van genegenheid. Deze vrouwen gaven om elkaar, zelfs al konden ze niet altijd met elkaar opschieten. Er waren aanvaringen tussen Anna King en Harriët Gardner in de tijd dat Tori en Harrison daar waren. Een ging erover hoeveel werk Polly moest doen. Harriët bleef zeggen dat de zwangere vrouw moest gaan zitten. Anna bleef zeggen: 'Ik was 's morgens nog aan het ploegen en 's middags kreeg ik mijn baby's. Een beetje werk kan geen kwaad.' Toch vormden de vrouwen een hechte groep.

Na een tijdje werden ze allemaal wat rustiger en elk van de vrouwen vertelde haar versie van wat er gebeurd was. Het was vrijwel zoals Polly het beschreven had, met kleine variaties. En allemaal vertelden ze het verhaal van hun man, dat erg leek op wat Ethan meegemaakt had.

Tori luisterde en maakte aantekeningen. Ze stelde geen vragen.

Toen Tori en Harrison vertrokken, nam Polly Tori apart en fluisterde: 'Ik wil dat je weet dat ik voor je zal bidden.'

Tori wist niet hoe ze moest reageren. Er was nog nooit

voor haar gebeden en er had niets over in de etiquetteboeken gestaan die ze gelezen had.

'En ik denk dat jij en Harrison een schitterend paar vormen,' voegde Polly eraan toe.

Voor Tori bezwaar kon maken, trok Anna King Polly mee om een nieuw meningsverschil tussen haar en Harriët Gardner op te lossen.

25

De gebedssamenkomst in Fulton Street begon op tijd. De zaal was vol. Elke stoel was bezet. De rij van hen die stonden liep door tot buiten de deur en tot beneden aan de trap.

Jeremiah Lanphier, zoals altijd onvermoeibaar, las de woorden van het lied voor en zette toen in met zingen:

Geprezen zij des Heilands naam,
Aanbidt Hem, geeft Hem eer
Laat Eng'len, scheps'len al te zaam
Hem kronen,
Kroont Jezus, aller Heer!

Looft alles wat slechts adem heeft,
Aanbidt Hem, geeft Hem eer
Laat alles wat op aarde leeft
Hem kronen,
Kroont Jezus aller Heer!

Voor de gebedsaanvragen verzameld werden, werd Harrison gevraagd een of twee verhalen te vertellen over de tegenwoordige opwekking. Er was hem op het hart gedrukt om het kort te houden, want het doel van de samenkomst was gebed.

Harrison richtte zich tot de aanwezigen, voor de helft vaste bezoekers en voor de helft nieuwkomers. Het was de normale dwarsdoorsnede van de New Yorkse bevolking, van werklozen tot rijke zakenlieden. Harrison vertelde hun over een bericht dat hij gekregen had: er waren vijf gebedssamenkomsten in Washington DC, die allemaal de klok rond duurden.

Hij wilde juist vertellen over de 'Verschrikkelijke Tuinman', een bokser die gered was en nu zijn oude vrienden bezocht in de Sing Sing-gevangenis, toen een algemeen geschuifel bij de deur zijn aandacht trok.

Er stapten mannen opzij, met moeite, om een dame binnen te laten. Ze had haar hoofd neergebogen en daarom zag Harrison eerst niet meer van haar dan de bovenkant van haar hoofddoek en een schouder die bedekt werd door een sjaal, toen ze zich tussen twee gezette mannen door wurmde. Toen ze in de zaal was, rechtte ze haar schouders.

Het was Katie.

Inmiddels had bijna iedereen zich omgedraaid om te zien wat er aan de hand was en waar Harrison naar keek. Een zeeman stond op en bood haar zijn stoel. Toen ze die aannam, realiseerde hij zich dat hij nergens kon staan. Wat geschuifel langs de muur en hij kreeg een krap plaatsje.

Harrison kon zich niet herinneren dat hij zijn verhaal afmaakte. Maar dat moest hij wel gedaan hebben, want voor hij het wist, had hij van plaats geruild met Jeremiah, die de eerste brief opende en de gebedsaanvraag voorlas.

De mannen baden. Een man vroeg om gebed voor zijn van hem vervreemde broer. Een ruzie over een erfenis twintig jaar geleden had hen gescheiden. Een andere man vroeg gebed voor zichzelf. 'Zo'n gemene ellendeling als ik ben. Ik heb zes maanden geleden mijn vrouw en kinderen verlaten. Toen ik thuiskwam, waren ze verhuisd, ik heb geen idee waar ze zijn.'

Er waren meer aanvragen. Redding. Genezing. Vergeving.

Maar Harrison hoorde geen van de aanvragen of van de lofprijzingen. Zijn ogen waren op Katie gericht.

Zo dacht hij aan haar, want zo zag hij haar, al wist hij dat het Victoria was onder de hoofddoek. Was ze in die vermomming gekomen om hem te martelen? Als dat zo was, dan werkte het.

Ze bewoog zich nauwelijks. Ze zat met haar hoofd neergebogen. Ze luisterde. Van tijd tot tijd wiegde ze heen en weer in een rustig ritme. Eerder, als ze naar de samenkomsten was gekomen, had ze altijd aantekeningen zitten maken. Op zoek naar verhalen die ze kon opschrijven. Maar ze had Harrison altijd laten weten dat ze er zou zijn. Hij had de indruk dat ze bang was om de samenkomsten alleen te bezoeken. Ze had hem geen teken gegeven dat ze vandaag aanwezig zou zijn.

Het uur ging langzaam voorbij. Toen het laatste kwartier inging, had Harrison zijn strategie uitgedacht om haar na het laatste gebed te pakken te krijgen. Hij wilde er zeker van zijn dat hij haar zou bereiken voor ze wegglipte. Een deel van hem moest weten waarom Victoria gekomen was als Katie. Een ander deel van hem wilde Katie zien.

De samenkomst werd beëindigd. Harrison sprong op zijn voeten om in het zijpad te komen voor dat verstopt raakte. Zijn doel was in elk geval zo dicht bij haar te komen dat hij haar kon pakken als ze zou proberen te vertrekken.

Hij werd tegengehouden. Erger nog, hij verloor haar uit het zicht.

Hij was wel langer dan de meeste mannen, maar Harrison sprong op en neer terwijl de massa zich naar de deuropening voortbewoog. Hij zocht de hoofddoek.

Niets. Geen hoofddoek. Geen sjaal. Was het haar al gelukt om weg te komen? Of liep ze voor die breedgeschouderde heer? Harrison maakte al plannen voor de route die hij zou nemen als hij onder aan de trap was gekomen en dacht na over welke route Katie waarschijnlijk zou nemen, toen hij haar vanuit een ooghoek zag.

Ze zat nog. Ze had zich niet van haar plaats bewogen.

Harrison schoof door de rij tot hij naast haar rij kwam. Toen stapte hij opzij en ging naast haar zitten. Ze keek niet op; ze liet niet merken dat ze zich van zijn aanwezigheid bewust was. Hij zat stil naast haar terwijl de zaal leegliep.

Jeremiah was de laatste die vertrok. De mannen wisselden een blik. Harrison knikte om aan te geven dat hij de dingen onder controle had.

Maar dat had hij natuurlijk niet. Hij wist niet eens hoe hij haar moest aanspreken. *Katie? Tori?*

Zonder haar hoofd op te heffen schraapte ze haar keel om te spreken. 'Ik denk dat Polly voor me aan het bidden is.' Ze begon te huilen. 'Ik voel het. Wat Ethan voelde. Ik voel het. Ik ben bang, Harrison. Ik ben bang.'

Het was Victoria's stem, dus sprak Harrison haar zo aan. 'Waarom heb je je zo verkleed?' vroeg hij.

Ze keek op. Haar ogen waren vochtig. Haar handen trilden. 'Ik weet niet hoe ik voor God moet verschijnen. Jij vindt Katie leuk. Dus dacht ik dat God dat ook zou vinden.'

Harrison nam haar handen in de zijne. 'Je hoeft je niet te vermommen om voor God te verschijnen. Hij houdt van je zoals je bent.'

'Hoe kan dat?' zei Tori. Er blonken tranen in haar ogen. '*Ik* houd niet van mezelf. Ik vind mezelf niet eens leuk. Dat heb ik nooit gedaan. Wil je weten hoe de echte Victoria Jarves is? Ze is een kleinzielig, zelfzuchtig, zwak, onbeduidend niets. Zonder mijn vermommingen ben ik net mijn moeder. Een manipulerende verschoppelinge. Ellendig tot op de dag dat ze stierf.'

Hij drukte haar handen.

'En jij maakt het nog erger,' zei ze.

'Ik?'

'Tot we Ethan en Polly ontmoetten, dacht ik dat jij de enige was van jouw soort. Een vergissing. Een speling van de natuur. Maar er zijn anderen zoals jij. Een heleboel.'

'Dat is niet iets wat ik heb gedaan,' probeerde Harrison uit te leggen. 'Dat is wat God doet in ons. Dat is waar deze gebedssamenkomsten, deze opwekking over gaan – God verandert levens. Er is een lied dat we zingen:

Genade zo oneindig groot
Dat ik die 't niet verdien,
het leven vond, want ik was dood
en blind, maar nu kan 'k zien.
Genade die mij heeft geleerd
te vrezen voor het kwaad.
Maar ook als ik mij tot Hem keer,
dat God mij niet verlaat.

'Tot Hem keren? Daar wordt toch geloven mee bedoeld? Wat moet je dan geloven?

'Dat God ons liefheeft, maar dat onze zonden ons van Hem gescheiden hebben. En dat Zijn Zoon aan het kruis gestorven is om onze zonden weg te nemen en de last van onze schuld van ons af te tillen.'

'Ik weet niet of ik dat wel kan.'

Harrison stak langzaam zijn hand uit. Hij deed Katies hoofddoek af. Voor het eerst wilde hij met Victoria zijn, niet met Katie. 'Je moet bij God komen, zonder voorbehoud.'

'Help je me?'

'Ja.'

'Harrison? Vind je me leuk?' Haar vraag was echt; het stond in haar ogen te lezen dat ze verlangde naar het antwoord.

'Elke dag die voorbijgaat meer.'

Eindelijk kreeg Victoria Jarves toch een verhaal te schrijven over dood. Haar eigen verhaal. Het werd nooit gepubliceerd. Ze las het voor op de gebedssamenkomst in de oude North Dutch Church in Fulton Street.

Eens was er een schoonmaakmeisje dat Katie heette.
'Ik boen,' zei ze telkens als iemand haar groette.

Katie was een doodgewoon en verdrietig meisje. Ze was verdrietig omdat ze wist dat er nooit iemand verliefd werd op schoonmaakmeisjes.
Op een dag zag een prins haar. Hij werd verliefd op haar.
'Hoe kan dat?' zei ze. 'U regeert. Ik boen. Zelfs als het waar zou zijn, dan konden we toch nooit samenleven. De modderige steegjes waar ik woon zijn te smerig voor een prins. En ik ben te smerig voor een vlekkeloos paleis.'
'Dat is waar,' zei hij.
Dus liep Katie, het schoonmaakmeisje, weg met een verdrietig hart. Ze verwenste haar leven. Ze verwenste zichzelf.
Toen deed de prins iets heel vreemds en iets heel wonderlijks. Hij deed Katies hoofddoek af en deed die op zijn eigen hoofd. En hij nam haar sjaal en legde die om zijn eigen schouders. Eerst dacht ze dat hij er daarmee maar gek uitzag. Maar toen hadden ze een verschrikkelijk effect op hem. De huid van de prins werd bleek en grauw. Zijn wangen vielen in. Hij werd ziek, krom en zwak. Hij draaide zich om en hobbelde weg met veel pijn.
Katie huilde toen ze zag wat haar kleding met hem deed. Ze huilde nog harder toen ze hoorde dat de prins gestorven was.
Ze huilde zo hard, dat ze met haar gezicht in de modder viel van het steegje waar ze woonde.
Toen raakte een hand haar schouder aan. En een stem zei: 'Katie, jouw dagen van boenen zijn voorbij.'
Ze keek op en het was de prins! Hij was gezond en springlevend. Hij richtte haar op uit de modder. En van zijn hoofd nam hij de hoofddoek, alleen was het de hoofddoek niet meer – het was een kroon! Die zette hij op Katies hoofd. Hij pakte haar sjaal van zijn schouder, alleen was het geen sjaal meer – het was een koningsmantel. En die legde hij om haar schouders.
'Maar die dingen zijn te mooi voor een schoonmaakmeisje,' zei ze.
'Jazeker,' reageerde hij. 'Maar niet voor een prinses.'
Hij bracht haar naar een spiegel. En ze zag zichzelf zoals hij haar

zag. Er was geen spoor meer van een schoonmaakmeisje in haar.
'Katie het schoonmaakmeisje is dood,' vertelde hij haar. 'Nu is ze Katie de prinses.'
Hij had gelijk. Ze was mooi. Veel mooier dan ze ooit gedacht had dat ze kon zijn. Ze was geschikt als bruid voor een prins.
En de prins nam zijn bruid mee naar het paleis en ze leefden nog lang en gelukkig.

26

Twee dagen na haar bekering was Tori verdwenen. Zij en Harrison zouden elkaar een uur voor de gebedssamenkomst ontmoeten. Ze kwam niet opdagen. Harrison vroeg zich af wat er aan de hand was, maar hij maakte zich geen zorgen. Ze wist hoe ze hem moest vinden.

Op de derde dag kwam ze ook niet opdagen. En op de vierde ook niet. Op de vijfde dag trok Harrison de stad in naar Millionaire Row, tot hij zich weer tegenover de klopper met de koperen leeuw bevond.

'Je dacht zeker dat je me voor het laatst gezien had?' mompelde hij tegen de leeuw met de strakke ogen.

Charles deed de deur open toen hij geklopt had. Een flits van schrik in de ogen van de huisknecht was alles wat Harrison merkte van zijn thuiskomst.

'Het is het hele uur en hier is mijn visitekaartje. Ik wil graag Tori... juffrouw Jarves spreken. Kondig alsjeblieft mijn aanwezigheid aan.'

Charles gaf het kaartje aan Harrison terug. 'Juffrouw Jarves ontvangt geen gasten.'

'Maar ze is thuis,' zei Harrison. 'Is ze gezond?'

Charles maakte een zenuwachtige beweging. Dat had Harrison hem maar één keer eerder zien doen: toen hij betrapt werd met Harrisons zilveren dollar in zijn zak. 'Gaat u alstublieft weg, meneer.'

Er was iets niet in orde.

'Kun je voor mij een boodschap overbrengen aan juffrouw Jarves?' vroeg Harrison.

'Dat zou niet verstandig zijn, meneer.' De ogen van de man waarschuwden Harrison hoe dan ook.

‘Charles, zeg me wat er aan de hand is.’

De huisknecht hoorde iets in het huis. Zonder nog een woord te zeggen stapte hij achteruit en deed de deur dicht.

Wat nu? vroeg Harrison zich af. *Nog een keer kloppen? Morgen terugkomen?*

De deur ging open, maar slechts een stukje. Charles gooide een stukje papier naar Harrison toe en deed de deur toen snel weer dicht.

Ga onmiddellijk weg!
Ontmoet me morgen.
Stadhuis. 13.00 uur.

Harrison broedde de hele nacht over het briefje, zelfs in zijn slaap. Het briefje was niet in Tori’s handschrift. Hij had haar handschrift vaak genoeg gezien om het te herkennen en dit was niet van haar. Dus wie had het geschreven? Charles? Vertegenwoordigde Charles Tori in deze zaak of Jarves? Wie zou er precies op komen dagen, morgen voor het stadhuis en waarom? Waarom het stadhuis?

Te veel vragen. En te veel uren die Harrison scheidden van de antwoorden.

De morgen sleepte zich onbarmhartig voort. Niets kon Harrison doen om hem sneller voorbij te laten gaan. Hij kon niet lezen omdat hij zich niet kon concentreren. Schrijven bleek net zo frustrerend, dus ging hij op en neer lopen. Toen hij dacht dat er een halfuur voorbij was, keek hij op zijn horloge.

Het was nog maar vijf minuten geleden dat hij voor het laatst gekeken had.

Hij ging naar buiten. Hij zei tegen zichzelf dat hij op straat zou lopen en als het tijd was naar het stadhuis zou gaan. Om elf uur was hij voor het stadhuis en daar bleef hij tot het aangegeven uur.

Hij liep voor het stadhuis heen en weer. Hij liet zijn vingers over het gesmede ijzeren hek gaan dat het gebouw omgaf. Hij keek naar de stroom mensen die langs hem in en uit het hoge hek ging dat tussen twee stenen pilaren oprees. Hij herkende er niemand van.

Het hele uur kwam en ging.

Vijf minuten over.

Tien.

Om twaalf minuten en twintig seconden over het hele uur, ontdekte hij Charles, die volledig verdwaald leek buiten het herenhuis.

'Tori! Is ze in orde?' zei Harrison.

Charles was een en al zakelijkheid. Hij was op zijn hoede. Zijn ogen schoten dan hier, dan daar heen en rustten nooit. 'Juffrouw Jarves is ongedeerd.'

'Wanneer kan ik haar ontmoeten?'

Charles greep Harrison bij de arm. 'U moet nooit weer naar het huis komen.' De ernst van zijn stem was een sterkere waarschuwing dan de woorden zelf.

'Charles, wat is er gebeurd?'

'Volgt u mij,' zei Charles.

Hij draaide zich om en liep met snelle pas. Harrison volgde hem. Voorbij het perceel van het stadhuis, langs kantoren, straatverkopers, een schoenenwinkel.

Harrison had geen idee waar Charles hem heen bracht of wat de reden was. Hoe meer hij erover nadacht, hoe meer hij zich realiseerde dat Charles hem niet meer gezegd had dan dat hij bij het huis weg moest blijven. Harrison wist nog steeds niet wie Charles vertegenwoordigde. Voorzover hij wist, handelde Charles op bevel van Jarves, net als op de dag van het sollicitatiegesprek.

Ze kwamen bij een grote stal. Charles ging naar binnen.

Hij liep alsof hij er de eigenaar van was. Er was een man aan het werk aan een aambeeld. Zijn onderarmen zweetten en waren opgezet, zijn kleren waren zwart besmeurd. Er stond een andere man aan het vuur. Hij bediende de blaasbalg. Ze keken allebei op toen Charles hun voorbijliep, maar gingen toen verder met hun werk en zeiden niets.

Hoe verder ze het gebouw in liepen, hoe donkerder het werd. Het rook er naar oud stro en mest. Bijna elke box was bezet door een paard of een muilezel.

'Waar breng je me naartoe?' vroeg Harrison. Hij begon ongerust te worden.

Charles reageerde niet. Hij bleef doorlopen, helemaal tot achter in het gebouw, tot de laatste box. Toen hij daar was, ging hij tegen de muur staan en diende Harrison aan, net zoals hij hem naar de salon in het herenhuis gebracht had.

Daar, weggekropen in een hoek, zag Harrison...

'Mouser! Ik bedoel, Victoria... Tori!'

Harrison wilde naar haar toe lopen.

Charles hield hem tegen. Hij keek Harrison aan met een vaderlijke blik in de ogen. 'Ik vertrouw haar aan uw zorg toe. Ziet u erop toe dat haar geen kwaad geschiedt.'

Toen liet Charles hen achter.

'Naar beneden!' Tori gebaarde dat Harrison dieper moest bukken dan de zijkant van de box hoog was.

Harrison zakte naast haar neer. 'Waarom heb je je als Mouser verkleed?'

'Ik heb vader verteld wat er in de gebedssamenkomst gebeurd is.' Haar ogen schoten vol tranen.

In het zwakke licht moest Harrison zichzelf eraan blijven herinneren dat hij met Tori praatte, niet met Mouser. 'Hij nam het niet goed op,' zei Harrison.

Tori rolde met haar ogen. Ze begon te huilen. 'Ik dacht dat ik gelukkig zou zijn als het met God in orde kwam. Net als Polly.'

Harrison ging anders zitten, met zijn rug tegen de wand van de box. 'Dingen in orde maken met God betekent niet dat al je problemen verdwijnen. Soms zorgt die beslissing voor nieuwe problemen. Je moet onthouden dat je niet meer alleen bent. Je hebt de Heilige Geest in je. Hij is meer dan alleen maar een Trooster. Hij is een Gids. Hij zal ons hierdoorheen helpen.'

'Als ik geweten had dat het zo zou zijn...'

'Wat is er gebeurd?'

Tori veegde de tranen weg, het ene oog met de ene hand, het andere met de andere hand. 'Ik had niet verwacht dat hij blij zou zijn. Hij is eerder boos op me geweest. Maar nooit zo.' Ze staarde Harrison aan. 'En hij moet jou hebben. Hij geeft jou de schuld omdat je mij "gehersenspoeld" hebt zoals hij het noemt.'

Harrison herinnerde zich wat er de vorige keer gebeurd was toen J.K. Jarves hem moest hebben. Zou hij net zo snel toeslaan? En dit keer direct? Of zou hij weer iemand pakken die hem na stond? Wie was er nog over? Jarves had de vorige keer al bijna iedereen gehad toen hij George Bowen te gronde gericht had en het tehuis had laten sluiten.

'Je hebt me nog steeds niet verteld waarom je je verkleed hebt als Mouser,' zei hij.

'Vader sloot me op in mijn kamer. Hij dreigde dat als hij jou ooit weer zou zien, hij...'

'Me zou vermoorden?'

'Mij op een schip naar Europa zou zetten.'

'Dus ben je weggelopen.'

'Dit is de enige manier waarop ik veilig over straat kan. Mouser beweegt zich sneller en hij kan zich verstoppen op plaatsen die Victoria nooit kan gebruiken.'

'Wat is de rol van Charles in dit alles?'

'Hij betrapte me toen ik gisteren probeerde om het huis uit te komen. Ik probeerde me langs hem heen te kletsen, maar hij wou niet luisteren. Toen kwam jij aan de deur. Hij stemde erin toe om mij te laten ontsnapppen, maar alleen op zijn voorwaarden.'

'Dus bracht hij je hier en gaf je aan mij over,' zei Harrison.

'Charles is ouderwets. Hij denkt dat ik nog steeds een geleide nodig heb.'

'Nou,' zei Harrison, klaar om verder te gaan, 'laten we je naar de kerk zien te krijgen. Je kunt in mijn kamer in de kelder blijven. Ik probeer wel iets anders...'

'Ik ga naar Five Points.'

'Five Points!'

'Vader zal in de kerk naar me zoeken. Ik ken Five Points. Als ik daar eenmaal ben, zal hij me nooit vinden. En als hij dat wel zou doen, dan zou hij me nog niet te pakken krijgen.'

Harrison kon het daar wel mee eens zijn. Maar hij vond het niet leuk. 'Waar ga je heen?'

'Mouser heeft zijn plekjes.'

'Zeker niet in Crown's Grocery. Je blijft weg uit Crown's Grocery.'

Mouser dook ineen. 'Jij hebt je deel gedaan. Ik kan nu wel voor mezelf zorgen.'

Harrison dacht aan haar als Mouser omdat ze zich gedroeg, zich bewoog en praatte als Mouser. Wat hij daarna deed voelde daarom heel erg vreemd. Hij greep haar bij de schouders. 'Ik ben erg veel om je gaan geven,' zei hij. Hij zocht naar een teken van Tori of Victoria, omdat dit anders erg raar was. 'En ik kan je niet zomaar naar Five Points laten gaan. Dat is veel te gevaarlijk.'

Daar! Mousers ogen werden weer Tori's ogen, maar slechts heel even. Toen was ze weer Mouser en Mouser was boos.

'Luister, Harrison, vriend. Ik gokte al in Five Points lang voor jij opdook. Dus blijf bij me uit de buurt. Begrepen?' Mouser schudde zich los.

'Wacht! Je hebt gelijk,' gaf Harrison toe, maar hij meende

niet wat hij zei. 'Laat me gewoon meegaan. Goed? Laat me zien waar je heen gaat, zodat ik weet waar ik je kan vinden.'

'Denk je echt dat je dat wilt, Harrison, vriend? Elke keer als jij daarheen gaat, word je in je gezicht geslagen.'

Dat was maar al te waar.

'Hoe zal ik het zeggen?' zei Harrison. 'Als je echt om iemand geeft, zou je dan niet het risico nemen om in je gezicht geslagen te worden, gewoon om bij haar te zijn?'

Harrison zocht naar Tori, maar hij zag alleen Mouser.

'Jij bent een vreemde vogel, Harrison, vriend. Maar ik mag je wel.'

De smid keek nauwelijks naar hen toen ze naar buiten liepen. Als Tori gekleed was geweest als Victoria in plaats van als Mouser, dan had hij haar ongetwijfeld zijn volle aandacht gegeven.

'Hierheen,' zei Mouser. 'Ik weet een kortere weg.'

Tori. Het is Tori, niet Mouser, bleef Harrison zichzelf herinneren. Hij vroeg zich af of er in heel New York wel een jongen was die net zoveel moeite had om de identiteit van zijn meisje te onthouden.

Zijn meisje. Hij dacht dus aan Tori als zijn meisje! Victoria Jarves nog wel. Wie zou dat gedacht hebben?

Ze liepen een steegje door en doken op op de drukke Broadway. Paardentrams, rijtuigen van allerlei afmetingen en wagens domineerden het midden van de straat. Sommige van de wagens hadden huiven van linnen met reclame op de zijkanten.

IJs uit Rockland Lake
De grootste boef van de wereld

Harrison vroeg zich af wie er met die boef bedoeld werd. Maar ja, dat was immers precies wat de ondernemer wilde dat hij zich afvroeg?

Omdat Tori kleiner was en als een jongen tussen het verkeer door schoot, vond Harrison het moeilijk om bij haar te blijven. Opeens bleef Tori staan. Harrison botste tegen haar op – en tegen een vrouw met een muts op. Hij bood zijn verontschuldigingen aan. Ze haalde vol afkeer haar neus op.

'Vaders mannen,' zei Tori onheilspellend.

Er stonden twee mannen op de hoek van de straat die de eb en vloed van het verkeer op Broadway in zich opnamen en speciaal letten op voetgangers. Ze droegen arbeiderskleren: de langste een gestreepte broek en een wijd shirt; de ander een vest en een krantenjongenspet. Zelfs van een afstandje zagen ze er onplezierig uit. Dat kwam waarschijnlijk omdat ze voor Jarves werkten.

'Blijf dicht bij me,' fluisterde Tori. 'Ik heb meer ervaring dan jij.'

Precies wat een jongen wil horen van zijn meisje als ze zich verstoppen voor straatgeboefte. Maar ze had gelijk. En Harrison deed zijn best om haar schaduw te worden.

Ze moesten Broadway oversteken en zonder gezien te worden een steegje induiken. Harrison nam in stilte een vast besluit. Hij zou Tori tegen elke prijs in Five Points krijgen. Hoe gek het ook klonk, het was haar beste kans om uit de greep van haar vader te blijven.

Tori stapte de straat op. Ze hield zich laag en bleef naast een wagen lopen die beladen was met groenten die bestemd waren voor de markt. Een gesloten rijtuig kwam op het midden van de straat van achteren aanrijden in een hoger tempo, dus liet Tori soepel de wagen los en ze haakte aan bij het rijtuig, dat ze tussen haar en de mannen op de hoek hield die duidelijk naar iemand op zoek waren.

Harrison struikelde. Zijn hand greep naar de zijkant van

het rijtuig om zichzelf overeind te houden. Er werd in het rijtuig gevloekt.

Tori keek hem waarschuwend aan. Haar ogen zeiden: *Doe niets om de aandacht op jezelf te vestigen!* Met zijn ogen seinde Harrison: *Het spijt me. Het was niet expres.*

Ze liepen een tijdje onder bescherming van het rijtuig verder.

'Houd je klaar,' zei Tori. 'Dit wordt lastig.'

Ze deed haar volgende zet in het wilde weg. Het was een wagen met een dak van linnen, net zo een als degene die ijs had bezorgd, alleen stond er op deze niets geschreven. De wagen ging in de tegengestelde richting van het rijtuig. Toen hij passeerde, draaide Tori zich handig om en ging even snel als de wagen lopen.

Minder handig kwam Harrison achter haar aan.

Ze slopen naar de achterkant van de wagen en bleven er dichtbij.

'Er komt een steegje aan,' zei Tori. 'Zonder ons te haasten stappen we achter de wagen vandaan en gaan we recht op het steegje af. Ben je klaar?'

'Ik kom direct achter je aan.'

Het steegje kwam dichterbij. Tori stak haar handen in haar zakken, trok de pet dieper over haar ogen en liep naar het steegje alsof ze in de hele wereld niets had om zich druk over te maken.

Harrison deed precies wat zij deed, alleen droeg hij geen pet. De handen in de zakken. Geen zorgen. Hij probeerde net zo gemakkelijk voort te gaan als zij. Maar zijn knikkende knieën maakten het hem bij elke stap moeilijk.

Met een zachte stem vroeg hij: 'Hoe weet je dat ze jou zoeken? Misschien zijn ze hier wel om een andere reden.'

Nog drie meter naar het steegje.

'DAAR, JAKE! KIJK DAAR!'

Eén tel keek Harrison Jarves' mannen recht in de ogen.

Zelfs van een afstand las hij wat ze van plan waren. Ze keken dreigend met iets van opwinding, als honden die een konijn ontdekt hebben.

De twee mannen doken achter hem aan.

'Zo weet ik dat!' zei Tori. Ze rende.

Harrison bleef even staan om een laatste blik op de achtervolgende mannen te werpen, maar hij wilde dat hij dat niet gedaan had. Hoe dichter ze bij hen kwamen, hoe lelijker en valser ze leken. En ze waren snel.

Harrison rende het steegje in. Mouser was al aan het eind en ging de hoek om. Zijn hoofd kwam terug. 'Gebruik die lange benen van je, Harrison, vriend,' zei hij en verdween weer.

Met zwaaiende armen en malende benen herinnerde Harrison zich hoe hij bij het honkballen naar het eerste honk rende. Hij was er nooit goed in geweest om zo hard te lopen dat hij sneller was dan de terugworp. Als hij de bal niet voorbij het binnenveld kon slaan, dan was hij uit. Hoe hard zijn teamgenoten hem ook aanmoedigden, ze konden daar niets aan veranderen. Alleen had het dit keer veel grotere gevolgen als hij uitgeworpen werd.

Hij rende de hoek van het steegje om en keek achterom. Jarves' jakhalzen kwamen dichterbij.

Hij rende achter een rij winkels langs, ontweek allerlei vuilnis en afval en ving een glimp op van Mouser die een ander steegje indook. Harrison gleed uit over een stuk verrotte groente en viel bijna.

Een van hun achtervolgers, de lange met de gestreepte broek, had minder geluk. Hij viel. Hard. Hij gleed tegen een rij afgedankte planken. Die met het vest riep naar hem dat hij overeind moest komen, maar hij hield niet in om hem te helpen.

'Hierheen, Harrison, vriend,' drong Mouser aan.

Hij... *zij* was al halverwege het steegje en hield een deur open. Harrison rende erdoorheen.

Mouser kwam achter hem aan. Als iemand Harrison had verteld dat Victoria Jarves op dat moment in haar salon zat met een stel vriendinnen, dan had hij dat geloofd.

Ze bevonden zich in een soort kledingpakhuis. Het was er donker. Het enige licht schemerde door vieze ruimten, ruim drie meter boven hen. Met een zwemmende beweging met zijn armen zocht Mouser zijn weg door rijen van jassen die aan rekken hingen. Harrison volgde zijn voorbeeld.

Achter hen ging de deur open en sloeg weer dicht. Ze hoorden voetstappen.

Harrison greep de achterkant van Mousers shirt om de jongen te laten stoppen. 'Laten we ons hieronder verstoppen,' fluisterde Harrison. 'Dan rennen ze ons zo voorbij.'

Het was een goede verstopplek, dacht Harrison. Hun achtervolgers wisten niet in welke rij ze zaten en zouden niet weten dat ze gestopt waren. Het was donker onder de rekken.

'Nee,' zei Mouser. 'We moeten naar Five Points. We kunnen het halen, Harrison, vriend. Gewoon je benen in beweging houden.' Hij trok zich los uit Harrisons greep.

'We kunnen wachten tot ze weg zijn,' hield Harrison vol. 'Kom op, het is veilig.'

Mouser rende alweer. 'Verstop je maar, als je dat wilt, Harrison, vriend.' Er was teleurstelling zichtbaar in zijn ogen.

Harrison zette zijn benen weer in beweging en volgde. *Als Tori zich niet veilig voelt tot ze in Five Points is, moeten we haar in Five Points zien te krijgen*, zei hij tegen zichzelf. En hij meende het. Hij zou geen van die mannen een hand naar haar laten uitsteken.

Er doemde een rij ramen voor hen op. Er verscheen een deur. Mouser was in een oogwenk de deur uit. Harrison zat hem dicht op de hielen.

Ze doken op in een ander steegje.

'Hierheen.'

Mouser leek te weten waar hij was. Harrison wist het niet

zo zeker. Met al die in- en uitgangen, hoeken en bochten was hij gedesoriënteerd geraakt. Hij draaide zich om om te volgen, maar ze liepen een doodlopend steegje in. Aan het eind was een hek dat hoger was dan Harrison lang was.

Zelfs als kind had hij al moeite gehad om over hekken te klauteren. Zijn armen waren te dun om zich er ruggelings overheen te werpen. Altijd moest iemand hem een zetje geven. Maar Mouser rende op het hek af alsof hij er met één sprong overheen kon.

Toen hij bij het hek kwam, gleed Mouser op zijn knieën. Zijn vingers deden iets met een plank. Hij wist precies welke hij hebben moest. De plank zwaaide opzij met een spijker aan de bovenkant als scharnier. Hij gleed door de opening.

Harrison ving de plank op voor hij terugzwaaide.

'Ik kan daar niet doorheen!' schreeuwde hij.

'Je hebt niet veel keus, Harrison, vriend!'

Hij lag op zijn knieën en richtte zijn hoofd naar de opening toen de fabrieksdeur achter hem opensloeg.

Krantenjongenspet stapte het steegje in. Hij keek eerst de kant van de straat op. Toen hij niets zag, keek hij de andere kant op en zag Harrison.

Harrison gleed het gat in het hek in. Hij kwam niet ver. De bovenkant van zijn schouders bracht hem abrupt en pijnlijk tot stilstand. Hij worstelde om ze zo te draaien dat ze door de opening konden en slaagde erin ze erdoorheen te steken. Hij was halverwege toen hij weer weerstand voelde. Zijn heupen.

'Geef me je handen.' Mouser greep ze en probeerde hem erdoorheen te trekken.

Juist toen voelde Harrison dat iemand zijn voeten beetpakte. Door het gat in het hek zag Harrison een krantenjongenspet. Daaronder was een grijns.

'Ik heb je,' zei de man.

Harrisons heupen zaten in het hek. Er werd een touwtrekwedstrijd gehouden en Harrison was het touw.

'Tori, rennen!' schreeuwde hij. 'Je haalt het wel. Ik houd deze hier bezig.'

Mouser keek naar hem. Naar het hek. Toen draaide hij zich om en rende weg. Hij keek niet meer om. Binnen een paar tellen verdween hij om de hoek van een bakstenen gebouw.

Harrison richtte zijn aandacht op zijn hachelijke positie. Hij schopte zijn achtervolger met het idee dat hij nog steeds de veilige kant van het hek kon bereiken. Hij raakte de man met één schop op zijn kaak, zodat hij achteruit deinsde. Harrison worstelde voor alles wat hij waard was. Hij moest erdoor voor...

'Wacht, wacht, wacht!' riep Harrison.

De man herstelde zich snel. Nu had hij een mes in zijn handen.

Harrison kon zich niet verdedigen en hij had geen andere keus dan zich over te geven en te hopen dat het geen man was die hem de schop tegen zijn kaak zwaar zou aanrekenen.

'Ik kom terug!' gilde Harrison, hopend dat de man zijn waarschuwing niet zou opvatten als een nieuwe poging om vrij te komen.

Hij worstelde tot hij zijn heupen vrij kreeg. Centimeter voor centimeter werkte hij zich terug. Terwijl hij door het vuil glibberde, ving hij af en toe een glimp op van het mes. Het leek er voor het moment tevreden mee te zijn om boven hem te zweven. Blijkbaar wilden ze hem vangen, niet doden. Ze zouden de eer aan Jarves laten. Harrison hief zijn armen op om zijn doorgang te voltooien. Hij had geworsteld tot het hek aan zijn kin gekomen was toen hij wat hoorde.

Pats!

Boem.

Onzichtbare handen grepen zijn enkels en trokken. Toen Harrisons hoofd door het hek heen was, zag hij wie hem vasthield.

Mouser. Krantenjongenspet lag in het stof, bewusteloos. Op de grond naast hem lag een flink stuk hout.

'Kom op, Harrison, vriend. We kunnen beter maken dat we wegkomen, voor die andere vent ons inhaalt.'

Maar ze waren te laat. Toen Harrison overeind strompelde, verscheen de lange met de gestreepte broek aan de ingang van het steegje. Hij blokkeerde hun de uitweg.

Harrison gromde. *Niet weer het hek.*

'Het pakhuis,' zei Mouser snel.

'Hij rent gewoon naar de andere kant,' wierp Harrison tegen.

Mouser reageerde door zijn hand te grijpen en hem naar een trap te trekken. 'Hierheen!'

Het gestamp van hun voeten echode door het holle gebouw. Toen ze boven aan de trap waren, liepen ze langs een verlaten werkterrein dat eruitzag alsof het ooit gebruikt was voor kantoren, naar de andere kant van het gebouw.

Mouser deed een raam open.

'Eh, nee, nee, Tori. Ik kan daar niet door naar buiten. Ik heb een beetje een probleem met hoogte.'

'Wil je dan weer terug naar beneden naar die vent met het mes?'

Mouser wachtte niet op antwoord. Voor Harrison het wist, stond Mouser zonder angst op een richel voor het raam met zijn gezicht naar het gebouw. Hij kon niet meer van de jongen zien dan wat er onder zijn knieën zat. Toen, alsof hij vloog, gingen zijn voeten omhoog, de lucht in en hij verdween.

Harrison stak zijn hoofd uit het raam en keek omhoog. Vanaf het dak keek Mouser op hem neer.

'Je kunt die richel hier beetpakken,' zei hij. 'Dan trek je jezelf op. Eitje.'

Harrison keek naar beneden. De steeg leek wel een kilometer of twee ver. Gestreepte Broek rende er vanaf de straat in. Hij keek om zich heen en toen naar boven. Toen hij hen zag, rende hij naar de deur. Op hetzelfde ogenblik hoorde Harrison de deur aan de andere kant open- en dichtgaan. Krantenjongenspet was weer overeind gekomen.

Kreunend werkte Harrison zich het raam uit. Hij zorgde dat hij in een zittende houding kwam. Als hij wat water en een doek gehad had, dan had hij het raam schoon kunnen maken.

Er waren stemmen beneden. 'Ze klimmen het dak op!'

Er dreunden voetstappen op de trap.

'Kom op, Harrison, vriend! Mijn grootmoeder kon dit ook!'

Harrison manoeuvreerde zijn voeten in positie en richtte zich helemaal op op zijn zwakke knieën.

'Hier beetpakken.' Mouser leidde zijn hand naar de plek. 'Goed. Nu jezelf optrekken en je been over de rand zwaaien.'

Niet naar beneden kijken, zei Harrison tegen zichzelf. Maar hij keek wel naar beneden en hij kon zich gemakkelijk voorstellen hoe zijn lichaam op de grond uiteenspatte. *Ik zei dat je niet naar beneden moest kijken*, berispte hij zichzelf. *Luister je dan nooit?*

Hij haalde diep adem, trok zichzelf uit alle macht op en zwaaide zijn been omhoog. Zijn voet raakte de richel en stuiterde terug. Het onverwachte gewicht maakte het moeilijk om vast te blijven houden. Hij gromde en probeerde het opnieuw. Dit keer kwam zijn voet over de richel heen. Hij trok zichzelf verder op. Mouser greep hem bij zijn shirt en hielp hem het dak op.

'Dat ging niet best,' zei Harrison. 'Helemaal niet best.' Hij stond op trillende benen.

Er kwam een hoofd het raam uit steken. 'Ik zie ze, Jake!'

'Hoe gaan we verder?' Harrison keek om zich heen en zocht een deur of een buitentrap.

'Daar,' zei Mouser en wees.

Hij wees naar een trap, maar die zat aan een gebouw aan de andere kant van het steegje.

'Je maakt toch zeker een grapje!' riep Harrison. 'Ja toch? Zeg me dat je een grapje maakt.'

Maar Mouser had zich al omgedraaid om erheen te rennen. En voor Harrison het wist zeilde het meisje waar hij verliefd op aan het worden was, verkleed als een jongen, door de lucht over het steegje. Ze landde met een plof boven aan de trap, waar de zijkant van het gebouw haar vaart stuitte.

'Ik kan niet geloven dat ze dat gedaan heeft,' zei Harrison meer tegen zichzelf dan tegen iemand anders.

'Kom op, Harrison, vriend. Het is niet zover. Ik heb het al tientallen keren gedaan.'

'Op geen enkele manier krijg je me zover dat ik over dat steegje heen spring.'

Er verschenen vingers op de rand van het dak. Toen een voet. Gestreepte Broek trok zichzelf op.

Harrison staarde naar boven. 'God, help mij.'

'Geef jezelf meer dan genoeg afstand voor een aanloop,' schreeuwde Mouser. 'Wat je ook doet, aarzel niet. Richt je helemaal op het springen en spring!'

Harrison liep achteruit. Hij maakte oogcontact met Gestreepte Broek, die nu een arm over de richel had en op het punt stond zichzelf het laatste zetje te geven. Met één arm en één been eroverheen wachtte hij net lang genoeg om Harrison aan te kijken en te zeggen: 'Dat haal je nooit.'

Harrison keek naar de overkant van het steegje. Mouser was opzijgegaan om hem genoeg ruimte te geven om te landen.

Het was nu of nooit. Gestreepte Broek was bijna over de rand heen. Als Harrison wachtte tot hij overeind kwam, zou de kerel hem misschien wel aanvliegen of iets anders stoms doen.

Harrison Quincy Shaw, de jongen die bang was om aan

een touw te zwaaien en in de rivier te plonzen rende met alles wat hij had naar de richel. Op het ogenblik dat zijn voeten het gebouw loslieten, wist hij dat hij een vergissing maakte.

Het was vreemd wat hij dacht toen hij in de lucht hing als een vogel zonder vleugels. Hij wilde dat Isaäc en Murry er waren om hem te zien, om te zien hoever een meisje hem kon krijgen terwijl zij tevergeefs gepleit hadden om hem één keer aan het touw te laten zwaaien en zeiden dat hij het heerlijk zou vinden. Hij herinnerde zich een van George Bowens uitdrukkingen, maar een beetje verdraaid: *Er zijn momenten dat alles goed gaat...* Dit was niet een van die momenten.

Het gebouw kwam op hem toe razen. Te snel. In zijn angst dat hij te kort zou komen had hij nooit nagedacht over de gevolgen van te ver springen.

Hij raakte de zijkant van het gebouw ruim een meter boven de trap en viel als een verkreukelde zak aardappels naar beneden.

Mouser was ogenblikkelijk naast hem. Alleen was het Tori in Mousers kleren. 'Harrison, is alles goed met je?'

Hij keek naar haar op en door zijn benevelde ogen zag hij bezorgde vrouwenogen op hem neerkijken. Als er iets was wat zijn hart weer op gang kon krijgen, dan was dit het wel.

Ze raakte zijn wang aan. 'Zeg iets.'

'Ik heb het gehaald.' Het was niets diepzinnigs, maar het klonk hem goed in de oren.

'Je hebt de afdrukken van de bakstenen op de zijkant van je gezicht staan,' zei Tori en ze voelde er met haar vinger langs.

Harrison kon maar één ding bedenken dat hem gelukkiger kon maken dan hier te liggen met Tori over zich heen gebogen, en dat was weten dat ze veilig was. 'Laten we jou naar Five Points zien te krijgen.'

Ze hielp hem de trap af.

Het kostte Harrison ruim vijf minuten om weer bij zijn positieven te komen, maar hij kon wel lopen. Het laatste wat ze van Gestreepte Broek gezien hadden was toen hij boven op het dak naar hen schold. Krantenjongenspet was nog in het gebouw met zijn hoofd uit het raam gestoken. Hij voegde zijn stem erbij, zodat het een duet van vloeken werd.

Ze naderden Five Points via Canal Street.

'Ik had nooit gedacht dat ik zo blij zou zijn om deze plek te zien,' zei Harrison.

Ze kuierden nu. Harrison was zich er volledig van bewust dat de persoon die naast hem liep geen jongen was, al zag ze er nog wel zo uit. Telkens als ze naar hem overleunde en zijn gezicht aanraakte, was het anders. Alsof er een betovering gebroken was. Het deed er nu niet meer toe hoe erg ze eruitzag en dat ze deed als Mouser, Harrison zag Tori.

'Ik vind het nog steeds niet leuk om je hier achter te laten,' zei hij.

'Ik heb al over deze straten gezwalkt, lang voor jij opdook, Harrison, vriend,' protesteerde Mouser.

Ze stonden aan de rand van Five Points en keken ernaar.

'Wil je me voor we er in gaan en jij me laat zien waar je heen gaat, een gunst bewijzen?'

'Ik denk eerder dat jij mij een gunst schuldig bent omdat ik je hachje gered heb, Harrison, vriend.'

'Ja. Je had het zonder mij veel gemakkelijker tot hier gehaald,' zei Harrison.

'Dat klopt. Wat is de gunst?'

'Ik weet dat je gekleed bent als Mouser en zo. Maar kun je, gewoon voor een minuut of twee, Tori zijn? Dat zou echt heel veel voor mij betekenen.'

Mouser keek hem wantrouwend aan. 'Waarom, Harrison, vriend? Ben je soms verliefd op haar of zo?'

Harrison wilde Mouser antwoorden. Toen realiseerde hij zich dat het Tori was die de vraag stelde.

'Ik denk niet dat het gepast is om daarover met Mouser te praten. Een heer praat niet achter haar rug over een dame over iets waarover hij niet eerst met haar gesproken heeft.'

Mouser glimlachte. Alleen was het Tori's glimlach. En het waren Tori's ogen.

'Goed, Harrison,' zei Tori. 'Hier ben ik. Is er iets wat je mij wilt zeggen?'

Juist toen doken Gestreepte Broek en Krantenjongenspet op uit het niets. Gestreepte Broek sloeg zijn armen om Tori heen en hief haar op van de grond. Krantenjongenspet lichtte Harrison beentje en gooide hem op de grond.

Tori gilde.

Er was veel verkeer op straat. Vooral voetgangers. Toen ze het gegil hoorden, keken ze en richtten hun ogen toen weer op hun eigen zaken en gingen op een zakelijke manier voorbij.

Krantenjongenspet zat boven op Harrison en probeerde hem vast te houden op de grond. Harrison worstelde, maar de armen van Krantenjongenspet waren twee keer zo dik als die van hem en hij was het gevecht aan het verliezen. Met Tori's benen van de grond kostte het Gestreepte Broek maar weinig moeite om haar in bedwang te houden, zelfs al ranselde en vocht ze als een bezetene.

Ze waren er zo dichtbij, dacht Harrison. Five Points was in zicht. Hij had toch beloofd dat hij haar daar zou brengen? Tegen elke prijs? Hij hernieuwde het gevecht met een kracht waarvan hij nooit geweten had dat hij die bezat. Zelfs Krantenjongenspet was verbaasd.

Dat was het moment dat Krantenjongenspet het mes voor de dag haalde en het onder Harrisons kin hield.

Tori gilde en smeekte hem Harrison geen kwaad te doen.

Harrison seinde dat hij zich overgaf.

'Slimme jongen,' zei Krantenjongenspet. Hij begon van Harrison af te klimmen, maar hij hield het mes klaar voor het geval Harrison op een idee mocht komen.

Harrison rolde zich om op armen en voeten om overeind te komen. Hij wachtte even om adem te halen. Toen wierp hij zich op Gestreepte Broek en kegelde de man omver. Hij verloor zijn grip op Tori. Ze viel, maar als een kat stond ze direct op haar voeten.

'Rennen!' riep Harrison.

Ze aarzelde een moment, draaide zich toen om en rende weg. Een ogenblik later was ze verdwenen, verzwolgen door de straten van Five Points.

Gestreepte Broek wilde achter haar aan gaan.

'Laat die jongen maar lopen,' zei Krantenjongenspet. 'We hebben waar we voor gekomen zijn.'

27

Een paar onnodige stompen in zijn maag overtuigden Harrison ervan dat hij maar het beste zonder tegenstribbelen met Gestreepte Broek en Krantenjongenspet mee kon gaan.

Het was geen verrassing dat hun bestemming het huis van Jarves was.

Nu werd Harrison omringd door bekende muren. Hij zat alleen in de salon, het toneel van vele zweepslagen op de arm voor het morsen van thee en, natuurlijk, van de warme stoel. Hij had ervoor gekozen om niet weer in die ene stoel te gaan zitten.

De deur werd bewaakt door een huisknecht. Niet door Charles. Deze man had al de warmte van een kadaver. Sterker nog, hij zag eruit als een kadaver. Zo mager als een skelet. Ingevallen wangen. Een blauwe, grauwe tint in zijn huid. Zelfs zijn gezichtsuitdrukkingen waren als van een kadaver; hij toonde geen emotie. Hij sprak monotoon.

Harrison nam de situatie in zich op en kwam tot de conclusie dat hij zonder veel moeite langs zijn bewaker zou kunnen komen.

'Ik zou het niet proberen, meneer,' zei de huisknecht, alsof hij Harrisons gedachten had gelezen. 'De jongens staan buiten voor de deur. U zou niet ver komen.'

Harrison waardeerde de waarschuwing. Hij zou de achterdeur nemen.

'De achterkant is evenzeer bewaakt, meneer,' zei de huisknecht.

Hoe deed hij dat? Hij leek precies te weten wat Harrison dacht. Harrison besloot hem uit te proberen. Hij dacht: *Altijd is Kortjakje ziek...*

Hij wachtte af, er half van uitgaand dat de huisknecht eraan toe zou voegen: *Midden in de week maar 's zondags niet.*

In plaats daarvan schreed J.K. Jarves de salon binnen. Een grijnzende Whitney Stuart III zat hem dicht op de hielen.

'Waar is mijn dochter?' blafte Jarves.

Harrison stond op. Hij stond op het punt om te zeggen dat Gestreepte Broek haar in zijn greep had gehad, maar haar had laten ontsnappen, toen hij bedacht dat dat zou verraden waar ze was.

'Ik weet het niet.' Hij kon het overtuigend zeggen, want het was de waarheid.

Jarves bestudeerde hem met een lange, koude blik. Whitney stond achter hem te grijnzen en op zijn hielen te wiebelen. Hij speelde ostentatief met zijn ring, die met de barnsteen. Hij genoot hiervan.

'Je vindt jezelf zeker wel erg slim, hè?' snauwde Jarves. 'Dat je tactieken die ik je geleerd heb tegen mij gebruikt.'

'Ik weet niet waar u het over hebt,' zei Harrison.

'Je hebt alleen maar je eigen doodvonnis getekend.'

Harrison voelde zich alsof hij klaar werd gemaakt voor een glazen bol. En hij wist nog steeds niet waar Jarves het over had.

'Ik tref jou via Bowen,' zei Jarves, 'en jij slaat terug via Victoria. Een vergissing, meneer Shaw. Een dodelijke vergissing.'

Waar had hij het over?

'Maar ik moet je toch iets toegeven,' ging Jarves verder. 'Je verbaast me. Ik had niet gedacht dat je het in je had. Je hebt de situatie in mijn huis in je opgenomen. Je hebt gezien dat ik laks was in mijn discipline over Victoria en daar heb je misbruik van gemaakt. Je hebt haar ingepalmd. Je hebt haar hoofd gevuld met mystieke nonsens. Haar gehersenspoeld. Haar in haar vrouwelijke zwakheid tot je prooi gemaakt en haar tegen mij opgezet.'

'Dat heb ik helemaal niet gedaan.'

'Ik geef mezelf de schuld,' zei Jarves. 'Het was dezelfde tactiek die je hier de eerste dag gebruikte, met de munttruc. Wel een beperkte verbeelding als je twee keer dezelfde tactiek gebruikt.'

Harrison begon het te begrijpen. 'Uw dochter heeft een bekeringservaring gehad. Als ik daar iets mee te maken had, zou ik dat eerlijk vertellen. Ik schaam me nergens voor. Maar ik heb nooit geprobeerd haar tegen u op te zetten.'

'Heb je je zin gekregen met haar? Hoort dat bij het plan? Dat je een hoer van haar gemaakt hebt?'

Jarves blies stoom af. Zijn masker van beschaafdheid begon van hem af te glijden. Harrison had dat eerder gezien.

'Ik heb uw dochter niet aangeraakt,' verklaarde Harrison.

'Als je denkt dat je hier ongedeerd mee kunt wegkomen...' Jarves' hals was bloedrood. 'Als je denkt dat je mijn dochter van mij kunt afpakken...' Hij vloog met bloeddorstige ogen op Harrison aan.

Whitney stopte met grijnzen en hield hem tegen.

Harrison deed een paar stappen achteruit.

'Ik vermoord je,' siste Jarves. 'Ik vermoord je. Ik vermoord je. Maar eerst zal ik je te gronde richten.' Jarves had zich weer een beetje onder controle, maar zijn woorden kwamen nog voort uit een zee van woede. 'Ik ga je spietsen, meneer Shaw. Ik werp je tegen de doorn van de publieke opinie.'

De methode van de klauwier met de uitpuilende ogen.

'Ik zal mijn dochter terugkrijgen,' stelde Jarves. 'Dat zul je zien. Jouw fatale vergissing is dat je haar onderschat. Ze is een verstandige vrouw. Als haar de waarheid verteld wordt, dan zal ze weer bij zinnen komen. Het zwakke punt in jouw plan is, dat dezelfde geest die jij gehersenspoeld hebt om haar te laten verdwalen, haar ook weer thuis zal brengen.'

'Praat u maar met haar,' drong Harrison aan. 'Dan zal ze u vertellen dat het haar eigen beslissing was.'

Jarves luisterde niet. Deze ontmoeting was nooit bedoeld om ideeën uit te wisselen.

'En dan, als ik je vernederd en te gronde gericht heb, dan zal ik je vermoorden. En het zal niemand wat kunnen schelen.'

Harrison nam de bedreiging niet licht op. Deze man zou hem zonder scrupules vermoorden.

'Maurice!' schreeuwde Jarves.

Het kadaver deed een stap naar voren.

'Zeg de jongens dat ze Harrison terugbrengen naar waar ze hem gevonden hebben. En zeg ze dat ze hem een paar aandenkens aan dit bezoek moeten geven.'

Jarves schreed de salon uit, net zoals hij binnengekomen was, met Whitney Stuart III direct achter zich aan.

Het meest verontrustende aan deze ontmoeting was dat het sowieso plaatsvond. Dat Jarves tevoorschijn kwam en zijn bedoelingen aankondigde, betekende dat hij zijn manier van werken losliet. Normaal gesproken zou hij zich verschuilen en onverwacht toeslaan. Anders dan Eli Hodge, die Jarves geruïneerd had, dacht Harrison niet dat hij de man zou bedanken omdat hij een echte vriend was, nadat hij het slechtste met hem gedaan had.

Gestreepte Broek en Krantenjongenspet kwamen terug om hem thuis te brengen.

'Het is wel goed, jongens,' zei Harrison. 'Ik kan zelf de weg naar huis wel vinden.'

'Nee, daar willen we niet van horen,' meesmuilde Krantenjongenspet. 'We vinden dat we je wel wat verplicht zijn.'

Gestreepte Broek vond dat grappig.

Ze brachten Harrison naar buiten via de achterdeur.

'Dit keer gaan we rijden,' zei Krantenjongenspet.

Er stond een wagen op hen te wachten.

'Maar jij rijdt achterin.'

Opeens waren de lichten uit. Harrison werd van achteren geraakt en was zich er vaag van bewust dat hij achter in de wagen geladen werd.

'Harrison, vriend! Kom op! Wakker worden!'

Hij zwom omhoog en brak door de oppervlakte van het bewustzijn. Langzaam werd het beeld van de vervallen gebouwen in Five Points scherper.

Het volgende wat Harrison zag, was Mouser. Ondanks de pijn wilde hij haar kussen.

'Laat me je overeind helpen,' zei Mouser.

Harrison voelde dat zijn schouders opgetild werden.

'Je moet wel een beetje meewerken, Harrison, vriend. Ik kan je niet in mijn eentje optillen.'

Ze waren midden op straat. Harrison strompelde overeind, maar hij kon niet ver komen. Mouser ondersteunde hem en zo sleepte hij zich naar een trap, waar hij op de onderste trede in elkaar zakte.

'Dit begint een gewoonte te worden van jou en mij, Harrison, vriend.'

'Ik moet met je praten, Tori,' kreunde Harrison.

Mouser keek om zich heen. Ze schudde haar hoofd. 'Het is niet veilig voor Tori om nu te komen.'

'Alsjeblieft, het is belangrijk. Misschien kunnen we fluisteren.'

Mouser keek weer om zich heen. Ze leunde dicht naar Harrison toe. 'Waar ben je geweest? Ik ben vreselijk bezorgd om je geweest!'

Het was Tori's stem. Het waren Tori's ogen.

Harrison was zo blij dat hij haar zag, dat hij bijna huilde. 'Ik heb een onverwacht bezoek aan je vader gebracht. Daar stond hij op.'

'Hij is boos, hè?'

Harrison lachte om het understatement, maar slechts een tel. Het deed te zeer.

'Hij zoekt je,' zei Harrison. 'Hij is vastbesloten om je terug te krijgen. Hij denkt dat dit allemaal mijn werk is om hem terug te pakken voor George Bowen.'

Tori knikte. 'Dat zou hij denken.'

'Hij wilde dat ik wist dat hij me zal krijgen. Dat hij me te gronde zal richten. Me zal vernederen. En dat hij me dan zal vermoorden.'

'O, Harrison!' Een hand raakte zijn wang aan. Het was Mousers smerige gezicht, maar het was Tori's hand, dus vond Harrison het niet erg.

'Misschien moet ik teruggaan,' zei ze. 'Zolang ik bij jou ben, zal hij achter me aan zitten... en achter jou.'

'Teruggaan en dan? Je geloof opgeven? Bovendien, als jij terug zou gaan, dan zou ik je nooit...' Zijn stem begaf het.

'Vertel op,' eiste ze.

Hij keek haar aan. Recht in de ogen. 'Dan zou ik je nooit meer kunnen zien. Dat zou ik niet kunnen verdragen.'

Er kwam een traan in Mousers ogen.

Harrison keek weg. 'Dit is verwarrend. Het zou gemakkelijker zijn als je niet als jongen verkleed was.'

Mouser glimlachte, leunde voorover en kuste Harrison zachtjes.

Dat was echt vreemd. Zijn eerste kus van Victoria Jarves en het voelde alsof hij een jongen kuste.

'Ben je bang?' vroeg ze.

Harrison haalde zijn schouders op. 'Ik weet het niet. Ik heb geprobeerd te bedenken wat ik zou doen als ik jouw vader was. Maar wat kan hij nog aanvallen? Ik heb geen geld. Ik heb geen zaak. Hij heeft mijn carrière als advocaat al kapotgemaakt. Ik woon in de kelder van een kerk. Sinds het tehuis gesloten is, draait mijn hele leven eigenlijk om de...'

Harrison schoot overeind. 'Je denkt toch niet dat hij...'

'Ik zou maar niets uitsluiten als het om mijn vader gaat,' zei Tori.

28

Het proces van J.K. Jarves tegen de oude North Dutch Church kwam met grote koppen in de krant.

NEW YORKSE ADVOCAAT DAAGT KERK VOOR RECHTER OM ROOF VAN ZIJN DOCHTERS GEEST

De bekende advocaat J.K. Jarves heeft vandaag een proces aangespannen tegen de oude North Dutch Church om het stelen van de geest van zijn dochter en enig kind. 'Gedurende twee decennia heb ik mijn dochter opgevoed om een mooie, respectabele vrouw te zijn, een voorbeeld voor alle vrouwen in New York. Het kostte die kerk maar een paar weken om haar te veranderen in een gehersenspoelde bijgelovige die met geesten praat. En iemand moet hen stoppen voor ze meer beïnvloedbare meisjes ruïneren.'
Op dit punt stortte de normaal onverstoorbare Jarves in. 'Ik wil gewoon mijn dochter terug.'
De oude North Dutch Church geeft geen commentaar. Ze zijn op dit moment op zoek naar een advocaat die hen wil verdedigen.
Het begin van het proces staat gepland voor dinsdag. Rechter Edwin Walsh zal het leiden.

'Ga je het doen?' vroeg Tori.

Ze was gekleed als een vrouw en Harrison kon niet dankbaarder zijn. En hij kon zijn ogen niet van haar afhouden. Ze was een zachtere, vriendelijkere versie van de Victoria Jarves die hem in het herenhuis intimideerde.

Ze liepen zij aan zij op een lege kade. De East River stroomde doelbewust naar zee. De zon was warm. Een licht briesje droeg eraan bij dat het een volmaakte dag was.

'Ik heb niet veel keus,' zei Harrison. 'Elke advocaat die de kerk benaderd heeft, is door jouw vader afgeschrikt. Jouw vader wil dat ik de zaak doe.'

Hij wil mij 'op de doorn van de publieke opinie spietsen', als ik me zijn woorden goed herinner, dacht Harrison. 'En hij wil het proces gebruiken om te bewijzen dat het christendom geen waarde heeft.'

'Heeft hij je dat gezegd?'

Harrison knikte.

'Mijn vader kan een geweldenaar zijn. Ben je nu niet bang?'

Harrison zuchtte. 'Als ik een beetje verstand had, wel. Maar een deel van mij ziet ernaar uit om mijn bekwaamheden als advocaat uit te proberen. Het is misschien wel de enige kans die ik krijg.'

'En een ander deel van jou wil de held zijn die de oude North Dutch Church redt.'

Harrison wilde bezwaar maken. Hij deed het niet, want het was waar. Dus veranderde hij van onderwerp. 'Ben je gewend aan je nieuwe woonplaats?'

Tori glimlachte. 'Het is comfortabel. Ik heb mijn eigen kamer. Maar het is een oud huis. Je moet bedenken dat ik een herenhuis gewend ben.'

'Hé, je praat wel met een jongen die al maanden in een kelder woont. Van mij krijg je geen meeleven. Ik ben alleen maar blij dat je uit Five Points weg bent.' Wekenlang had Harrison zich zorgen gemaakt over Tori die zich daar ergens schuilhield. Maar toen Jarves het proces aangespannen had, leek het onwaarschijnlijk dat hij Victoria tegen haar wil naar huis zou halen. Zijn zaak was sterker als het leek of zij nog onder de invloed stond van hen die hij ervan beschuldigde dat ze haar geweld aandeden. Dus had Tori zich niet langer schuilgehouden.

'Patricia lijkt heel erg op Polly. Je ziet duidelijk dat het zussen zijn. En haar man is ook wel aardig. Heb ik je al verteld dat hij daguerreotypes maakt?'

'Echt? Denk je dat je hem kunt overhalen om er een van jou te maken?'

'En waarom wilt u een foto van mij hebben, meneer Shaw? Om naar mij te kunnen lonken zo vaak u wilt?'

Dat was precies waarom hij een foto van haar wilde. Maar als hij dat zou zeggen, dan leek het of het op de een of andere manier verkeerd was.

Maar Tori was niet beledigd. Ze plaagde. Ze haalde haar schouders op. 'Hij werkt in een studio aan Broadway.'

'Ik heb geen foto nodig,' zei Harrison. 'Ik heb genoeg aan de herinnering van vandaag.'

'Foei toch, meneer Shaw, dat soort gepraat zorgt ervoor dat een dame haar hoofd afwendt.'

Hun handen raakten elkaar, ze zochten elkaar en ze grepen elkaar vast. Hadden er zich geen stormwolken aan de horizon verzameld, dan was dit een volmaakte dag geweest.

Een week later gaf Tori Harrison een foto van zichzelf. Verkleed als Mouser. Ze was het niet van plan geweest, maar toen had ze haar idee aan Polly en Patricia verteld toen Polly op bezoek was en de zussen hadden het een heel grappig idee gevonden en hadden haar overgehaald het te doen.

J.K. Jarves had aangedrongen op een vroege procesdatum en hij had die gekregen. Daardoor had de onervaren advocaat van de verdediging weinig tijd om zich voor te bereiden. Harrison reageerde meteen met een verzoek om uitstel, zodat hij tijd zou hebben om zich voor te bereiden. Het was geen verrassing dat zijn verzoek werd afgewezen. Er bleef hem weinig anders over dan te woekeren met elke seconde van de dagen die hem nog restten. Hij at weinig, sliep nog minder en las zoveel dat zijn ogen brandden.

'Je redt het wel,' zei Tori toen ze de stoep van het gerechtsgebouw opliepen.

Ze liep vlak naast hem en dat betekende voor Harrison meer dan hij haar op dat moment kon zeggen. Als hij het zou proberen, zou hij waarschijnlijk in tranen uitbarsten. Hij was zo moe. Als hij een dag meer gehad had om zich voor te bereiden, dan zou hij die gebruikt hebben om te slapen.

Hij vroeg zich af of Tori echt dacht dat hij het wel zou redden. Ze kende haar vaders reputatie maar al te goed. Wat voor kans had Harrison eigenlijk?

'Ik zal voor je bidden,' zei ze tegen hem toen ze het gebouw binnenkwamen.

Er had zich een massa journalisten verzameld. Toen ze Harrison zagen, zwermden ze om hen heen. Hij glimlachte en wuifde ze weg. Hij wilde hun vragen niet beantwoorden. Maar dat weerhield hen er niet van om ze te blijven stellen.

'Hoe voelt het om een confrontatie aan te gaan met uw voormalige mentor, de bekendste advocaat van New York?'

'Elke jonge rechtenstudent zou een moord begaan om J.K. Jarves' stagiair te mogen zijn. Waarom hebt u zich teruggetrokken?'

'In wat voor betrekking staat u vandaag tot J.K. Jarves?'

'Hebt u de dochter van J.K. Jarves verleid?'

'Juffrouw Jarves, in wat voor betrekking staat u tot Harrison Shaw?'

Harrison en Tori haakten hun armen in elkaar en drukten zich door de journalistenstorm heen de rechtszaal in. De meeste rechtszalen waar Harrison in geweest was, waren verbazingwekkend klein. Dit was de grootste rechtszaal die hij ooit gezien had. Het zou hem niet verbaasd hebben als Jarves daarom gevraagd had. Welk podium was er beter om deze zaak uit te vechten voor de hele wereld?

Ze waren vroeg gekomen. De zaal was nog bijna leeg – hier iemand, daar een paar, mensen die een zitplaats wilden bij het proces dat veel interessante momenten beloofde. Harrison wilde aan de zaal wennen en zichzelf mentaal voorbereiden op zijn openingspleidooi.

Hij wendde zich tot Tori. Ze bereikten de afscheiding die de procespartijen scheidde van de toeschouwers. Ze kon hem niet verder vergezellen.

Zij sprak het eerst. 'Laat mij met mijn vader praten. Als ik hem aanbied om thuis te komen, zal hij de aanklacht misschien intrekken.'

Dit was de tweede keer dat zij dit aanbood. Wilde zij zichzelf opofferen voor een groter doel of was ze bang dat Harrison het proces niet kon winnen tegen haar vader? Maar aan de andere kant, wie hield hij voor de gek? Niemand verwachtte dat hij het proces zou winnen. Zelfs de gedaagde partij niet.

'Denk je echt dat je vader het nu zou opgeven?' zei hij. 'En ik zou je nooit meer mogen zien.'

Tori sloeg haar ogen neer. 'Je zou in elk geval een foto van mij hebben.'

Harrison grijnsde. Door de herinnering aan de foto van Mouser realiseerde hij zich hoe mooi ze eruitzag in een jurk. En het liefst was hij zo dicht bij haar als nu.

'Ik ga daar zitten.' Ze draaide zich om naar een rij stoelen. Toen draaide ze zich plotseling weer terug en kuste Harrison op de lippen.

Het was het ergste – en heerlijkste – wat ze had kunnen doen. Het deed zijn hoofd tollen. Zijn ogen werden vochtig. Hij werd emotioneel. Van alles wat hem in verwarring had kunnen brengen was dit het belangrijkste. Het laatste wat hij nu wilde was aan het proces denken.

Wist ze wel wat voor macht ze over hem had? Dat was het probleem. Hij was er vrij zeker van dat ze dat wist.

Harrison wankelde door het hekje de rechtszaal in waar het ging gebeuren terwijl Tori ging zitten. Het was maar een kleine overgang. Gewoon een draaiend hekje. Maar voor Harrison was het de stap die hem afsloot van de rest van de wereld. Toen Tori's kus vervaagde en de werkelijkheid van waar hij was terugkwam, voelde hij zich meer alleen dan hij ooit gedaan had.

Ook dit was het werk van J.K. Jarves. Toen hij er eenmaal officieel in had toegestemd om de zaak aan te nemen, had Harrison eerst hulp gevraagd van ervaren advocaten. Niemand had met hem willen praten. Of ze waren bang voor Jarves, of ze dachten dat deze zaak niet gewonnen kon worden. Sommigen hadden dat openlijk toegegeven. Anderen hadden een buitensporig hoog honorarium gevraagd – vijf à zes keer zo hoog als normaal – in de wetenschap dat Harrison en zijn cliënten zich dat niet konden veroorloven. Door de beginnende advocaat te isoleren van de juridische gemeenschap had Jarves al een belangrijk punt gescoord.

Dat was nog maar het begin van Jarves' strategie. Tijdens de periode voor het proces waren er twee boodschappen steeds weer bij Harrison ingehamerd: in de eerste plaats dat J.K. Jarves deed wat hij leerde – buiten de rechtszaal denken. En in de tweede plaats dat Harrison van doen had met een machtig man.

Het bewijs van Jarves' macht was bij twee belangrijke gebeurtenissen voor het proces gedemonstreerd – bij het aanwijzen van de rechter en bij de selectie van de jury.

Het proces werd geleid door rechter Edwin Walsh of, zoals Harrison hem eerst had leren kennen: Bakkebaard. De rechter had Harrison nooit gemogen en hij had tijdens het sollicitatiegesprek geen poging gedaan om zijn misnoegen te verbergen. Het feit dat hij een van Jarves' adviseurs geweest was bij het kiezen van een stagiair toonde aan dat de rechter en Jarves een hechte betrekking onderhielden. Over de aard en de diepte daarvan kon Harrison alleen maar speculeren. In elk geval vreesde Harrison dat die betrekking hem in de rechtszaal in het nadeel bracht.

Zijn vrees was tijdens de selectie van de jury bewaarheid. Rechter Walsh had vragend een wenkbrauw opgetrokken en gegromd, elke keer als Harrison een kandidaat-jurylid gewraakt had. Jarves had geen enkel kandidaat-jurylid gewraakt. Dat was niet nodig geweest.

De kandidaat-juryleden waren allemaal mannen geweest die niet beter bij Jarves' zaak gepast hadden als ze persoonlijk waren uitgekozen. Waarschijnlijk waren ze dat ook. Natuurlijk had hij dat op geen enkele manier kunnen bewijzen, maar het was duidelijk dat Jarves invloed gehad had op de samenstelling van de groep mannen waaruit de juryleden gekozen zouden worden. Telkens als Harrison een mogelijk jurylid verwierp, nam een nog ergere kandidaat zijn plaats in. Tijdens een van die ongelukkige tegenvallers, betrapte Harrison Jarves en de rechter erop dat ze zacht zaten te grinniken over zijn pech.

Harrison kon al snel geen juryleden meer wraken. Hij had geen andere keus dan de jury te accepteren zoals hij was.

De uiteindelijke jury bestond uit mannen die Harrison indeelde als onverlaten, dronkenmannen, rokkenjagers en atheïsten. Van de twaalf waren er maar twee die genoeg verstand leken te hebben om niet in de problemen te komen. Ook dat was in overeenstemming met Jarves' onderwijs: twee leiders uitkiezen en de rest van de jury volstoppen met schapen. Harrison kon ze bijna horen blaten.

Hij haalde zijn papieren uit een tas en legde ze klaar op de tafel van de verdediging. Hij was er zich volledig van bewust dat er op de tribune achter hem over hem gefluisterd werd.

'David is er; Goliat zal zo wel komen.'

Die opmerking kwam van achter hem. Harrison draaide zich om en zag Jeremiah Lanphier. Ze spraken er openlijk over dat het er niet goed voor hem uitzag. Bij Jeremiah was Herbert Zasser, een ouderling van de kerk. Hij was van het vriendelijke soort, maar een beetje stijf. Goedgehumeurd. Kleermaker van beroep. Hij was al een kwart eeuw ouderling en hij wist alles wat er te weten viel over de kerk.

Terwijl Harrison zijn cliënten begroette, barstte de echte show los door de deuren achter in de zaal. J.K. Jarves, gevolgd door Whitney Stuart III en een half dozijn assisterende advocaten, werd omringd door het geroep van verslaggevers die allemaal vragen stelden, zelfs als Jarves er een aan het beantwoorden was.

Jarves sprak met luide stem. Hij was bijna klaar met een vraag die hem buiten in de hal gesteld was. 'Ik ben niet verbitterd. Ik probeer gewoon, net als de eerste kolonisten, mijn huis te verdedigen tegen de aanval van vijandelijke troepen.'

Toen zag Jarves zijn dochter. Hij ging regelrecht naar haar toe en omhelsde haar alsof hij haar in geen jaren gezien had. Harrison had de man nooit zoveel genegenheid zien tonen. Te oordelen naar Tori's gezichtsuitdrukking had zij dat ook niet. Het was een overtuigende show. De verslaggevers smulden ervan. Ze krabbelden driftig aantekeningen neer.

De hereniging duurde twee minuten, waarin Jarves en Tori hun hoofden bij elkaar gestoken hielden en druk fluisterden. Harrison had graag gehoord wat er tussen hen gezegd werd.

Toen bewogen Jarves en zijn gevolg zich naar de voorkant van de rechtszaal. Hij en Whitney gingen achter de tafel van de aanklager zitten terwijl de assisterende advocaten op een rij stoelen achter hen gingen zitten.

Jarves keek niet een keer naar Harrison. Whitney wel – en hij grijnsde vals. Ze haalden allebei papieren uit tassen en legden die klaar op de tafel van de aanklager. Whitney haalde nog wat tevoorschijn, iets wat niet gepast leek in een rechtszaal. Het had maar één doel: Harrison Shaw intimideren. Whitney zette een glazen bol op de tafel van de aanklager.

Vanonder zijn glazen behuizing keek de bekende klauwier met de uitpuilende ogen spottend naar Harrison.

De suppoost verscheen en beval iedereen om op te staan.

De jury kwam binnen, gevolgd door rechter Walsh.

Naast Harrison stak Jeremiah Lanphier een hand naar hem uit en gaf hem een bemoedigend kneepje.

Jeremiah's hand was ijskoud.

29

J.K Jarves stond op om zijn openingspleidooi te houden.

'Heren van de jury, we zijn hier omdat er een zwaar vergrijp gepleegd is. Een onschuldige jonge vrouw is in handen gevallen van een arglistig, rondsluipend kwaad dat zich verbergt achter het masker van een reddend licht.'

Verscheidenen van de juryleden fronsten hun voorhoofd bij het woord *arglistig*, waaronder jurylid zeven, een van de leiders. Het woord was opzettelijk gekozen. Jarves gebruikte het omdat het een kwade klank had.

'Laat u me het uitleggen. Als er een man op een klif aan de kust zou staan en een sterke lamp naar de zee zou laten schijnen om zo doelbewust schepen te misleiden zodat zij zich tussen de rotsige klippen zouden begeven en ten onder zouden gaan, dan zouden we woedend zijn. We zouden die schurk opzoeken en hem straffen. We zouden hem verantwoordelijk houden voor de dood van de mannen en voor het verlies van het bezit.

Zou onze woede minder moeten zijn wanneer er mannen zijn die doelbewust en kwaadwillig iets ophouden wat eruitziet als een vriendelijk licht, maar wat niets anders blijkt te zijn dan een licht dat mannen en vrouwen op rotsige klippen werpt die hun geest ruïneren en hun zielen martelen? Dat is wat deze mannen hebben gedaan.'

Hij wees met een beschuldigende vinger naar de gedaagden.

'Ze hebben geen bezit vernietigd, noch een leven genomen. Ze hebben iets veel ergers gedaan! Ze hebben jacht gemaakt op onschuldige geesten. Ze hebben hun slachtoffers in leven gelaten, maar ze hebben hen gemarteld en verward met schuldgevoel en wroeging. Hun slachtoffers ademen nog, maar ze zijn op een afschuwelijke manier tot slaven gemaakt van schuldgevoel en zinsbegoocheling. Ik vraag u, heren, wie heeft er een grotere misdaad gepleegd? Die man op de klif of deze mannen die vrij over straat lopen en de geesten van onschuldige Amerikanen roven?'

Jarves zweeg. Hij liep naar de tafel van de aanklager en draaide de glazen bol om zodat de klauwier naar Harrison staarde.

'Een van hun slachtoffers is mijn dochter,' zei Jarves. 'En het kan tijdens het proces gebeuren dat u zich afvraagt of dit een persoonlijke wraakoefening is.'

Hij staarde lang naar de grond.

'Ik zal die vraag van tevoren beantwoorden. Ja. Ja! JA, dit is persoonlijk! Als een man zijn vrouw heeft verloren en maar één dochter heeft, en die dochter is de zon en de maan en de sterren van zijn bestaan, en die onschuldige jonge vrouw, die niemand kwaad gedaan heeft, wordt gewelddadig overvallen, geestelijk beroofd en moreel geruïneerd, dan is dat persoonlijk. Stel een willekeurig vader die zijn dochter liefheeft die vraag en hij zal hetzelfde antwoord geven. Hoeveel persoonlijker kan het zijn?'

Jarves bleef bij de hoek van de tafel staan en leek zichzelf onder controle te brengen. 'Heren,' ging hij verder, 'het is mijn bedoeling om aan te tonen dat het hier niet alleen om mijn dochter gaat. Dat dit geen misdaad is tegen één enkel leven, maar tegen de hele *mensheid*. Het is mijn bedoeling om aan te tonen, zodat er geen twijfel overblijft, dat deze mannen onderdeel zijn van een veel grotere samenzwering. Een samenzwering die niet alleen dit land in zijn greep houdt, maar mensen over de hele wereld. Dat dit een kwade samenzwering is die plaatsvindt om één reden en alleen om die reden: om ijverige hardwerkende mensen te onderwerpen en onder controle te houden. Gewone mensen zoals u, heren! Over welke kwade samenzwering heb ik het?'

Hij liet de vraag in de lucht hangen.

'Heren van de jury, het is mijn bedoeling om te bewijzen aan u en aan de wereld, dat het christendom een subversieve leugen is. Dat het schadelijk is voor een beschaafde maatschappij. Dat het zo arglistig is, dat miljoenen mannen en vrouwen er het slachtoffer van worden, net als mijn dochter. Dat het, tenzij we het hier en nu een halt toeroepen, heel Amerika zal ruïneren.'

Jarves nam net lang genoeg de houding van een kruisvaarder aan om het idee over te brengen. Toen ging hij achter de tafel van de aanklager zitten.

'De verdediging,' riep rechter Walsh.

Harrison bewoog zich niet. De reikwijdte van Jarves' openingspleidooi had hem verrast. Was het werkelijk Jarves' bedoeling om een zaak op te zetten over een eeuwenoude samenzwering? Harrison had gedacht dat hij voor deze zaak voorbereid was als hij kon bewijzen dat er bij Tori's redding geen sprake was van dwang en dat ze volledig begreep wat ze deed. Maar om Jarves' aanklacht te weerleggen, werd Harrison nu gedwongen om het hele christendom te verdedigen.

Rechter Walsh gromde. 'De verdediging maakt geen gebruik van het recht op een openingspleidooi.'

'Nee!' schreeuwde Harrison. 'Ik heb een pleidooi.'

'Sta dan op om het te houden,' blafte rechter Walsh. 'En verdoe niet langer de tijd van dit hof.'

'Ja, edelachtbare.'

Harrison stond met knikkende knieën op, terwijl hij in gedachten razendsnel zijn openingspleidooi herschreef. 'Heren van de jury.'

Hij wandelde naar het midden van de ruimte. Net toen hij wilde beginnen met spreken, hief jurylid twee zijn hand op naar zijn kin. Prominent aan zijn vinger zat een gouden ring met een barnsteen. Harrison draaide zich om naar de tafel van de aanklager. Twee net zulke ringen zaten aan de handen van Jarves en Whitney. Achter hen op de tribune nog drie ringen. Achter de verdediging vier ringen. Harrison keek naar de rechter, die zat te spelen met zijn ring.

Iedereen met een ring keek naar hem.

'Heren,' begon Harrison weer. 'Het is mijn bedoeling om te bewijzen, zodat er geen twijfel meer overblijft... dat de oude North Dutch Church niets verkeerds gedaan heeft en juffrouw Victoria Jarves op geen enkele manier kwaad heeft gedaan. Maar dat juist het omgekeerde gebeurd is.' Hij haalde diep adem. 'Juist het omgekeerde, namelijk dat ze met hun bediening juffrouw Jarves geholpen hebben en dat zij niet alleen uit vrije wil daaraan deelgenomen heeft, maar dat ze hun daar ook dankbaar voor is.'

Hij was aan het eind van zijn voorbereide aantekeningen gekomen. Alleen hadden ze veel beter geklonken toen hij ze geoefend had in de kelder van de kerk.

'Wat betreft de grote aanklacht,' zei hij, terwijl hij stond te denken, 'die openlijke en... schaamteloze aanval op het christendom als geheel' – hij veegde zijn voorhoofd af, waar meerdere straaltjes zweet overheen liepen – 'dat is, wel, dat is belachelijk... eh, zonder grond. En, wel, het is... het is gewoon niet waar.'

Hij had het gevoel dat hij meer moest zeggen, maar hij wist niets te bedenken. 'Ik denk dat dit het is, voor het moment.'

Hij wandelde terug naar de tafel van de verdediging. Toen hij voor de tafel van de aanklager langsliep, kon hij Jarves tegen Whitney horen fluisteren: 'Na dat vertoon van welsprekendheid kunnen we beter meteen de handdoek in de ring gooien.'

Whitney lachte.

De eerste getuige van J.K. Jarves was een hoogleraar in de filosofie aan Harvard, dr. Everett T. Chase. Het werd duidelijk dat Jarves wilde argumenteren van het algemene naar het bijzondere. Hij wilde eerst zijn zaak tegen het christendom uiteenzetten, voor hij zich op het specifieke geval Victoria zou richten. Op die manier kon hij Harrison onvoorbereid verrassen.

Harrison herschikte de papieren voor hem in een poging om niet zo geschokt te lijken als hij zich voelde. Hij had de schijnwerpers gewild. Hij had willen zien hoe hij het er als advocaat vanaf zou brengen. Nu ontdekte hij dat het veel gemakkelijker was om je voor te stellen dat je advocaat was, dan er een te zijn.

'Dr. Chase,' zei Jarves, 'u bent hoogleraar filosofie aan Harvard University, klopt dat?'

'Ja.'

Chase nam de getuigenstoel compleet in beslag. Hij was een grote man met licht gebogen schouders en een hoofd dat te groot was om bij zijn lichaam te passen. Hij had een grote baard en snor, wit met grijze strepen, en hij likte elke keer aan zijn lippen voor hij sprak.

'Dr. Chase, zou u ons uw kwalificaties willen geven?'

Chase ging anders in zijn stoel zitten, graag genegen om een luisterend gehoor te vertellen over zijn vele graden, onder andere voor filosofie, theologie, oude talen en middeleeuwse geschiedenis.

'Indrukwekkend, dr. Chase,' zei Jarves knikkend. 'Hoe lang doceert u al aan Harvard?'

Dr. Chase bracht een hand aan zijn kin terwijl hij nadacht. Aan de hand zat een gouden ring met een barnsteen. 'Tweeëntwintig... drieëntwintig jaar.'

'En in die periode hebt u het christendom bestudeerd?'

Chase grinnikte alsof het alleen al belachelijk was dat iemand zo'n vraag stelde. 'Ik ben een van de hoogste autoriteiten op dit gebied in Amerika en in Europa.'

'Ik begrijp het. Dr. Chase, hebt u over dit onderwerp gepubliceerd?'

'Ja.'

'Hebt u ook colleges over het christendom gegeven?'
'Ja.'
'Zegt u ons dan eens, dr. Chase, wat hebt u ontdekt?'
Dat was waar Chase voor gekomen was en hij hunkerde ernaar om te beginnen. Hij likte maar liefst twee keer langs zijn lippen.
'Het christendom zoals wij dat kennen is door de eeuwen heen door machtige en rijke mensen gebruikt als een middel om de massa's te onderdrukken. Voor die tijd waren oproeren normaal en wie de macht had, moest grote staande legers onderhouden om zichzelf te beschermen en controle te houden. Het christendom bleek een Godsgeschenk voor hen te zijn, om zo te zeggen.' Hij lachte om zijn eigen grap.
'Nu was er een manier om de massa's met kleinere legers in bedwang te houden. Ze prediken het christelijk geloof alleen omdat het de gewone man leerde dat nederigheid en zachtmoedigheid deugden waren. Het christendom leerde dat een man tevreden moest zijn met wat hij had en geen rijkdom moest verlangen. Het ging zover dat de massa's ervan overtuigd werden dat rijkdom een vloek was en dat een rijke man vrijwel zeker niet naar de hemel ging. Op die manier waren de rijken en machtigen in staat om miljoenen mensen te onderwerpen en onder controle te houden, gewoon door ze gewillig hun armoede te laten omhelzen in de hoop dat ze rijk zouden zijn na hun dood. Wat een prestatie, hè?'
'Dr. Chase, zou u zeggen dat...'
'Nog één ding,' onderbrak Chase hem. 'Dit is het punt waar het om gaat. Als de adel en de rijken echt in deze leer geloofden, zouden ze dan niet doen wat Jezus van hen vroeg en alles wat ze hadden aan de armen geven?' Hij lachte schamper. 'Ik heb eeuwen van de geschiedenis bestudeerd en ik ben hier om u te vertellen dat grote mannen met rijkdom en macht die niet gekregen hebben door zachtmoedig en nederig te zijn.'

'En dus zegt u, dr. Chase, dat de geschiedenis van het christendom er een is van verovering en van het overheersen van anderen.'

'Zeer zeker! Bijvoorbeeld, toen keizer Hendrik IV paus Gregorius VII uitdaagde in de investituurstrijd, oefende de paus zijn geestelijke macht uit door hem te excommuniceren en hem te bedreigen met eeuwige verdoemenis, zodat de wereldlijke keizer gedwongen werd om gekleed als een boeteling, blootsvoets in de sneeuw, voor het kasteel van de paus te staan en drie dagen lang om vergeving te smeken. Van die gebeurtenis komt onze uitdrukking: "Naar Canossa gaan." Het laat duidelijk zien dat het christendom in de geschiedenis de rol gehad heeft van een geestelijke knuppel om zelfs koningen onder controle te houden.'

'Dank u, doctor.'

'De kerk heeft haar macht en prestige vooral vergroot door dergelijke gebeurtenissen.'

Zoals bij zoveel professoren was het bijna onmogelijk om, nu de stroom van informatie eenmaal op gang gekomen was, die weer te stoppen. Maar Harrison wist dat Jarves zijn punt gemaakt had. Hij wilde de juryleden niet vervelen met een college geschiedenis.

'Om verder te gaan, dr. Chase... sommigen zouden kunnen aanvoeren dat uw voorbeeld, hoe verkillend ook, zo lang geleden gebeurd is...'

'1077 na Christus,' stelde Chase. 'Eigenlijk begon het al in 1075, toen...'

'Dank u, doctor. Maar kunt u voorbeelden noemen van een roofzuchtige en manipulerende kerk sinds de tijd van de Reformatie, mogelijk in ons eigen land?'

'Zeer zeker. Men zou kunnen zeggen dat het meest schaamteloze voorbeeld daarvan de hang van ons land naar een opwekking is.'

Jarves deed alsof hij verbaasd was. 'Werkelijk? U doelt toch zeker niet op het soort opwekking dat nu met grote koppen in de kranten staat?'

'Zeer zeker wel,' zei Chase.

'Dat is interessant. Kunt u ons een voorbeeld geven?'

Harrison trok een grimas. Dit was duidelijk een zorgvuldig voorbereide opvoering. Een professor vragen om een voorbeeld te geven voor een van zijn theorieën was hetzelfde als 'zoek' zeggen tegen een hond.

'Opwekkingspredikers geloven dat God op bovennatuurlijke manieren Zijn genade uitstort en dat door de hele geschiedenis heen gedaan heeft. Ze citeren voorbeelden uit het Oude en Nieuwe Testament om dat te bewijzen. Maar omdat die bewijzen berusten op fabels, vinden deze verwachte uitstortingen nooit plaats. Dus creëren zij ze zelf. Ze zoeken ijverig naar bekeringsverhalen en publiceren en verspreiden die zonder wetenschappelijk onderzoek naar de feitelijke juistheid ervan. Het doelwit van deze verhalen is het individu dat gelooft dat hij ook een bovennatuurlijke ontmoeting met God kan ervaren.'

'Maar hoe verklaart u dan dat er zoveel bekeringen plaatsvinden, dr. Chase?'

Chase grijnsde als een boef. 'De aantallen worden sterk overdreven. Een samenkomst van nauwelijks honderd wordt vijfhonderd. En niet alleen de aantallen worden overdreven; hetzelfde gebeurt met de verhalen. Een vrouw die leed onder een milde depressie wordt opeens een moeder die bezeten was door een boze geest en op het punt stond haar zeven kinderen te doden tot God tussenbeide kwam. Ik heb een citaat van een opwekkingsprediker die zegt: "Het doel van onze maatregelen is om de aandacht te krijgen. Je moet iets nieuws hebben." Tegen de tijd dat die verslagen in de krant komen, is het de grootste uitstorting van de Heilige Geest sinds Pinksteren.'

'Dus u gelooft dat die verhalen die wij in de krant lezen grotendeels verzonnen zijn, klopt dat, dr. Chase?'

'Daar bestaat geen zwijfel over.'

'Maar, dr. Chase, toen ik een kind was, werd mij geleerd dat ons land meer dan eens bovennatuurlijk door God gezegend is – tijdens de Grote Opwekking in de jaren veertig van de vorige eeuw, onder leiding van geestelijke reuzen als George Whitefield en Jonathan Edwards, tijdens de Yale-opwekkingen in de jaren negentig; en tijdens de Tweede Grote Opwekking, tijdens de dynamische prediking van Charles Finney. Vertelt u mij dat wat mij geleerd is een leugen was?'

'Kan er iets goeds komen uit Yale?' schimpte de professor van Harvard. 'De predikers die u noemt gebruikten geijkte technieken en strategieën om iets te fabriceren wat leek op een geestelijke uitstorting van God. Charisma. Drama. Vernieuwing. Publicaties zoals strooibiljetten, pamfletten en kranten. Geef mij een handvol betoverende predikers en een adequaat budget voor publiciteit en ik kan Amerika ervan overtuigen dat zijn kusten bezocht zijn door magische kabouters uit Ierland.'

De professor kreeg het gelach waar hij op uit was.

'Het punt is,' besloot de professor, 'dat de standaardmethoden van overtuiging en promotie het levenssap zijn van deze zogenaamde manifestaties van God.'

'Waarom nu, dr. Chase? Waarom zouden deze geestdrijvers 1858 voorstellen als een geschikt jaar voor God, vol van bovennatuurlijke uitstortingen van genade?'

'Dat is simpel. Opwekkingen komen per definitie na een periode van neergang. Vorig jaar heeft ons land geleden onder een catastrofale economische crisis, waardoor de bevolking op drift is geraakt. Wanhopige mannen grijpen naar alles wat enige betekenis aan de dingen kan geven. Ze pakken alles vast wat maar enige hoop biedt. Dus zien kerkelijke leiders, die hun wonden likken, een kans om van het wijdverbreide lijden te profiteren.'

'Nog een laatste vraag, dr. Chase. Zijn deze opwekkingsbewegingen schadelijk?'

'Laat u mij die vraag beantwoorden met een tegenvraag. Wat gebeurt er met hen die wanhopig willen geloven in een geestelijke uitstorting van God? Wat gebeurt er met hen die uit oprechtheid bidden, maar nooit het soort zegening ervaren waarvan ze in preken en getuigenissen en kranten horen? Ik zal u dat vertellen. Ik heb in mijn archief het verhaal van een man, de vader van een opwekkingsprediker, die wanhopig graag een opwekking wilde. Hij werd verteerd door schuldgevoel over zijn zonde – dat deel van de prediking was effectief. Maar hij kon geen troost vinden. Voor hem was er geen bovennatuurlijke uitstorting van vergeving en genade. Hij begon erover te denken de hand aan zichzelf te slaan. Hij kwam sterk in de verleiding om zijn eigen keel door te snijden omdat hij de mentale en emotionele smart niet langer kon verdragen.'

'Wat is er met hem gebeurd?' vroeg Jarves.

Chase antwoordde niet meteen. Hij staarde afwezig naar de grond, onder de indruk van zijn eigen verhaal. 'Uiteindelijk beroofde hij zichzelf van het leven. Maar wat er daarna gebeurde is nog het schokkendst.'

'Vertelt u het ons.'

'Zijn zoon, de prediker, toonde maar weinig berouw. Hij gebruikte het verhaal van zijn vaders zelfmoord om de mensen bang te maken en ze aan te sporen zich bij de opwekking aan te sluiten. Hij zei dat ze harder moesten bidden, harder moesten werken en meer moesten geven omdat satan onder hen aan het werk was en hij bezig was de overhand te verkrijgen.'

'Dank u, dr. Chase. Ik heb verder geen vragen meer.' J.K. Jarves ging zitten.

Harrison was niet meteen van zijn stoel af om de getuige te ondervragen, dus zei rechter Walsh uit de hoogte: 'Het is uw beurt, meneer Shaw. Of hebben ze u dat niet geleerd aan de Washburn School of Law in Brooklyn?'

De tribune lachte. De juryleden keken naar hem. Ze schatten hem in voor het gevecht.

Harrison duwde zijn stoel achteruit. Om de een of andere reden koos de herinnering aan een eerdere vernederende gebeurtenis dit moment uit om door zijn gedachten te schieten. Eigenlijk was het een dubbele vernedering. De avond voor een aardrijkskundetoets had Harrison, in plaats van voor de toets te leren, aan een schaaktoernooi meegedaan. Hij was de regerende schaakkampioen van het tehuis. Iedereen moedigde hem aan. De trots van de vaste bewoners van het tehuis stond op het spel. Maar het draaide erop uit dat Harrison niet alleen in het toernooi dik ten onder ging tegen een bezoekende zeeman uit Cambridge, maar ook glansrijk faalde voor zijn aardrijkskundetoets. Het was een mondelinge toets. Niet alleen kreeg Harrison een onvoldoende, hij stond ook nog te kijk voor de hele klas.

De vernedering van anderen teleurstellen en niet voorbereid zijn waren gedachten die door Harrisons hoofd gingen toen hij de getuigenbank naderde. 'Dr. Chase...' *Waar beginnen? 's Mans kwalificaties aanvallen? Wat viel er aan te vallen?*

Hij zweeg zo lang dat dr. Chase zei: 'Ja?'

'Dr. Chase, zei u niet dat u een graad hebt in de theologie?'

'Ja.'

'Eén maar?'

'Pardon?'

'Ik bedoel, bent u niet bevestigd als predikant?'

'Nee.'

'En toch voelt u zich voldoende gekwalificeerd om te spreken over geestelijke aangelegenheden?'

'Bevestiging als predikant is een formaliteit voor hen die niet intelligent genoeg zijn om een echte graad te verdienen,' reageerde dr. Chase.

De rechtszaal lachte. Vooral de rechter vond het een goede grap.

'Wel, doctor. Ik heb zelf wat onderzoek gedaan. Wat betreft de geschiedenis. Genoeg om te weten dat geschiedenis vooral een interpretatie van gebeurtenissen is. Wilt u, gezien dat feit, toegeven dat er onder de geleerden ook zijn die het niet eens zouden zijn met uw conclusie?'

'Ja, die zijn er.'

Harrison was verbaasd dat hij dat toegaf. Hij had een gevecht verwacht. 'U bent bereid dat vast te stellen?'

'Ik ben bereid vast te stellen dat zij uilskuikens zijn.' De professor begon vervolgens in een langdradig verhaal allerlei details op te noemen op grond waarvan hij tot zijn conclusies gekomen was en die zijn geloofwaardigheid verder bevestigden.

Harrison probeerde hem te onderbreken, maar de professor bleef doorratelen. Een appèl op de rechter leidde tot een schouderophalen en de woorden: 'U hebt het hem gevraagd.'

Toen de professor eindelijk klaar was, was de enige vraag die Harrison nog kon bedenken: 'Professor, u bent zeker geen christen?'

'Ben ik bezweken voor de leugens en mythen die verspreid zijn door een onechte beweging die zichzelf in stand gehouden heeft door eeuwenlang mensen die zwak van geest zijn te onderdrukken? Nee, dat ben ik niet,' zei dr. Chase uitdagend.

De rest van de dag verliep niet beter. Jarves introduceerde nog twee professoren, beiden met indrukwekkende academische kwalificaties – een uit Oxford – die verder bouwden op de fundering die dr. Chase gelegd had. Harrison was in het ondervragen van hen niet succesvoller dan hij geweest was bij dr. Chase.

Toen de zitting voor die dag verdaagd werd, voelde Harrison zich alsof hij in elkaar geslagen was. Alleen was deze aframmeling erger dan die hij in Five Points had gekregen. Daar was hij de enige geweest die geleden had. Hier bedreigde zijn aframmeling het bestaan van de kerk en het geloof in God Zelf.

30

Elke belangrijke krant in New York drukte Jarves' ondervraging van dr. Chase woordelijk af, gevolgd door een kort commentaar van één regel over het verweer: *De advocaat van de verdediging, Harrison Shaw, slaagde er niet in de verklaring van de getuige-deskundige dr. Chase te weerleggen.*

Er volgden drie dagen met net zulke getuigenverklaringen, terwijl Jarves zijn argumentatie opbouwde dat het christendom niet alleen de ondergang betekende van zijn dochter, maar ook de ondergang zou worden van de beschaving.

Tijdens de weekendonderbreking stonden er redactionele commentaren in de kranten die de toekomst van het christendom in Amerika ter discussie stelden. In een citaat opperde J.K. Jarves dat het land beter af zou zijn door terug te keren tot een filosofie die gebaseerd was op de traditie van de oude Grieken. Hij beweerde dat de geschriften van Plato en Aristoteles net zoveel invloed hadden gehad op het ontstaan van het land als de Bijbel.

Het artikel waarin Jarves geciteerd werd, drukte een ander artikel bijna van de pagina. Dat artikel was geschreven door T.E. Campbell en daarin werden dominees en christelijke professoren geïnterviewd die dr. Chases interpretatie van de geschiedenis weerlegden.

De kansels in het land voegden daar hun stem bij met preken die in twee categorieën verdeeld leken te kunnen worden. Veel predikanten zagen het proces als het bewijs dat Christus spoedig zou terugkomen. Sommigen schilderden J.K. Jarves af als de Antichrist, het beest uit Openbaring. Zij die niet het eind van de wereld voorspelden, tekenden het proces als het bewijs dat de maatschappij door de zonde verziekt was. Zij weten de toestand van het land regelrecht aan de christenen die de zonde niet serieus namen en niet baden, niet de armen hielpen en niet getuigden.

In de week daarna was de opkomst bij de gebedssamenkomst nog maar half zo hoog als hij geweest was. Verslagen uit andere staten lieten ook een neergang zien. Op z'n best was het effect van het proces dat de geest van de opwekking gedempt werd; in het slechtste geval zorgde het ervoor dat het land zijn geestelijke wortels in twijfel trok.

Een flink aantal gelovigen begon zich buiten de rechtszaal te verzamelen om voor Harrison te bidden dat God hem wijsheid zou geven en een tong die gereed was om de waarheid te spreken.

Harrison waardeerde hun steun, maar de vurigheid van hun gebeden was voor hem een teken dat ze weinig vertrouwen hadden in zijn bekwaamheid.

'De dingen zullen wel beter gaan als je eenmaal je eigen argumentatie gaat presenteren,' zei Tori.

Ze zaten naast elkaar in Astor Library in de schaduw van een berg van boeken. Als hij niet in de rechtszaal was, besteedde Harrison elke minuut die hij had aan studeren en aan het zoeken naar een zwak punt in de argumentatie van Jarves en naar een manier om een vijandige jury voor zich te winnen.

'Roep mij op als getuige,' zei Tori.

'We waren het erover eens dat we dat alleen zouden doen als laatste redmiddel,' reageerde Harrison.

'Ik ben er niet bang voor om tegenover mijn vader in de rechtszaal te staan.'

'Dat weet ik wel.'

'Ik kan de jury in mijn eigen woorden zeggen dat ik niet gedwongen ben.'

'Laten we eerst maar eens kijken hoe ze op mijn verdediging reageren.'

'Ik kan ze ook vertellen wat ik als verslaggever gezien heb. Over Polly en Ethan en over de opwekking in de bar.'

'En dan ontslagen worden door de krant? Mayfair begint er al steeds minder voor te voelen om nog meer van jouw artikelen op te nemen. Hij zegt dat hij in jou teleurgesteld is. Hij zegt dat je je scherpte verloren hebt.'

'Mijn scherpte verloren?' schreeuwde Tori, zodat andere bezoekers van de bibliotheek naar haar keken. 'Mijn scherpte verloren? Mijn laatste artikel was goed geschreven. Controversieel. Het ging tegen de huidige golfbeweging in.'

'Hij noemde het traditioneel. De uitgever wil inspelen op de tendens dat er een nieuw land geboren zal worden. Mayfair zegt dat ze de opwekkingsverhalen tegen hun zin gedrukt hebben omdat die toen controversieel waren. Hij zegt dat er nu een andere controverse is.'

Tori gromde iets onverstaanbaars.

'Hij zegt dat je het op moet schrijven zodra je stuit op iemand die een moord gepleegd heeft met een bijl. Dat zal hij drukken.' Harrison wreef over zijn vermoeide ogen en ging verder met zijn boek.

Tori stond op uit haar stoel. Ze liep een paar keer een rondje om de tafel heen. 'Ik moet beweging hebben. Laten we een luchtje gaan scheppen.'

'Ik moet dit lezen.'

'Een eindje lopen zal je goeddoen.'

'Ik heb er geen tijd voor. Ga jij maar.'

'Alleen? Moet ik in mijn eentje door de gevaarlijke straten van New York City lopen?'

Harrison grinnikte. Hij keek naar haar en hij kon niet geloven dat hij een uitnodiging had afgeslagen om tijd alleen door te brengen met Victoria Jarves. Maar hij moest zich voorbereiden op de volgende morgen. Het was de eerste dag waarop hij zijn eigen argumentatie zou presenteren.

Maar dit was Victoria Jarves!

'Ik moet dit echt lezen Tori,' zei hij weer.

Tori ging weer zitten. Ze legde haar hand op zijn arm. 'Je maakt het jezelf te moeilijk. Zelfs helden moeten zo nu en dan even een pauze nemen.'

Haar aanraking deed hem nog steeds huiveren.

'Loop met me mee,' pleitte ze.

Hij glimlachte verontschuldigend.

'Je beseft toch wel dat je jezelf te veel druk oplegt?'

Er brak iets in hem. Al die uren van studie, uitputting en frustratie over zijn eigen onvermogen eisten hun tol. 'O ja? Is dat zo? Vreemd, ik had het dan zeker mis dat ik in deze zaak de enige advocaat voor de verdediging ben. En dat, als ik niet win, de oude North Dutch Church misschien wel niet langer kan blijven bestaan. Dat het heel goed mogelijk is dat de gevolgen van dit proces de opwekking tot staan brengen. En dat als jouw vader zijn zin krijgt, de rol van het chistendom in ons land volledig herzien wordt. Voorzover wij weten ben ik misschien wel de enige die kan voorkomen dat het christendom in Amerika ineenstort!'

'Harrison...'

Er was meeleven in Tori's ogen, maar geen enkel meeleven kon verhelpen wat Harrison meemaakte. Hij kon zijn woorden niet stoppen. Of de woede die hij in zich voelde groeien.

'Dat is niet veel om me zorgen over te maken, hè? Maar een klein dingetje. Zeker, ik leg mezelf te veel druk op. Laten we een eindje gaan lopen. Waarom gaan we dan niet meteen even naar een feestje? Laten we de hele nacht opblijven. Ik kan rechter Walsh morgenochtend wel even een briefje sturen dat ik me niet goed genoeg voel om naar de rechtbank te komen om de toekomst van het christendom te verdedigen!'

Tori nam hem een hele tijd op. Toen sprak ze, langzaam, maar beslist. 'Als jij de redder van de wereld bent, dan neem ik aan dat ik dus satan ben die jou probeert te verleiden, toch? Welterusten, sint Shaw.'

Ze draaide zich om en liep weg.

Harrison had op hetzelfde moment spijt. 'Tori... kom terug. Tori! Het spijt me. Ik...'

Ze draaide zich om. 'Als je ook maar een beetje hersens had, dan zou je me oproepen als getuige.'

Toen was ze weg.

De volgende dag, toen Harrison het gerechtsgebouw binnenliep, kwam Whitney Stuart III op hem af.

'Meneer Jarves wil je graag even spreken.'

De manier waarop hij het zei, maakte het meer een bevel dan een verzoek. Harrison keek langs Whitney heen. Jarves was nergens te zien.

'De garderobe,' zei Whitney.

Hij ging voorop; Harrison volgde. Jarves stond op hen te wachten.

'Als u denkt over een schikking,' zei Harrison, 'dan ben ik bereid te praten.'

Jarves lachte niet. Hij deed twee stappen in Harrisons richting. Nog tweeënhalve stap en hij zou onder Harrisons huid zitten.

'Roep mijn dochter niet op als getuige,' waarschuwde Jarves.

Hij wachtte niet op een reactie. Hij liep Harrison voorbij naar de deur waar Whitney op wacht stond. Voor hij vertrok, draaide hij zich om. 'Roep haar op als getuige en je krijgt de ergste gevolgen te verduren.'

Had iemand anders Harrison met die woorden bedreigd, dan had hij die bedreiging opgevat als een knuppel tegen zijn achterhoofd of mogelijk een mes in zijn buik. Maar gezien Jarves' verzameling insecten en vogels, had de bedreiging iets wat creatiever en verkillender was.

De laatste getuige van de aanklager was een verbitterde voormalige predikant die tekeerging tegen wat hij noemde 'de criminele misstanden in het evangelische christendom.' Met donkere kleuren schilderde hij een beeld van gepijnigde zielen die geplaagd werden door gevoelens van schuld en minderwaardigheid.

'Hebt u het over uzelf?' vroeg Jarves.

'Onder anderen.'

'Hoeveel anderen zijn er?'

De man schudde zijn hoofd. 'Triest genoeg lijden de meeste mensen in stilte. Daarom heb ik het op me genomen om ze op te sporen en ze hulp aan te bieden.'

'Dus u helpt mensen die het slachtoffer zijn van het christendom?'

'Dat klopt.'

'En hoeveel mensen hebt u geholpen?'

'Op het moment heb ik zeven cliënten. Mogelijk bijna dertig door de jaren heen. Maar dat is maar het topje van een ijsberg. Ik schat dat er voor elke persoon die hulp zoekt minstens vijfentwintig zijn die dat niet doen. En ik woon in een klein stadje.'

'Laat me u dit eens vragen. Als er een vader bij u zou komen die u zou vertellen dat zijn dochter het slachtoffer geworden is van deze verdorven en wrede krachten, zou u dan in staat zijn om haar te helpen?'

'Dan zou ze eerst uit vrije wil bij mij moeten komen. En zelfs dan, moet ik helaas zeggen, kan ik hen nooit helemaal genezen. Het is alsof je een been verliest. Je zult misschien kunnen leren om te leven zonder dat been, maar je zult nooit meer helemaal heel zijn.'

'Dus wat zou uw advies zijn aan die vader – een vader die zijn dochter meer liefheeft dan het leven zelf?'

De man schudde triest zijn hoofd. 'Ik zou hem geen hoop geven.'

Harrison begon zijn verdediging door zijn eigen deskundigen op te roepen als getuige om de interpretatie van de geschiedenis door dr. Everett T. Chase te weerleggen. Hij liet ze uitgebreid de voordelen van het christendom opnoemen. Maar toen hij probeerde om hen te laten uitleggen hoe de wereld er zonder het christendom uitgezien zou hebben, maakte Jarves bezwaar. Dat was speculatie, beweerde hij. Rechter Walsh aanvaardde het bezwaar.

Tijdens het getuigen van de deskundigen hield Harrison de juryleden twee en zeven in de gaten. Zij waren de mannen die Jarves geselecteerd had om de jury te leiden naar een uitspraak in het voordeel van de aanklager. Ze zaten met stalen gezichten, soms leken ze verveeld. Het hielp niet dat rechter Walsh tijdens het getuigenis ijverig een sinaasappel afpelde en opat. Op een gegeven moment zaten er meer juryleden te kijken hoe de rechter zijn sinaasappel afpelde, dan dat ze luisterden naar de professor uit Yale die op de getuigenstoel zat.

Wat betreft het getuigenis zelf, was Harrison niet tevreden. Hij voelde dat het er zwak en defensief uitkwam. Het klonk als de moeder van een bekende onrustschopper die bleef volhouden dat haar zoon een goede jongen was ondanks alle bewijzen van het tegendeel.

De eerste dag van de verdediging eindigde zonder zichtbare vooruitgang. Om het nog erger te maken werd Harrison, toen hij het gerechtsgebouw verliet, aangevallen door een vijandige massa kerkleden die hem ervan beschuldigden dat hij Christus niet adequaat kon verdedigen. Ze riepen hem op om plaats te maken voor iemand die beter gekwalificeerd was om de kerk te verdedigen.

Het enige lichtpuntje van de dag kwam toen hij op een afstandje Tori zag staan. Ze wachtte op hem.

'Het spijt me van gisteravond,' zei hij.

'Mij ook.'

Ze haastten zich weg van het gerechtsgebouw. Geen van beiden wilden ze praten tot ze de laatste achtervolgers afgeschud hadden. Ze kwamen terecht in het park.

Het was vroeg in de avond en de zon moest nog ondergaan. De lucht was verkwikkend fris nadat ze de hele dag in een gerechtsgebouw opgesloten hadden gezeten.

'Hoe gaat het met Jeremiah?' vroeg Tori.

'Hij probeert een dapper gezicht te zetten.'

'Ik vind dat het vandaag goed ging. De verklaringen.'

'Jammer dat ze geen vrouwen toelaten als jurylid.'

'Ze laten vrouwen toe om te getuigen.'

Harrison stopte met lopen. 'Begin daar alsjeblieft niet over.'

Hij had besloten haar niet te vertellen over Jarves' bedreiging. Wat maakte het uit? Zijn verdedigingsplan was niet veranderd. Het risico om haar op te roepen als getuige was te groot.

Ze liepen een klein eindje. Toen zei hij: 'Op dit moment zou ik dit alles graag inruilen voor tuinhandschoenen en een etiquetteles in de salon.'

Tori lachte. 'Zou je jezelf vrijwillig onder de grillen van die heks begeven?'

Harrison keek haar aan. Het verbaasde hem hoe erg ze veranderd was. Ze had gelijk. Dit was niet dezelfde vrouw die hem in de salon met de zweep geslagen had. Als er ooit een bewijs was van een door Christus veranderde natuur, dan was het Victoria Jarves.

Ze hoorde te getuigen. Ze was bewijsstuk A. Maar hij ging

het niet doen. En niet vanwege de bedreigingen. In de eerste plaats wilde hij haar niet blootstellen aan het ontleedmes. Maar er was nog een reden. Hij wilde Jarves geen kans geven op een directe confrontatie met haar. De rechtszaal was zijn terrein. Hij had het voordeel. En diep van binnen was Harrison bang dat Jarves er op de een of andere manier in zou slagen om Tori ervan te overtuigen dat haar reddingservaring een vergissing geweest was.

'Ik geloof dat je iets voor mij verbergt,' zei Tori.

'O ja?' Wist ze wat hij dacht?

'Ik geloof dat je stiekem mijn theelessen wel leuk vond.'

Harrison lachte. Opgelucht.

'Ik heb een vraag voor je.' Tori's ogen glinsterden ondeugend. 'Wat is erger? Een slechte dag in de rechtszaal of de uitvoering van het volkslied door mevrouw Belmont te moeten uitzitten?'

Harrison lachte. Er kwamen hem rode laarsjes en uitschietende vlammen in gedachten.

Hun gelach stierf na een dozijn stappen weg. Ze liepen in stilte.

'Polly heeft haar baby gekregen,' zei Tori. 'Een meisje.'

'Ah, dus zo klinkt goed nieuws! Is ze bij haar zus?'

'Voor een maand. Ethan zegt dat dat de enige manier is waarop hij haar ervan kan weerhouden dat ze aan het werk gaat terwijl ze moet herstellen. Maar ik zeg je één ding. De aanwezigheid van een baby brengt wel interessante geluiden en geuren in huis.'

Ze liepen een paar stappen.

'Hoe dan ook, we zaten vanmorgen te praten...'

'We?'

'Niet de baby, sukkel. Patricia, Polly en ik.'

'Ah! Jullie zaten te praten...'

Tori zweeg. 'Je moet dit niet verkeerd opvatten.'

Harrison trok bij voorbaat zijn kaken strak.

'Hoe dan ook, we dachten,' ging Tori verder, 'dat we dit proces misschien wel op de verkeerde manier aanpakken.'

Nog meer advies. Nog meer goedbedoelde kritiek. *Nou, ga maar in de rij staan,* dacht Harrison. *Er is een heel leger van mensen die denken dat ze het beter zouden kunnen dan ik.*

Haar woorden raakten hem hard. Voor een deel omdat het Tori en Polly waren, die hij was gaan respecteren. Harrison kende het oude adagium: die je het naast staan, kunnen je de meeste pijn bezorgen. En deze kritiek raakte hem ook hard omdat hij al beurs geslagen was in de dagelijkse marteling van twijfel aan zichzelf, de krantenverslagen en nu ook nog de steunbetuigers die zich op de trappen van het gerechtsgebouw tegen hem keerden.

'Dus drie vrouwen zitten mijn processtrategie te bespreken?' zei hij.

'We zaten gewoon te praten.'

'Gewoon te praten. Hoe zat het ook alweer? Hoeveel van jullie drieën hebben er een graad in de rechten?'

'Je voelt je gekwetst.'

'Gekwetst? Waarom zou ik me gekwetst voelen? Alleen maar omdat de hele wereld denkt dat ik er niets van terechtbreng? Alleen maar omdat drie vrouwen niets beters te doen hebben dan samen om een keukentafel zitten en manieren bedenken hoe ik mijn optreden in de rechtszaal kan verbeteren? Waarom zou je denken dat ik mij daardoor gekwetst zou voelen?'

Tori boog haar hoofd. Nu was zij gekwetst. 'Waarom gedraag je je als een baby?'

'Zeg jij dat maar. Jij, Polly en Patricia weten nu alles over baby's en daardoor zijn jullie nu opeens ook deskundig in rechten. Dus licht mij maar in. Wat denken de vrouwen in Patricia's keuken dat ik moet doen om het er nog een beetje goed vanaf te brengen?'

Tori deed haar armen over elkaar. 'Laten we van onderwerp veranderen.'

'Nee, ik wil het weten. Misschien heb ik iets over het hoofd gezien tijdens al die jaren van rechtenstudie. Misschien zat ik te slapen op de dag dat de professor vertelde hoe je je uit een hopeloze situatie moet redden.'

Haar lippen werden strak op elkaar geklemd. 'Ik vind je niet leuk als je zo bent.'

'Als ik hoe ben? Strijdlustig? Of een verliezer?'

Tori liep van hem weg.

Hij zuchtte. Het enige vriendelijke gezicht dat hij die dag gezien had, liep bij hem weg. 'Tori, wacht.'

Hij was te ver gegaan. Hij wist het en hij had er onmiddellijk spijt van. Hij begon te rennen om haar in te halen.

Ze liep door.

'Tori...' Hij pakte haar bij de arm en draaide haar om. 'Luister. Het spijt me. Ik was mezelf niet. Alsjeblieft, ga niet weg.'

Er gleed een voorzichtige glimp van sympathie over haar gezicht. 'Ik probeer je alleen maar te helpen.'

'Dat weet ik. Dat weet ik! En ik wil niet zo doen.' Hij haalde hulpeloos zijn schouders op. 'Ik weet dat je me niet leuk vindt als ik zo ben. *Ik* vind mezelf niet leuk als ik zo ben.'

Ze legde haar hand op zijn arm en glimlachte zwak. 'Je bent jezelf niet, hè?'

Voor Harrison het wist had hij zijn armen om haar heen geslagen en klemde hij zich aan haar vast alsof zijn leven ervan afhing. In het openbaar. Terwijl andere mensen toekeken. En het maakte hem niets uit. Op het moment maakte het hem niets uit of het haar wat uitmaakte. Hij moest haar vasthouden. Misschien kwam het omdat hij al die jaren geen ouders gehad had die hij kon omhelzen. Jaren van opgeslagen behoeften. Hij wist alleen maar dat hij Victoria Jarves in zijn armen hield en dat hij haar niet wilde laten gaan. *Nooit.* Misschien was het zijn verbeelding, maar hoe langer hij haar omhelsde, hoe meer het leek of hun harten in een gelijklopend ritme begonnen te slaan. Hij had nooit eerder zoiets ervaren.

'Harrison?' Ze kronkelde in zijn armen. 'De mensen kijken.'

Met tegenzin liet hij haar los.

Ze stonden elkaar aan te kijken. Ze bewogen zich niet. Ze omhelsden elkaar niet, maar ze stonden dichter bij elkaar dan mannen en vrouwen die alleen maar bevriend zijn.

Toen was het moment voorbij. Ze begonnen weer te lopen. Een aantal minuten praatten ze niet.

'Je zei dat jullie drieën zaten te praten,' begon Harrison.

'Het spijt me. Ik had het niet moeten proberen.'

'Ik wil het weten.'

'Echt?'

'Alsjeblieft.' Dit keer was het echt zo.

'Wel...' Ze aarzelde nog. Daar had ze het recht toe. 'We zaten erover te praten dat we moesten bidden voor jou en voor de geestelijke toestand en zomaar opeens dacht ik: *we pakken dit helemaal verkeerd aan*. Dit is wel een strijd in de rechtszaal, maar eigenlijk is het een geestelijke strijd, toch?'

Harrison dacht erover na. 'Dat denk ik wel.'

'En als het inderdaad een geestelijke strijd is, dan heeft het alleen zin om met geestelijke wapens te strijden.'

Harrison overwoog wat ze gezegd dat. Hij voelde hoop – iets wat hij sinds het begin van het proces niet meer gevoeld had – in zich opkomen. *Misschien is er toch nog een kans dat we de zaak winnen.*

Ze ging geestdriftig verder. 'Dat is toch logisch? Ik dacht...'

Harrisons hart begon sneller te kloppen terwijl er juridische argumenten door zijn hoofd schoten. Hij stak een hand op. 'Nee, ik denk dat je iets hebt, Tori. Ik kan dat misschien wel gebruiken! Geestelijke wapens. God is Geest. Ik kan dat gebruiken.'

En juist op dat ogenblik, alsof God Zelf het verordend had, brak de zon door vanachter de wolken en baadden Tori en Harrison in een warm, gouden licht.

De volgende dag liep Harrison met een duidelijk snellere en meer opgewekte pas het gerechtsgebouw binnen. Hij had een plan. Eenmaal in de rechtszaal riep hij Herbert Zasser op als getuige. Hij leidde de ouderling van de kerk stap voor stap door de geschiedenis van de oude North Dutch Church. De stichting ervan, haar relatie met de buren, haar vaste plaats in de gemeenschap. Harrison wilde dat de juryleden zagen dat de kerk niet het kwaad was dat Jarves beschreven had.

Tot zijn verrassing maakte Jarves, toen het zijn beurt was, het de ouderling gemakkelijk. De enige vragen die hij stelde gingen over het budget van de kerk. *Kon het zo gemakkelijk zijn?* vroeg Harrison zich af.

Vervolgens riep Harrison Jeremiah Lanphier op als getuige. Hij liet Jeremiah beschrijven hoe het gekomen was dat hij als zakenman in dienst van de kerk was gekomen om de omringende buurt te bewerken en de mensen uit te nodigen om de kerkdiensten te bezoeken. Ook liet hij Jeremiah beschrijven hoe de eerste gebedssamenkomst in de bovenzaal niet goed bezocht was, maar hoe de aantallen waren gaan groeien toen God begonnen was de gebeden op nogal uitzonderlijke manieren te verhoren. Harrison deed veel moeite om te benadrukken hoe de levens van mensen waren veranderd. Moordenaars hadden berouw. Dieven gaven terug wat ze hadden gestolen. Alcoholisten stopten met drinken. Gezinnen werden herenigd.

Harrison was dankbaar dat hij de jury gespannen zag toekijken. Ze leunden voorover en leken aangedaan door de verhalen over de levens die veranderd waren.

En toen was het de beurt van Jarves om te ondervragen. Hij viel de arme Jeremiah meedogenloos aan. En hoewel Jeremiah zich waardig gedroeg, schilderde de aanklager de kerk af als een subversieve organisatie die betaald werd door een grote groep financiële ondersteuners – de aantallen had hij van Zasser gekregen. Jarves beweerde dat het allemaal een poging was om zichzelf te promoten en om een nog grotere groep mensen zo te manipuleren dat ze hun geld aan de organisatie gaven en voor de rest van hun leven een deel van hun inkomen toezeiden. Hij stelde verder dat deze mensen doelbewust misleid werden zodat ze dachten dat dat was wat God van hen wilde.

'Maar het is niet genoeg dat ze denken dat ze Gods gunst verdienen door gehoorzaamheid, hè, meneer Lanphier?' daagde Jarves hem uit.

'Ik weet niet waar u op doelt.'

'Nee? Zegt u mij eens. Wat leert de kerk over het lot van de mensen die hun levens niet zo veranderen als de kerk van hen verwacht?'

'Het is niet aan een mens om...'

'Wat is het lot van de vrek zonder berouw, meneer Lanphier? Is dat niet hetzelfde als dat van de losbandige, de moordenaar en de hoer?'

'Als u bedoelt...'

'Zegt u het mij, meneer Lanphier, wat leert de kerk over het lot van de zondaar zonder berouw, zelfs van de allerkleinste zondaar? Wat is het lot van de man die sterft in zonde?'

'De hel,' zei Lanphier eenvoudig.

De dag eindigde met Jarves' tirade over het onrecht van een eeuwige vervloeking voor alle zondaren, ongeacht hoe klein hun zonde was.

Ondanks Jarves' vertoningen was Harrison voor het eerst sinds het proces begonnen was opgetogen. Eindelijk was de verdediging erin geslaagd een pad te banen! Hij kon dezelfde vreugde, dezelfde verrukking zien in Victoria's gezicht toen ze buiten de rechtszaal op hem wachtte.

De volgende morgen gaf zelfs nog meer vooruitgang. Harrison riep Matt Brennan, de eigenaar van de bar in Pearl Street, op als getuige. Brennan was de eerste in een serie getuigen van de verdediging die konden getuigen over de positieve veranderingen in de levens van de mensen die een opwekking hadden meegemaakt. Harrison had die verhalen eerder gehoord en hij wist dat ze onvermijdelijk indruk moesten maken op de jury.

Het verhoor begon onder de schaduw van J.K. Jarves' afwezigheid. Toen hem gevraagd werd waarom de aanklager zo laat was, verklaarde Whitney Stuart III dat hij geen kennis had van de reden waarom Jarves niet in de rechtszaal was.

Rechter Walsh beval dat het proces moest doorgaan.

'Meneer Brennan, vertelt u ons eens in uw eigen woorden waar u getuige van geweest bent op de avond in kwestie.'

'Het duurde meerdere avonden,' zei Brennan.

'Begint u met de eerste avond.'

'Ik dacht eerst dat ze dronken waren.'

'Ze?'

'Tom Branson, Pete Whittaker, Ludlow Green – een paar van mijn vaste klanten. Ik bedoel, ze toeterden hard genoeg om de doden te wekken. Alleen, het rare was dat ze nog niets gedronken hadden! Ik bedoel, die mannen zijn meestal goed voor...'

De deur van de rechtszaal sloeg open.

Er werden hoofden omgedraaid.

J.K. Jarves werd de rechtszaal ingeholpen. Zijn pak was bedekt met vuil en er zat een scheur bij de knie. Hij had zijn arm om een bebaarde man geslagen, die de kleding van een smid droeg.

'Wat is dit?' blafte rechter Walsh.

De smid sprak. 'We hebben hem zo gevonden achter de stal. Hij was helemaal in elkaar geslagen. We wilden een dokter halen, maar hij stond erop dat we hem hier brachten.'

'De man spreekt de waarheid,' zei Jarves.

Ze waren nu bijna bij de omheining. Jarves' knie bloedde. Er was ook bloed in de hoek van zijn mond. Hij hield een zakdoek over een wond op zijn voorhoofd.

'De goede man heeft mij hier gebracht omdat ik dat per se wilde,' legde Jarves uit.

'Wie heeft u dit aangedaan?' vroeg Walsh.

Jarves bleef staan tegen de omheining. 'Het waren er vijf. Ze overvielen me bij de smidse. Er moest een wiel van mijn rijtuig gerepareerd worden. Ik wilde het daar op weg naar de rechtszaal achterlaten.'

'Weet u wie het waren?' vroeg de rechter.

'Ik heb ze nooit eerder gezien. Ze zeiden dat ze bezorgde burgers waren. Ze wilden me overhalen om de zaak te laten vallen. Toen ik zei dat ik niet van plan was naar hun pijpen te dansen, stapten ze over op een andere tactiek en gingen ze hun vuisten en laarzen gebruiken.'

'Toen we hem vonden, dachten we dat hij dood was,' zei de smid.

'Ze dachten dat ze me vermoord hadden,' voegde Jarves eraan toe. 'Het was de enige manier waarop ik het slaan kon stoppen. Toen ze eenmaal dachten dat ik dood was, knielden ze over me heen en...'

'En wat?' vroeg Walsh.

'En deden ze een gebed.'

'Wat?'

'Ze deden een gebed, edelachtbare. Ze bevalen mijn ziel aan bij God zodat Hij mij naar de hel zou sturen.'

De rechter kookte. 'We zullen twee uur pauzeren zodat u tijd hebt om u op te knappen, tenzij u denkt dat u meer tijd nodig hebt.'

'Nee, edelachtbare. Als het u niet uitmaakt, dan zou ik liever gewoon doorgaan. Ik geloof dat ik er klaar voor ben.'

De rechter keek alsof hij het verzoek in gedachten overwoog. 'Tot het middaguur. We nemen een lange etenspauze.'

'Dank u, edelachtbare,' zei Jarves.

De smid hielp hem naar zijn zitplaats. Een bezorgde Whitney Stuart en een aantal assisterende advocaten drongen om Jarves heen. Alle ogen in het juryvak waren op hem gericht.

'Gaat u verder met ondervragen, meneer Shaw,' zei de rechter.

'Edelachtbare...'

'Gaat u verder!'

Brennan had zijn verklaring net zo goed onder vier ogen aan Harrison kunnen geven. Niemand anders luisterde ernaar. Hun aandacht was bij de tafel van de aanklager, waar Jarves zwaar op de tafel leunde alsof hij elk moment het bewustzijn kon verliezen.

Na de etenspauze kwam Jarves terug in schone kleren en met een verband om zijn hoofd. Hij liep met een stijf been.

Toen hij klaar was met ondervragen, gaf Harrison de getuige over aan de aanklager.

Met een vertrokken gezicht stond Jarves op. Het kostte hem een tijdje om naar de getuigenbank te waggelen. 'Meneer Brennan, u hebt een paar nogal ongebruikelijke dingen beschreven.'

'Ja, meneer.'

'Uit de manier waarop u de mannen beschreef die die

avond in uw bar waren, zou men de indruk krijgen dat ze te veel gedronken hadden.'

'Dat dacht ik eerst ook. Maar ik had ze nog niets gegeven. En ze bleven maar God prijzen.'

'Ze noemden God,' zei Jarves. 'Is het ongebruikelijk dat de naam van God in uw zaak genoemd wordt, meneer Brennan?'

'Nee, meneer. Hij wordt steeds genoemd. Meestal in vloeken.'

De jury lachte.

Jarves verdraaide zijn hoofd alsof het gelach hem pijn deed.

'Bent u in orde, meneer Jarves?' vroeg de rechter.

Jarves voelde met zijn hand aan het verband. 'Ja, edelachtbare. Geeft u me alleen even een moment.'

De rechtszaal wachtte tot Jarves de pijn bedwongen had.

'Meneer Brennan,' zei hij eindelijk, 'is uw zaak de enige waar alcohol verstrekt wordt?'

Brennan lachte. 'Nee, meneer.'

'Dus het is voorstelbaar dat die mannen inderdaad dronken waren en dat ze zichzelf al hadden laten vollopen voor ze in uw zaak kwamen? Mogelijk hadden ze zelfs erg sterke drank te pakken gekregen?'

'Die mannen komen al bij mij sinds...'

'Is het voorstelbaar, meneer Brennan?'

'Ja, ik vermoed dat het voorstelbaar is.'

'Zegt u eens, meneer Brennan, hoe gaan de zaken?'

'Niet zo goed.'

'Dat verbaast mij,' zei Jarves. 'U hebt een goede locatie. U hebt jarenlang een klantenkring opgebouwd. Ik neem aan dat de zaken niet altijd zo slecht gegaan zijn?'

'Nee, meneer, ik heb een paar verschrikkelijk goede jaren gehad.'

'Wanneer begonnen de zaken achteruit te gaan?'

'Het begon achteruit te gaan na dat opwekkingsgedoe.'

'De mensen kwamen daarna niet meer?'

'Jawel, ze komen. De zaak zit vol. Maar ze kopen geen drank meer.'

'Mensen gaan naar een bar en kopen geen drank? Wat doen ze daar dan?'

'Ze bidden.'

'Is daar de kerk niet voor bedoeld?'

Brennan grinnikte. 'Precies! Ik zeg ze dat de kerk geen drank verkoopt en dat ik geen gebeden verkoop.'

Jarves dacht daarover na. 'Meneer Shaw heeft veel moeite gedaan om te bewijzen dat de kerk een goede buur is. Maar een goede buur berooft een andere buur toch niet van zijn inkomen?'

'Dat doen ze met mij wel.'

Aan het eind van de dag bleef Harrison bij de tafel van de aanklager staan.

Jarves zat met zijn rug naar hem toe. Hij praatte met Whitney, dus die was de eerste die Harrison zag. De stagiair groette hem met een grijns.

Jarves draaide zich om.

'Ik wilde even weten hoe het met u gaat,' zei Harrison, wijzend op het verband om Jarves' hoofd. 'En ik wilde u laten weten dat zo'n soort daad volstrekt laakbaar is. Ik hoop dat de mannen die dit gedaan hebben gestraft worden.'

'Net een soort kruistocht, vindt u niet, meneer Shaw? Een heilige oorlog in de naam van God.'

'Wat die mensen u aangedaan hebben, daar is geen verontschuldiging voor.' Harrison schudde spijtig zijn hoofd.

Uit een ooghoek zag hij Tori naar het midden lopen.

Jarves trok Harrison opzij. Hij legde op een vaderlijke manier zijn handen op Harrisons schouders. 'Buiten de rechtszaal denken, meneer Shaw.'

'Ik kan niet geloven dat mijn vader zichzelf in elkaar zou laten slaan, alleen om een zaak te winnen,' zei Tori later.

'Hij heeft het me zo goed als toegegeven. Of beter: hij schepte erover op. Bovendien, dit is voor hem niet zomaar een rechtszaak. Hij wil niet alleen maar de sympathie van de jury, hij wil *jouw* sympathie.'

En die heeft hij gekregen, dacht Harrison. Hij kon het zien in haar ogen.

'Ga je me nog oproepen als getuige?'

'Morgen roep ik dr. Thaddeus Welles op. Hij is een theoloog van het William and Mary College. Je zei toch dat dit een geestelijke strijd was? Ik ga de eigenschappen van God gebruiken om de jury ervan te overtuigen dat God heilig is, ondanks dat Zijn kinderen zich vaak onheilig gedragen. Ik wil hen ervan overtuigen dat God goed is en dat Hij alleen het beste voor Zijn schepping wil en dat dat niets minder is dan redding.'

'Dus je gaat me niet oproepen als getuige?' vroeg ze.

Harrison keek haar in de ogen. 'Nee.'

'Waarom niet?'

'Daar heb ik mijn redenen voor.'

'Mooi.'

Ze draaide zich om en ging weg. Dit keer was ze niet terug te roepen.

31

Nadat hij de academische kwalificaties van dr. Thaddeus Welles had vastgesteld, begon Harrison aan zijn ondervraging.

'Dr. Welles, bent u het ermee eens dat iemands verlangens, motieven, levenshouding en daden beïnvloed worden door het beeld dat hij van God heeft?'

Welles was een man van gemiddelde grootte met opzijgekamd grijs haar. Hij had een vierkant gezicht en vriendelijke ogen en hij bloosde als hij sprak. Niet omdat hij zenuwachtig was, want hij sprak gemakkelijk en met gezag. Maar het kleuren kwam zijn geloofwaardigheid bij de juryleden niet ten goede.

'Ik zou zeggen dat u dat zo juist stelt,' reageerde Welles.

Harrison keek naar achter in de rechtszaal. Hij had zijn aandacht er niet helemaal bij. Tori zat niet op de tribune. Ze had tot nu toe nog geen dag van het proces gemist. Hij vroeg zich af of ze ziek was... of dat ze nog steeds boos op hem was.

'Dr. Welles,' zei Harrison, 'aangezien het beeld dat wij van God hebben zo cruciaal is, kunt u ons misschien helpen. Wilt u alstublieft het karakter van God beschrijven?'

'Gods eigenschappen?' verduidelijkte Welles. 'Wel, allereerst is God almachtig; er is voor Hem niets te moeilijk. Hij wordt nooit moe of gefrustreerd of ontmoedigd. God is alomtegenwoordig; Hij is overal. Hij heeft niet de beperking dat Hij maar op één plaats tegelijk kan zijn. God is alwetend; Hij weet alles. Hij is de bron van alle kennis, alle begrip en alle wijsheid. God is soeverein, wat betekent dat er in het universum geen hoger gezag is. God is heilig; Zijn karakter is in alle opzichten volmaakt.'

Harrison keek naar de juryleden om hun reactie te zien. Er waren er al drie of vier gestopt met luisteren. Jurylid twee geeuwde; jurylid zeven was zijn nagels aan het schoonmaken.

Welles was vervallen in een doceertoon. 'God is absolute waarheid; wat Hij ook zegt, het is absoluut juist. God is rechtvaardig; Zijn maatstaven zijn volmaakt en Zijn wetten zijn de uitdrukking van die maatstaven. God is eerlijk, wat betekent dat Hij ons altijd eerlijk behandelt. God is liefde, wat betekent dat Hij onvoorwaardelijk uit is op ons welzijn. God is barmhartig; Hij vergeeft ons onze zonden als we die oprecht aan Hem belijden.'

Rechter Walsh haalde een sinaasappel tevoorschijn en begon hem af te pellen. Aan de tafel van de aanklager leek Whitney Stuart te slapen. Zijn hoofd steunde op zijn arm.

'God is trouw,' ging Welles verder. 'We kunnen erop vertrouwen dat Hij altijd Zijn beloften nakomt. God verandert nooit; Hij zal nooit sterker of zwakker zijn, Zijn kennis zal nooit toenemen of afnemen. God heeft geen wisselende stemmingen. Onze toekomst is verzekerd door de onveranderlijke natuur van God. En God is een persoon. We kunnen een intieme relatie met Hem hebben.'

Harrison keek de rechtszaal door. Tori was er nog steeds niet.

Een van de juryleden snurkte zo hard dat hij er zelf wakker van werd.

J.K. Jarves zat aan de tafel van de aanklager, zijn hoofd in het verband, en overzag de jury met een tevreden glimlach op zijn gezicht.

Dr. Welles was nog niet klaar. 'Gods eigenschappen vormen de basis waarop onze relatie met Hem gegrond is. Bijvoorbeeld: omdat God almachtig is, kan Hij ons overal mee helpen. Omdat Hij alomtegenwoordig is, is Hij altijd bij ons. Omdat Hij alles weet, kunnen we met alle vragen en zorgen bij Hem komen. Omdat God soeverein is, onderwerpen we ons met vreugde aan Zijn wil. Omdat Hij heilig is, wijden we onszelf in reinheid en aanbidding aan Hem en Zijn dienst. Omdat Hij de absolute waarheid is, geloven we wat Hij zegt en leven daarnaar. Omdat God rechtvaardig is, leven we naar Zijn maatstaven. Omdat Hij eerlijk is, kunnen we er zeker van zijn dat Hij ons altijd eerlijk behandelt. Omdat Hij liefde is, weten we dat Hij onvoorwaardelijk uit is op ons welzijn. Omdat Hij barmhartig is, halen we troost uit de wetenschap dat onze zonden vergeven zijn. Omdat Hij trouw is, weten we dat we erop kunnen vertrouwen dat Hij Zijn beloften nakomt. Omdat Hij nooit verandert, weten we dat onze toekomst zeker is. En omdat God een persoon is, kunnen we een intieme relatie met Hem hebben.'

En zo ging het de hele morgen. Harrison dacht erover om Welles het zwijgen op te leggen, maar dit was het hart van zijn argumentatie. Hij dacht dat als hij de jury kon laten zien wat de ware natuur van God was, ze zich dan zouden realiseren dat Zijn kerk nooit een kwaad roofdier kon zijn en dat gelovigen, zoals Tori, geen slachtoffers waren.

Het was een vergeefse poging. Meerdere keren schraapte Harrison zijn keel of verhief hij zijn stem om te vragen om verduidelijking, alleen om slapende juryleden wakker te maken. Wat hij ook probeerde, het hielp niet.

De ogen van de juryleden stonden glazig.

De rechter pelde zijn sinaasappel af.

Whitney sliep.

En Jarves grijnsde.

Harrison was zijn zaak aan het verliezen. Hij had alles gedaan wat hij kon bedenken – inclusief het oproepen van talrijke getuigen met verhalen over hoe hun leven veranderd was – maar hij schoot te kort. De oude North Dutch Church zou strafrechtelijk aansprakelijk gesteld worden en worden afgeschilderd als de rover van onschuldige zielen. Alle kerken zouden lijden onder de publiciteit die daar het gevolg van zou zijn. Het christendom – nee, God Zelf – was afhankelijk van Harrison, net als eerder George Bowen en hij liet Hem in de steek.

Toen de zitting verdaagd werd voor het middageten, ging Harrison op zoek naar Tori.

Het huis van Patricia was een klein wit optrekje met buitenmuren van overnaadse planken en met een veranda in zuidelijke stijl. Harrison nam twee treden tegelijk en klopte.

Onderweg van het gerechtsgebouw naar hier had hij in zichzelf gevochten met twee kwade geesten. De zorg over Tori's onverwachte afwezigheid in de rechtszaal had aan hem geknaagd, terwijl het verlangen naar wat hij haar ging vragen hem van binnen had opgegeten.

Hij hoorde voetstappen aan de andere kant van de deur. Hij ging open en zwaaide naar binnen.

Polly groette hem met de glimlach van iemand die op haar gemak is, alsof het gewoon een normale dag was. Wist ze niet dat maar een paar kilometer daarvandaan het lot van het christendom aan een zijden draad hing?

Ze had haar slapende baby op de arm. 'Harrison! Is er vandaag geen zitting?'

'De zitting is verdaagd voor het middageten.'

Polly's gezicht klaarde op toen ze dat hoorde. 'Je hebt mijn nieuwe baby nog niet gezien, hè?' Ze draaide het kind in zijn richting zodat hij het beter kon zien. 'Wil je haar even vasthouden?'

Harrison weigerde snel.

'Ze heet Emily.' De moeder lachte naar het kind. Gewoon uit de manier waarop ze naar haar dochter keek, kon Harrison opmaken dat Polly een goede moeder was.

'Ik zoek Tori,' zei Harrison. 'Is ze hier?'

'Ze is bezig,' reageerde Polly, snel en kort. Het was duidelijk dat ze de vraag verwacht had.

'Ik moet haar dringend spreken.'

'Het spijt me. Ze zit midden in een gebedssamenkomst.'

Harrison voelde zijn woede opkomen. 'Het kost maar een tel.'

'Harrison, ze is aan het bidden!'

Victoria Jarves aan het bidden. Een wonder op zich. Dat ontging Harrison niet, maar hij was wanhopig. Hij deed een stap vooruit en duwde Polly achteruit. Hij deed de deur achter zich dicht.

'Zeg haar alsjeblieft dat ik hier ben en dat ik haar moet spreken. Ik wacht wel.' Hij sprak ferm en dringend.

Polly's gezicht verloor alle hartelijkheid. 'Als je erop staat,' zei ze. 'Wacht hier.'

Omdat hij bij de trap stond, kon Harrison de hele gang en een deel van de woonkamer overzien. Twee vrouwen die hij niet herkende zaten op stoelen met rechte rugleuningen. Ze hadden hun hoofd gebogen. Hun ogen gesloten. Hij hoorde iemand die hij niet kon zien, bidden.

Even later verscheen Tori. Alleen.

'Ik moet met je praten,' zei Harrison.

'Het is nu geen goed moment,' fluisterde Tori. 'Kan het wachten?'

Polly verscheen achter haar. Hulptroepen.

'Laten we naar buiten gaan,' zei Harrison. Hij leidde Tori de veranda op en deed de voordeur dicht.

'Hoe gaat het met het proces?' vroeg Tori. Ze leek niet boos.

'Je was niet in de rechtszaal. Ik heb je gezocht.'

'Ik had wat te doen.'

'Het is gewoon dat je er altijd geweest bent. En na gisteravond dacht ik dat je misschien...'

Ze lachte lief. 'Ik ben niet boos op je. Gisteravond wel,

maar daar ben ik overheen. Ik ben vandaag niet naar de rechtszaal gekomen omdat we vandaag andere dingen te doen hebben.'

'*We* zoals in jij en Polly en Patricia?' vroeg hij met stemverheffing.

'Wat is daar mis mee, Harrison?'

Harrison keek weg. Zijn emoties waren als wilde paarden die op het punt stonden op hol te slaan. Het kostte hem even tijd om de teugels weer aan te trekken.

'Het proces gaat niet goed,' zei hij. 'Ik dacht... wel, het maakt niet uit wat ik dacht. De juryleden vallen in slaap en ik heb geen andere mogelijkheden meer.'

'Het spijt me dat te horen.'

Harrison hoopte dat ze de wenk zou begrijpen en hem nog een keer zou aanbieden om te getuigen. Dat deed ze niet. Hij zag de oude Victoria Jarves voor zich staan. Ze maakte het hem expres moeilijk. Ze genoot van zijn pijn, ze wilde hem laten toegeven dat hij het fout gehad had en ze dwong hem om haar om hulp te smeken. Een deel van hem wilde haar die genoegdoening niet geven. Maar zijn wanhoop won het van zijn ego.

'Ik ben waarschijnlijk vanmiddag klaar met mijn getuigen.' Hij slikte moeilijk. De volgende woorden kon hij er moeilijk uit krijgen. 'En ik zou graag willen... ik zou graag... wel, herinner je je dat ik gezegd heb dat ik jou alleen als laatste redmiddel als getuige zou oproepen? Wel, nu is het zover. Het laatste redmiddel. Ik zou graag willen dat je samen met mij teruggaat naar de rechtszaal. Ik ga je oproepen als getuige.'

Tot Harrisons opluchting glimlachte Tori. Ze raakte zijn wang aan met haar hand. Hij was warm. Teder.

'O, Harrison...' zei ze. 'Nee.'

32

Harrison liep alleen terug naar de rechtszaal. Bozer dan hij ooit in zijn leven geweest was. Wrok. Ze deed hem dit aan uit wrok. Er was geen andere reden voor. Had ze hem er niet mee achtervolgd dat hij haar als getuige moest oproepen? Ze had het hem gesmeekt! En nu hij erin toestemde, nu hij haar nodig had... wat dacht ze eigenlijk? Begreep ze niet wat er op het spel stond? Het ging in dit proces om meer dan alleen hen beiden.

Het was voorbij. Zonder haar verklaring had hij geen enkele kans om deze zaak te winnen. Zij was zijn laatste hoop geweest.

Opnieuw flitsten beelden van George Bowen door zijn hoofd. De uitdrukking op zijn gezicht toen de jury het vonnis gaf. De schok. De klap van de nederlaag. Zelfs na zoveel tijd – die toch alle wonden moest helen – deed het pijn. En nu ging het weer gebeuren. Net zoals hij George Bowen teleurgesteld had, zo zou hij Jeremiah Lanphier en de oude North Dutch Church teleurstellen. Wie zou er nog naar de gebedssamenkomsten komen als Jarves erin geslaagd was om hen voor de wereld te laten afschilderen als een hol voor roofdieren?

Harrisons woede maakte het hem moeilijk om helder te denken. Zijn gedachten dwarrelden door elkaar.

Hij kon Tori dwingen om in de rechtszaal te verschijnen. Hij kon ervoor zorgen dat de rechter haar zou dagvaarden. Het nadeel daarvan zou zijn dat zijn belangrijkste getuige een vijandige getuige zou zijn. Maar dat was toch beter dan helemaal geen getuige?

Waarom doet ze me dit aan?

Harrisons dag werd nog slechter toen hij het gerechtsgebouw bereikte. Whitney wachtte hem op de stoep op.

'Garderobe,' zei Harrison. Hij zag het al aankomen.

'Hij wil je spreken,' bevestigde Whitney.

Een ongeduldige J.K. Jarves schoot op hem af toen Harrison de garderobe binnenkwam. 'Waar ben je geweest? Het is al bijna tijd om te beginnen.'

'Wat wilt u?' vroeg Harrison.

'Waar is Victoria? Ze was vandaag niet in de rechtszaal.'

'Ze had iets anders te doen.'

Jarves keek hem wantrouwend aan. 'Waar ben je mee bezig?'

Harrison draaide zich om om weg te gaan.

Jarves greep hem bij de arm met de klemmende greep van een bidsprinkhaan. 'Roep mijn dochter niet op als getuige.'

De ironie van zijn verzoek ontging Harrison niet. 'Ik verzeker u dat ik uw dochter niet zal oproepen als getuige,' reageerde hij.

Jarves zocht in Harrisons ogen. Hij geloofde blijkbaar dat Harrison de waarheid sprak, want zijn greep werd losser. 'Nog één ding,' zei Jarves. 'Ik wil haar voor mijn slotpleidooi in de rechtszaal hebben. Als jij haar niet hier kunt krijgen, dan zal ik dat doen.'

Harrison geloofde hem. In de eerste plaats dat Jarves ertoe in staat was om Tori te vinden. Het zou dom zijn als Harrison dacht dat hij niet wist waar Tori verbleef. En in de tweede plaats dat hij ertoe in staat was om haar in de rechtszaal te krijgen, zelfs als ze dat zelf niet wilde.

Jarves drong aan. 'Wel? Zal ze hier zijn?'

'Ze zal hier zijn. Ik zal ervoor zorgen.'

'Als het proces voorbij is en ik jouw huid aan de muur

genageld heb, wil ik jouw woord dat je mijn dochter nooit meer zult ontmoeten.'

'En waarom zou ik daarin toestemmen?'

Jarves was er klaar voor. 'Het is de prijs voor je leven. Als je haar nooit meer zult ontmoeten, blijf je in leven. De dag dat je haar wel weer ontmoet, zal je laatste zijn.'

En hij houdt me voor altijd gespietst op de doorn van de publieke opinie als de man wiens falen ertoe leidde dat het christendom in Amerika begon te slinken.

'Begrijpen we elkaar?' dreigde Jarves.

Harrison schudde zich los. Hij greep de arm van de oudere advocaat en draaide de rollen om. 'We zijn nog niet klaar. Als u er niet in slaagt om een veroordeling te krijgen, dan laat u haar met rust. U laat haar haar eigen leven leven.'

Een moorddadige blik maakte plaats voor een grijns en een lach. 'Je hebt mijn woord.' Jarves draaide zich om om te vertrekken.

Harrison hield hem tegen. 'Ik ben nog niet uitgesproken. Als u er niet in slaagt een veroordeling te krijgen, dan geeft u ons toestemming om te trouwen.'

Het was het eerste punt dat Harrison scoorde sinds het begin van het proces. Jarves was er totaal niet op verdacht. Whitneys mond viel open, vrijwel net zo als op de avond van de bekendmaking van de stage toen hij vernam dat J.K. Jarves niet hem uitgekozen had.

Jarves lachte. 'Ze zou je nooit willen.'

'Dan hebt u niets te verliezen.'

'Je hebt mijn woord,' zei een vermaakte Jarves. Hij liep lachend de garderobe uit.

Dr. Welles, professor aan het William and Mary College ging weer in de getuigenbank zitten toen de middagzitting begon.

J.K. Jarves liep zelfverzekerd naar hem toe.

'Dr. Welles, ik wil u bedanken voor het inspirerende college over de eigenschappen van God van vanmorgen. Het was echt heel boeiend.'

Harrison stond op om bezwaar te maken.

Het schudden van rechter Welsh' hoofd gaf aan dat het hem niets zou opleveren.

Harrison ging weer zitten.

'Dr. Welles,' vroeg Jarves, 'bent u de hoogste autoriteit in Amerika over God?'

'O nee,' antwoordde Welles.

'Uit uw antwoord maak ik op dat er andere gekwalificeerde academici zijn in Amerika die even goed in staat zijn om in deze rechtszaal te getuigen.'

'Ja, die zijn er.'

'Niet alleen aan William and Mary, maar ook aan Harvard en Yale en Princeton.'

'Ja.'

'Verbetert u mij als ik het fout heb, dr. Welles, maar zijn er onder die mannen niet sommigen die geloven dat ze deze geweldige God hebben – Degene Die u zo welsprekend beschreven hebt – en dat Hij de wereld geschapen heeft en de natuurlijke wetten naar Zijn oneindige wijsheid heeft ontworpen; en dat Hij daarna de wereld in werking gesteld heeft binnen de wetten van Zijn schepping; dat Hij Zichzelf daarna heeft teruggetrokken en ervoor gekozen heeft Zich niet meer met Zijn schepping te bemoeien. Zijn er academici die geloven wat ik zojuist beschreven heb?'

'Ze worden deïsten genoemd.'

'Ah, juist. Deïsten. En dat zijn geleerde mensen die academische posities bekleden in onze hogescholen en universiteiten. Is dat correct, dr. Welles?'

'Ja, dat is zo.'

'Dank u voor uw eerlijkheid, dr. Welles. Ik weet dat dat niet gemakkelijk voor u was. Nog een vraag. Eén van de eigenschappen van God die u noemde, fascineert mij. Ik geloof dat het de laatste was. God is een persoon?'

'Ja. God is een persoon; daarom kunnen we een directe en intieme relatie met Hem hebben.'

Jarves grinnikte. 'Onze deïstische vrienden zouden het daar zeker niet mee eens zijn?'

'Nee.'

'Maar zoals u God beschreven hebt, dr. Welles, lijkt het er veel op dat Hij een persoon is. Ik krijg in mijn hoofd het beeld van een man met een grijze baard die op de wolken zit en neerkijkt op Zijn schepping.'

Welles grinnikte. 'Een veel voorkomende misvatting. God heeft wel eigenschappen van een persoon – uiteindelijk zijn we naar Zijn beeld geschapen – maar Hij heeft geen vlees en bloed. Hij is Geest.'

'U bedoelt dat Hij een soort spook is?'

Weer gegrinnik. 'Een ongelukkige vertaling. De Bijbel noemt Hem wel de Heilige Geest, maar dat is wat anders dan de griezelige begraafplaatsachtige beelden die ons in gedachten kunnen komen.'

Jarves deed of hij het nu beter begreep. 'Dus dat mijn dochter met geesten praat, hoeft mij geen zorgen te baren?'

'Als ze bidt tot God de Heilige Geest, dan hoeft u zich niet ongerust te maken. Onze God is een goede God.'

'Een goede Geest, bedoelt u? Anders dan de kwade geesten waar we over lezen in de Bijbel?'

'Demonen,' verduidelijkte dr. Welles.

'Zijn dat niet de geesten die iemands leven binnendringen en hem krankzinnig maken?'

'Dat klopt.'

'Maar God is niet zoals zij. Hij is een goede Geest. Hij zou nooit iemands lichamelijke wezen binnendringen.'

Welles hield zijn hoofd schuin. 'Dat is ook niet helemaal

juist. Als we gered worden, komt de Heilige Geest in ons leven om ons te leiden en te troosten.'

'Zegt u dat een vreemd wezen in mijn dochter is binnengedrongen? Dat het haar lichaam onder controle heeft?'

'Als uw dochter gered is, heeft ze de Heilige Geest in zich, maar Hij oefent geen controle uit over haar spreken en doen zoals een boze geest dat zou doen.'

'Maar ze noemt Hem Heer en Meester.'

'Het is een vrijwillige onderwerping aan God als haar Redder.'

Jarves leek niet tevredengesteld. 'Laat mij u dit vragen, dr. Welles: spreekt u met deze Geest?'

'In het gebed, ja.'

'En spreekt Hij tot u?'

'Niet hoorbaar, maar ja.'

'Niet hoorbaar? Hij is stom?' Jarves onderdrukte een grijns.

'God is in staat om op allerlei manieren te communiceren – soms hoorbaar, maar te oordelen naar wat ik gelezen heb, is dat zeldzaam.'

'Maar Hij is ertoe in staat?'

'Ja.'

'Dus u praat met Hem?'

'Ja.'

'En mijn dochter praat met Hem. Dat zijn er twee. Zijn er nog meer?'

Dr. Welles leek genoeg te hebben van deze vragen. 'We praten met God als we bidden om redding. Telkens als christenen bidden, praten ze met God.'

'Kan ik met Hem praten?'

'Ja.'

'En hoort Hij mij?'

'Ja.'

'Zal Hij antwoorden?'

'Hij is ertoe in staat om te antwoorden.'

‘Laat mij eens zien of ik u goed begrijp, dr. Welles. God is een persoon die zo in deze wereld werkt, dat Hij zelfs menselijke wezens in Zijn greep houdt. Deze persoon is in staat om ons te horen als wij met Hem praten en om te antwoorden op manieren die wij begrijpen. Klopt dat?’

‘In essentie klopt dat.’

Jarves grijnsde. ‘Het lijkt mij dat we deze zaak gemakkelijk kunnen afhandelen, voor eens en voor altijd. Als wat u zegt waar is, dr. Welles, dan denk ik dat we met de verkeerde persoon hebben gesproken. Ik wil u niet beledigen, doctor, maar waarom zouden we met een deskundige over God praten, als we met God Zelf kunnen praten?’

Jarves liep naar de rechterstoel toe. ‘Edelachtbare, ik denk dat we in deze zaak gemakkelijk achter de waarheid kunnen komen.’

Hij zweeg. Langer dan nodig was. Lang genoeg om zich te verzekeren van ieders aandacht.

Harrison bewoog zenuwachtig. Hij herkende de tactiek van het opbouwen van de spanning. Typisch Jarves. Hij voerde iets in zijn schild. Een gevoel van naderend onheil kronkelde in Harrisons maag.

Jarves zei: ‘Edelachtbare, ik verzoek u om een dagvaarding voor de persoon van de Heilige Geest. Ik heb een paar vragen voor Hem.’

Harrison stond. ‘Edelachtbare, ik maak bezwaar!’

‘Op welke gronden?’ vroeg de rechter.

Het trof Harrison dat de rechter zo weinig verbaasd was over het verzoek. Hij had van tevoren geweten wat er kwam. Mogelijk had hij zelfs een aandeel gehad in het bedenken van deze tactiek.

Harrison stamelde. ‘De Heilige Geest is een geest. Hoe zou het hof bij Hem een dagvaarding kunnen afleveren?’

‘Volgens de verklaring van een getuige-deskundige,’ voerde Jarves aan – hij staarde naar Harrison – ‘een getuige die u zelf voor uw verdediging hebt opgeroepen – is God een persoon die kan communiceren. Hij is overal tegenwoordig, dus is Hij hier nu. Daarom, als het hof mondeling een dagvaarding laat uitgaan om Hem op te roepen als getuige, kunnen we er dan niet zeker van zijn dat God de dagvaarding zal horen en als een persoon met een vrije wil voor Zichzelf zal uitmaken of Hij al dan niet zal verschijnen? Wat is daar anders aan dan bij elke andere getuige?'

Harrison zat in de val. Hij moest reageren, maar zonder de geloofwaardigheid van zijn eigen getuige aan te tasten. 'Edelachtbare...'

'Edelachtbare,' viel Jarves hem in de rede, 'het is mijn bewering dat de kerk het bestaan van een onzichtbare God met onbegrensde macht verzonnen heeft, alleen om zwakke geesten, die voor zulke onzin bezwijken, te exploiteren en daarvan te profiteren. Als zij zo zeker zijn van wat ze leren – dat God inderdaad een persoon is die in staat is te communiceren – waarom zouden ze er dan bezwaar tegen hebben dat de Heilige Geest voor Zichzelf getuigt? Ik zal u zeggen waarom. Omdat er helemaal geen Heilige Geest bestaat! Het uit laten gaan van een dagvaarding zal hen voor eens en voor altijd dwingen om met die zogenaamde God van hen op de proppen te komen.

Volgens hun eigen verklaringen houdt deze Geest mijn dochter in Zijn macht. Ik beweer dat dat tegen haar wil is. Mijn verzoek raakt het hart van de zaak die aan de orde is. Had een ander personage – een gek bijvoorbeeld – haar tegen haar wil in zijn macht gehouden, zou die persoon dan niet gezocht en zo nodig gedwongen worden om voor het hof te verschijnen en zichzelf te verantwoorden? In dat geval zou u niet vragen of hij gedagvaard is of niet. De verdediging heeft zelf toegegeven dat de Heilige Geest een persoon is. Ik verzoek – nee, ik *eis* dat u die persoon dagvaardt voor het hof.'

Rechter Edwin Walsh keek naar Harrison voor een antwoord.

'Edelachtbare, dit is belachelijk,' riep Harrison. 'Wij vertellen God niet wat Hij moet doen; Hij vertelt ons wat wij moeten doen. De aanklager probeert deze rechtszaak te veranderen in een waardeloze attractie à la P.T. Barnum. Om van de Almachtige God te eisen dat Hij Zich onderwerpt aan een menselijke rechtbank is niet alleen lachwekkend, het is Godslasterlijk!'

Rechter Walsh deed of hij Harrisons bezwaar overwoog. Terwijl hij met zijn barnstenen ring speelde, zei hij: 'Ik geef toe dat het een ongebruikelijk verzoek is, maar ik sta het toe.'

'Edelachtbare!' wierp Harrison tegen.

De rechter ging verder. 'Het is uw eigen schuld, meneer Shaw. U hebt in het verslag laten opnemen dat God een persoon is en daarmee hebt u er de deur voor geopend dat Hij als getuige kan worden opgeroepen, want Zijn betrokkenheid vormt het hart van dit proces.'

'Maar edelachtbare...'

Walsh keek naar Jarves. 'Weet u zeker dat u dit doen wilt?'

'Als God is wie de verdediging beweert dat Hij is,' reageerde Jarves, 'zal het voor Hem vast niet moeilijk zijn. Hij is ter plaatse.'

Rechter Walsh knikte. 'Heel goed. Hierbij laat ik een dagvaarding uitgaan naar de persoon van de Heilige Geest om maandagmorgen vroeg voor dit hof te verschijnen.'

Het geluid van zijn hamer maakte het officieel.

33

Het was geen verrassing voor Harrison dat Jarves' theater de kranten haalde.

GOD GEDAGVAARD ALS GETUIGE

Het gebeurt niet elke week dat een New Yorkse rechter God dagvaart als getuige in een rechtszaak. Toch is dat precies wat er vrijdag gebeurd is in de rechtszaal van rechter Edwin Walsh tijdens het proces dat nu genoemd wordt: de staat New York versus de Heilige Geest.
Het was de aanklager J.K. Jarves die om de dagvaarding verzocht na de verklaring van de getuige-deskundige van de verdediging dr. Thaddeus Welles, hoogleraar theologie aan het William and Mary College. Onder ede had de professor God de Heilige Geest beschreven als een persoon die in staat is om te communiceren. Jarves verzocht toen dat de Heilige Geest zou worden opgeroepen als getuige in verband met Zijn rol in de redding van de dochter van de aanklager. Ondanks de bezwaren van de verdediging liet rechter Walsh de dagvaarding uitgaan.
Hoewel dit op het eerste gezicht een toneelstuk lijkt à la P.T. Barnum, houdt Jarves vol dat het het hart van zijn zaak raakt. 'Het is mijn bedoeling om voor eens en voor altijd te bewijzen dat kerkelijke leiders het volk eeuwenlang hebben bedrogen. Ze verbergen zich achter een onzichtbare God, ze beweren namens Hem te spreken en ze maken met bedreigingen van eeuwige verdoemenis de mensen bang zodat ze doen wat zij willen. Ik zou zeggen, laat God maar voor Zichzelf spreken. Dat is toch niet te veel van God gevraagd? Maar als maandagmorgen God niet verschijnt, dan denk ik dat iedereen zal begrijpen dat de wereld in het algemeen

en de Amerikanen in het bijzonder zijn beetgenomen in het grootste bedrog in de wereldgeschiedenis. En dat bedrog heeft een naam: het christendom.'

De zon ging onder.

Harrison en Tori zaten in schommelstoelen op Patricia's veranda. Harrisons schommelstoel had al dertig minuten niet geschommeld. Ze hadden een hele dag gehad om te piekeren over J.K. Jarves' capriolen in de rechtszaal.

'Patricia zegt dat bijna alle beschikbare kamers in New York verhuurd zijn,' zei Tori. 'Er zijn hier mensen uit Boston, Philadelphia, New Orleans, zelfs uit Europa. Ze willen allemaal zien wat er maandag gebeurt.'

Harrison schrok op. 'Europa? Onmogelijk!'

Tori haalde haar schouders op. 'Ik zei niet dat ze in één nacht hiernaartoe zijn gevaren. Ze waren al in Amerika. Het proces heeft hen naar New York gebracht, dat is alles. Je moet het vader toegeven. Hij heeft zijn grote publiek. Hij gedijt er goed bij.'

'Dat is precies wat ik horen wil,' zei Harrison sarcastisch.

Hij voelde zich leeg. Dat hij hier met Tori zat, was het eerste rustige moment dat hij had sinds rechter Walsh de dagvaarding had laten uitgaan, maar het was verre van vredig. Hij had geprobeerd tijd voor zichzelf alleen te vinden om te kunnen denken door zich in de kelder van de kerk te verstoppen. De ouderlingen hadden hem gevonden. Natuurlijk waren ze benieuwd wat hij van plan was te doen. Alleen wist Harrison niet wat hij ging doen. Binnen enkele minuten was de kelder volgestouwd geweest met dominees, theologen, advocaten – ze boden hem nu hun hulp aan! – en goedbedoelende leden van de kerk en allemaal hadden ze hem verteld wat hij moest doen.

De ouderlingen waren boos op hem omdat hij het proces had laten verworden tot een referendum over het christendom. Ze hadden hem een lange lijst Bijbelteksten gegeven over het bestaan van God en over de rol van de Heilige Geest die hij maandagmorgen moest voorlezen. Harrison had geprobeerd hun uit te leggen dat hij als advocaat met een argumentatie moest komen die gebaseerd was op de wet en op jurisprudentie. Ze hadden niet geluisterd.

'Wat ga je doen?' vroeg Tori.

'Dat weet ik nog niet.' Hij keerde zich naar haar toe. 'Tenzij ik jou kan overhalen om te getuigen.'

Tori boog zich naar hem toe en raakte zijn arm aan. 'Vraag me dat niet, Harrison.'

Ze vroeg het onmogelijke. Hij was aan het eind van zijn mogelijkheden. 'Je moet getuigen! Het is onze enige hoop. Kijk, als je nog steeds boos op me bent, ik heb je toch al honderd keer excuses aangeboden! Zeg me dan wat ik doen moet en ik doe het.'

Ze glimlachte. Het was niet gemaakt. En er was zelfs geen spoor van boosheid in haar ogen. 'Je hebt mijn verklaring niet nodig om deze zaak te winnen.'

Harrison slikte een weerwoord in. Hij had er sinds de tweede of de derde dag niet meer aan gedacht om de zaak te winnen. Het beste waar hij nu nog op kon hopen was dat de jury het niet eens kon worden.

Een eenvoudig geklede vrouw naderde het huis. Ze droeg witte handschoenen en een simpele hoed en ze liep met haar ogen neergeslagen. Ze merkte niet dat er iemand op de veranda was tot ze haar voeten op de treden zette. De aanwezigheid van Harrison en Tori deed haar schrikken.

'Emma!' Tori groette haar. 'Zijn dat nieuwe schoenen? Iedereen is binnen. Zeg ze maar dat ze maar zonder mij moeten beginnen. Ik kom zo.'

De vrouw glimlachte en verdween door de deur.

'Je laat me in de steek?' zei Harrison.

'Een gebedssamenkomst.'

'Alweer een?'

Tori glimlachte. 'Bedoel je dat er zoiets bestaat als te veel gebed, Harrison?'

Hij dacht aan zijn belofte aan Jarves. Zijn tijd met Tori raakte op. 'Ik hoopte gewoon dat we de avond samen konden doorbrengen. Om over andere dingen te praten dan het proces.'

'Dat zou ik leuk vinden.' Ze stond op. 'Maar daar hebben we na het proces wel tijd voor. Polly las vanmorgen in de Bijbel een gedeelte over dat alles zijn tijd heeft. Dit is de tijd voor het gebed, Harrison. Onze tijd komt snel genoeg.' Ze boog zich voorover en kuste hem op de wang.

'Je vader wil dat je in de rechtszaal bent om zijn slotpleidooi te horen.'

Er gleed een schaduw over Tori's gezicht. 'Misschien heb ik dan wel wat anders te doen.'

'Hij stond erop. Als je niet komt opdagen, dan stuurt hij iemand om je op te halen.'

Tori keek naar de horizon en zuchtte. 'Goed, zeg hem maar dat ik er zal zijn. Nou, excuseer me.'

Harrison pakte haar hand. 'Moet je echt gaan?'

Ze keek naar hun handen die in elkaar grepen en toen naar de deur. 'Ik moet echt naar binnen.'

'Kunnen ze niet één avond bidden zonder jou?'

Tori hief Harrisons hand naar haar lippen en drukte er een kus op. 'Je hebt me geleerd dat we op God moeten vertrouwen, Harrison. Hij zal ons niet in de steek laten.'

De zondag voor de geplande verschijning van de Heilige Geest in de rechtszaal was een marteling voor Harrison. Hoe vaak had hij geen troost gevonden in een kerkdienst? Kracht en bemoediging in een preek? Hoe vaak had hij zich niet tussen vrienden, broeders en zusters in Christus begeven en was hij verfrist en vol vertrouwen thuisgekomen?

Maar deze zondag niet. Deze zondag was voor hem geen rustdag.

Hij schudde een of twee bemoedigende handen, maar hij werd meest in stilte ontvangen. Van een afstand werden er boze blikken op hem geworpen. En de preek was duidelijk geïnspireerd door de gebeurtenissen rond het proces. De dominee stelde: God zal niet berecht worden voor menselijke rechtbanken; de mensheid zal berecht worden door God.

Tori was op zondagmiddag niet beschikbaar. Ze gebruikte de middag om te bidden met haar vrouwengroep.

Harrison ontsnapte door langs de straten van de stad te dwalen. Omdat hij een plek nodig had waar niemand hem kende, liep hij naar Five Points. Een deel van hem hoopte dat hij een bende Fly Boys zou tegenkomen. Tegen hen had hij tenminste een kans als het op vechten aankwam.

De gebeurtenissen van de laatste paar dagen buitelden door zijn hoofd. Zeker, er waren dingen die hij beter had kunnen doen. Dingen die hij anders gedaan zou hebben als hij er de kans voor had gekregen. Maar zouden ze verschil gemaakt hebben voor de uitkomst? De kaarten waren al in zijn nadeel geschud bij de keuze van de rechter en de juryleden. Vanaf de eerste dag was Harrison uit balans gebracht en hij was er nooit overheen gekomen. Zelfs de paar succesjes die hij tijdens het proces gehad had, verbleekten nu.

Maar dat alles was nog niets bij de pijn die hij voelde over Tori's weigering om te getuigen. Ze wist heel goed wat er op het spel stond. Had Jarves haar ingepalmd? In zekere zin hoopte hij dat, want als ze niet bezweken was voor zijn intimidatie, dan verkoos ze haar vader boven hem. En dat deed zeer. Heel zeer. Het was een wond waarvan Harrison niet dacht dat hij ooit zou herstellen.

34

De maandagmorgen begon heet. Het beloofde de eerste tropische dag van de zomer te worden. Om bij het gerechtsgebouw te komen moest Harrison zich door een menigte werken die zich al op de stoep verzameld had. Zodra hij herkend werd, werd hij bijna bedolven door een horde verslaggevers die zich aan hem opdrongen.

Van verschillende kanten werden er tegelijk vragen op hem afgevuurd. Harrison hield zijn hoofd naar beneden en zocht als een bulldog zijn weg naar het gerechtsgebouw. Ze wilden weten wat hij ging doen en hij kon het hun niet vertellen.

Hij kon het hun niet vertellen omdat hij het niet wist.

De tribune in de rechtszaal zat helemaal volgepakt. Er stonden mensen langs de muren. Ze stonden in rijen van tien in de deuropeningen, hopend iets te kunnen zien.

Toen Harrison aankwam, zaten de aanklagers al achter hun tafel, klaar om verder te gaan. Er lagen papieren uitgespreid. De klauwier onder het glas was strategisch zo geplaatst dat Harrison elke keer als hij opkeek van zijn zitplaats een paar moorddadige ogen op zich gericht zag.

Aan de tafel van de verdediging zaten Jeremiah Lanphier en Herbert Zasser op hem te wachten. Zasser leunde naar hem over op hetzelfde moment dat hij ging zitten. 'Heb je de lijst met Schriftgedeelten meegenomen? Ben je bereid ze voor te lezen?'

Ja en nee. Maar voor Harrison kon antwoorden werd de zitting geopend.

Rechter Walsh nam zijn zitplaats in en keek rond. Hij leek niet erg onder de indruk van de menigte in zijn rechtszaal. 'Laten we verder gaan.'

Hij gaf de suppoost opdracht om de Heilige Geest te laten plaatsnemen in de getuigenbank.

De suppoost, een man met een brede borst en een grote hangende snor stapte naar voren. 'Is Heilige Zijn voornaam of is het een titel?'

Er golfde een lachsalvo over de tribune.

De rechter maande met zijn hamer tot stilte. 'Doe gewoon je werk,' zei hij tegen de suppoost.

Met een duidelijke stem, zo hard dat het in de hal te horen was, zei de suppoost: 'De staat New York roept de Heilige Geest op als getuige.'

Hij wachtte en keek of er iemand naar voren stapte zoals bij elke andere getuige.

Toen er niemand kwam, herhaalde hij: 'De Heilige Geest.'

Op de tribune werden er halzen uitgerekt bij elke beweging.

'Het hof roept de Heilige Geest op,' zei de suppoost voor de derde keer.

Na een tijdje keek hij naar de rechter voor instructies.

Harrison stond overeind. 'Edelachtbare. De Heilige Geest is zoals Zijn naam aangeeft. Hij is een geest. Hij is dus onzichtbaar, maar geloof me, Hij is hier. Verder...'

De rechter keek naar de getuigenbank. 'Is Hij daar?'

'Edelachtbare, de Heilige Geest is overal tegelijk,' zei Harrison.

'Goed, meneer Shaw, als u het zegt.' Tegen de suppoost: 'Neem Hem de eed af.'

De suppoost staarde naar de lege stoel voor de getuigen. De uitdrukking op zijn gezicht maakte de jury aan het lachen. Anders dan toen Harrisons andere getuigen in de getuigenbank zaten, waren de juryleden wakker, bij de les en benieuwd naar wat er verder ging gebeuren. De juryleden twee en zeven hadden eenzelfde gezichtsuitdrukking – hun mond in een dunne streep met bij de hoek een krul van vermaak.

De suppoost sprak tegen de lege stoel en gaf de onzichtbare Geest opdracht om de waarheid te spreken. Hij wachtte voor een hoorbaar antwoord, maar kreeg er geen. 'Moet ik het nog een keer doen?' vroeg hij de rechter.

De rechter keek naar Harrison. 'Hij is uw getuige, meneer Shaw. Heeft Hij erin toegestemd om de waarheid te zeggen?'

Harrison stond op. 'Edelachtbare, God *is* de w...'

Jarves kwam overeind. 'Edelachtbare, ik maak bezwaar. Het doel van het oproepen van deze getuige is om Hem de kans te geven voor Zichzelf te spreken. Als u de raadsman van de verdediging toestaat om voor zijn getuige te spreken, dan doet u daarmee het doel van de dagvaarding teniet.'

'Aanvaard,' zei de rechter.

Jarves ging verder: 'Als ik een voorstel mag doen, edelachtbare: als de Heilige Geest inderdaad hier is, dan stel ik voor dat we verder gaan met het proces.'

Dat leek de rechter redelijk te vinden. 'Uw getuige, meneer Shaw.'

Harrison stond nog. Hij trok het jasje van zijn pak recht. Hij keek naar de getuigenbank en toen naar de tafel van de aanklager. Jarves leunde achterover en keek recht voor zich uit alsof dit een gewone dag in de rechtszaal was. Maar Whitney en de klauwier keken naar Harrison. Ze lachten hem allebei uit.

'Ik heb geen vragen voor deze getuige, edelachtbare.' Harrison ging zitten.

Zasser leunde over Jeremiah heen en zei hard fluisterend: 'Lees de Schriftgedeelten voor! Lees de Schriftgedeelten voor!'

'Heel goed,' zei de rechter. 'Meneer Jarves, uw getuige.'

J.K. Jarves duwde zijn stoel achteruit, knoopte zijn jasje dicht en liep naar de getuigenbank.

'Meneer de Geest,' begon hij.

In Patricia's woonkamer zaten vijftien vrouwen, waaronder de gastvrouw, haar zus Polly en Tori, geknield in gebed. Een voor een baden de vrouwen, sommigen met tranen in de ogen. Toen ze de hele cirkel rond waren begonnen ze opnieuw.

Tori keek naar de pendule. Het proces zou nu wel begonnen zijn. Ze sloot haar ogen en bad in stilte voor Harrison.

'Meneer de Geest,' zei Jarves tegen de lege getuigenstoel, 'U bent hier vandaag gedagvaard om het een en ander recht te zetten. Er zijn veel mensen die beweren dat ze U kennen. Ze beweren dat ze weten wat U denkt. Ze beweren namens U te spreken. Vreemd genoeg zijn ze het niet altijd eens. Dus is er verwarring. Uw aanwezigheid hier vandaag zal helpen om veel dingen op te helderen. Zegt U mij eens, meneer de Geest, wat is precies Uw rol in deze wereld?'

Jarves wachtte op een antwoord. Toen er geen antwoord gegeven werd, keek hij naar Harrison en toen weer naar de getuigenstoel.

'U hoeft niet verlegen te zijn,' zei Jarves tegen de stoel. 'U kunt hier vrijuit spreken.'

Hij wachtte. Na een paar tellen stak hij zijn hand uit en zwaaide heen en weer over de getuigenstoel alsof hij voelde of er iets was.

De juryleden en de tribune lachten.

'Even voor de zekerheid,' zei hij tegen de rechter. Tegen Harrison: 'Bent u er zeker van dat uw getuige op is komen dagen?'

'Edelachtbare,' klaagde Harrison.

Maar Jarves was nog niet klaar.

'Als het niet is om Uzelf te verdedigen, meneer de Geest,' bulderde hij, 'spreekt U dan omwille van Harrison.'

De aanklager wandelde naar de tafel van de verdediging. Hij ging naast Harrison staan terwijl hij tegen de getuigenstoel sprak. 'Hier is een jongeman die goed van U gesproken heeft. Hij heeft U edelmoedig verdedigd. Hij heeft zijn professionele nek uitgestoken namens U, hij heeft gezegd dat U een persoon bent en dat U goed bent, dat U zorgt voor hen die U dienen.'

Jarves liep naar de getuigenbank. 'Wel, meneer de Geest, als U iets geeft om deze jongeman, dan is nu het moment om U uit te spreken en aan de wereld te bewijzen dat hij er goed aan gedaan heeft zijn vertrouwen op U te stellen.'

Harrison stond op. 'Ik maak bezwaar, edelachtbare! De aanklager maakt deze procedure tot een bespotting.'

'Ik ben nog niet klaar met het ondervragen van deze getuige!' bulderde Jarves.

'Bezwaar afgewezen,' zei de rechter. 'U krijgt uw beurt, meneer Shaw.'

Jarves ging verder. 'Zegt U mij eens, meneer de Geest, in wat voor betrekking U precies staat tot mijn dochter? Hebt U haar in Uw macht? Hebt U haar op dit moment onder controle? Als ze U zou vragen om te vertrekken, zou U dat dan doen? Of houdt U haar tegen haar wil in Uw macht?'

'Edelachtbare...' pleitte Harrison.

'Hebt U haar ertoe gebracht dat ze U heeft uitgenodigd om haar in Uw macht te nemen? Heeft ze dat gedaan uit angst? Of hebt U haar verleid? Hoe vrij is mijn dochter precies in haar gedachten nu U haar lichaam overgenomen hebt? Is ze in staat om zelf te denken of hebt U haar volledig onder controle?'

'Edelachtbare!' schreeuwde Harrison. Hij was nu woedend.

'Meneer Jarves,' waarschuwde de rechter, maar hij wist duidelijk niet hoever hij dit optreden moest laten gaan.

'Ik heb nog één vraag, edelachtbare,' zei Jarves.

De rechter knikte toestemmend.

'Ik zal een schikking met U treffen, meneer de Geest,' zei Jarves. 'Als U één woord spreekt, één hoorbaar woord zodat deze jury en dit hof zonder twijfel kunnen weten dat U bestaat, dan zal ik hier meteen deze zaak laten vallen. Ik zal alle aanklachten intrekken. En dat niet alleen, maar ik zal mijn dochter aan Uw zorg overgeven en U niet meer lastigvallen.'

'Bezwaar, edelachtbare,' riep Harrison.

'Ik sta het toe,' zei de rechter.

'Meneer de Geest, als U mijn dochter liefhebt, als U om Harrison Shaw en de gedaagde geeft, als U echt de Heer over de hele schepping bent, spreekt U dan één woord zodat iedereen kan weten dat U bestaat! Eén woord! Meer vraag ik niet. Eén woord!'

Jarves wachtte op een antwoord.

De juryleden wachtten.

De tribune zweeg.

De rechter hield zijn hoofd scheef zodat zijn goede oor gericht was op de getuigenstoel.

Het was muisstil in de zaal.

'Precies zoals ik dacht,' zei Jarves. 'Ik ben klaar met deze getuige, edelachtbare.'

Hij ging terug naar zijn zitplaats.

35

Die middag begonnen de slotpleidooien. Harrison had een boodschapper naar Tori gestuurd om het haar te vertellen.

J.K. Jarves keek de tribune over op zoek naar haar. Toen hij haar zag, begon hij. 'Heren van de jury, het is wel een wilde rit geweest, hè?'

Hij kreeg het gelach waar hij op uit was. Jarves sprak tegen de juryleden alsof het oude vrienden waren, wat ze buiten de rechtszaal natuurlijk nooit konden zijn.

'We zijn dit proces begonnen met mijn mededeling dat dit voor mij een persoonlijke zaak is. Dat is niet veranderd. De toekomst van mijn gezin staat op het spel. En u hebt een getuige-deskundige horen verklaren dat er maar weinig hoop voor mij is dat ik mijn dochter terugkrijg zoals ze was, hoe de uitkomst van dit proces ook zal zijn.'

Hij zweeg en draaide de jury even zijn rug toe. Zijn hoofd hing naar beneden alsof hij moeite moest doen om zijn emoties de baas te blijven.

'U vraagt zich misschien af waarom u niets rechtstreeks van mijn dochter gehoord hebt. Dat zal ik u zeggen. Voor een deel is het een kwestie van pijn. Het is pijnlijk voor haar en pijnlijk voor mij. Maar het is ook een kwestie van schaamte. Ik wil niet dat u ziet wat er van haar geworden is, hoe diepgaand ze verleid is door deze arglistige leer. Ik zou alleen maar willen dat u haar kon zien zoals ze vroeger was. Ogen die schitteren van intelligentie. Een mooie vrouw met een vurige geest. Niet zoals ze nu is. Ongehoorzaam. Opstandig. Het vuur in haar ogen is weg, heren. Dat breekt een vaders hart.'

Weer draaide hij de jury zijn rug toe en nam opnieuw een moment rust.

'Maar het is niet te laat voor uw dochters, uw zonen. Het is niet te laat voor duizenden onschuldige jonge mannen en vrouwen. Het is niet te laat voor Amerika. Het lot van het land ligt nu in uw handen. Als Amerika gered kan worden, dan moet u het doen. U moet zich met één stem uitspreken en zeggen: "Genoeg! We zijn lang genoeg bedrogen. We zijn lang genoeg misleid, beetgenomen, uitgescholden, neergeslagen en uitgeperst!"'

Hij wees naar de tafel van de verdediging.

'Die mannen stelen de geesten van Amerika! Ze houden hen gevangen met ouderwetse angsten en bijgeloof. Ze zien er ongevaarlijk uit, hè? Wat geeft hun die macht? Het is de omvang van de leugen. Het is de grotere samenzwering die hun die macht geeft. Vijftienhonderd jaren van misbruik hebben ons zo gemaakt dat we geloven dat het waar is wat ze ons vertellen!

U bent intelligente mannen. Tijdens het proces hebt u gehoord dat dr. Welles heeft bevestigd dat er gerespecteerde academici zijn die ontkennen dat God Zich met menselijke zaken bezighoudt; dat Hij wel de Schepper is, maar dat Hij ervoor gekozen heeft om afstand te nemen van Zijn schepping en er tevreden mee is dat die zich ontwikkelt volgens natuurlijke wetten. Met die kennis moet u zich afvragen: "Voor wie spreken die mensen dan? Ze beweren dat ze voor God spreken. Maar God is hier niet! Dus voor wie spreken ze dan?" Ik zal het u zeggen. Ze spreken voor zichzelf! Ze verbergen zich onder de dekmantel van een afwezige Almachtige God en ze spreken in Zijn naam om mensen over te halen dingen te doen waar zij voordeel bij hebben! En door dat te doen gaan ze door met het grootste bedrog in de wereldgeschiedenis!

U hebt gehoord hoe rijke en machtige mannen zonder scrupules bij de massa's de waarden hebben aangeprezen van zachtmoedigheid en nederigheid en van het toekeren van de andere wang. Waarom? Om hen onder controle te houden.

Geloofden de leiders zelf in deze waarden?' Jarves lachte schamper. 'Als ze de leringen van de kerk gevolgd hadden en alles wat ze hadden aan de armen hadden gegeven zodat ze zich een schat in de hemel vergaard hadden, dan waren ze niet langer de rijken en machtigen geweest.

Als we dichter bij onze tijd komen – u hebt gehoord hoe opwekkingspredikers systematisch opwekkingen op gang brengen met voorspellingen over naderende oordelen als tekenen van Gods afkeuring. Als er dan natuurrampen zoals stormen en aardbevingen plaatsvinden en zelfs bij de recente schommeling in de financiële markt, dan maken de opwekkingspredikers misbruik van hen die geraakt en vertrapt zijn door gebruik te maken van een combinatie van reclame, drama en bezielende prediking. Vervolgens fabriceren ze, om hun eigen belangrijkheid te vergroten, verschijningen van God door het overdrijven en mooier maken van gebeurtenissen die niets wonderlijker zijn dan het opkomen van de zon aan het begin van elke dag.

U hebt ook een getuige-deskundige horen verklaren hoe het zo roekeloos manipuleren van gewone gebeurtenissen kan leiden tot zelfbeschadiging en zelfhaat door hen die niet meer dan de allerkleinste zonde gedaan hebben. Want in hun opzet leidt zelfs het kleinste leugentje om eigen bestwil al tot een vonnis van eeuwig branden in de hel. Ze beweren dat ze spreken namens een rechtvaardige God! Is dit recht? Is de maatschappij beter of slechter af door hun inspanningen? U hebt gehoord dat velen lijden onder angst voor eeuwige marteling en daardoor geestelijke pijnen moeten verduren, zo groot dat ze hun wil uitleveren aan de kerkelijke leiders of leven onder een stille wanhoop als onder een zwaar kruis. Voor sommigen is de enige uitweg zichzelf te doden.

Dit is de marteling die de gedaagden mijn dochter hebben aangedaan. Hoeveel anderen zullen dat lot nog ondergaan als we hen niet stoppen?'

Tijdens zijn slotpleidooi had Jarves niet gesproken over de aanslag die op hem gepleegd was. Maar nu raakte hij zijn wond aan alsof die zeer deed. Die handeling bracht de boodschap duidelijk genoeg over.

Hij ging verder. 'De overtuigendste verklaring echter, was de verklaring die u niet gehoord hebt. Laat mij u dit zeggen: als uw zoon belasterd werd en beschuldigd van iets wat niet waar was en die zoon kwam bij u en zei: "Vader, wilt u iets namens mij zeggen? Eén woord van u en de beschuldiging is weg." Wie van u zou hem dan de rug toekeren? Eén enkel woord! Wat voor man zou weigeren om één enkel woord te uiten dat zijn kind kan redden van een lasterlijke beschuldiging?

Heren van de jury, het is niet zo dat we God iets gevraagd hebben wat Hij niet doen kan; Hij is toch almachtig? Het is niet zo dat we Hem een vraag gesteld hebben die Hij niet kan beantwoorden; Hij is toch alwetend? Het is niet zo dat we het Hem moeilijk gemaakt hebben of lastig; Hij is toch alomtegenwoordig? Moeten we geloven dat God niet sprak omdat Hij om een onbekende reden boos is? Hij is toch liefde?

Eén enkel woord! Eén enkel woord, heren! We hebben God iets gevraagd wat een tweejarige kan doen! Iets wat een stervende man kan doen met zijn laatste adem! Heeft Hij het gedaan? Ik heb niets gehoord. U wel?' Hij keerde zich naar de tribune. 'U?' Naar de tafel van de verdediging. 'U?'

Jarves liep naar de ruimte voor het juryvak. Hij keek eerst jurylid twee in de ogen, toen jurylid zeven. Toen keek hij de rest van de juryleden aan. 'Heren van de jury, wat moeten we hieruit concluderen?'

Hij wachtte een paar tellen.

Met een zachte stem zei hij: 'Ik zal het u zeggen.'

Hij zweeg weer.

Toen, met een heldere, sterke, van gezag galmende stem, zei hij: 'God heeft niet geantwoord omdat Hij hier niet is!'

Jarves leunde voorover op de reling van het juryvak en in alle ernst zei hij: 'Heren van de jury, ik vraag u om iets moedigs te doen. Ik vraag u om een klaroenstoot te laten horen die door het hele land gehoord zal worden, om een stem te verheffen die over de hele wereld gehoord zal worden! We hebben genoeg van die Heilige-Geest-onzin! We hebben genoeg van mannen die beweren namens God te spreken! Het is tijd om een eind te maken aan deze misleiding! Het is tijd om de macht en de rijkdom en de schuld uit handen te nemen van hen die ze gebruiken als knuppels om ons tot onderwerping te ranselen. Het is tijd om de lippen tot zwijgen te brengen van hen die doorgaan een verhaal te weven over een God Die Zich met aardse zaken bezighoudt. Het is tijd om met de waarheid te leven zoals de echte God, de Schepper, het bedoelde – als meesters van de schepping, met onze eigen middelen, onze eigen intelligentie, onze eigen visie om een land op te bouwen, ja een wereld, die niet langer bang is voor kleingeestige mensen die zich verstoppen achter een God-masker.

Heren van de jury, u hebt het in uw macht om ons land een moedige nieuwe weg te laten inslaan. Wees niet bang voor de mannen die achter de tafel van de verdediging zitten of voor de organisatie die zij vertegenwoordigen. Breng hen met één stem een slag toe die hen voor altijd tot zwijgen brengt en geef vrijheid. Hoe? Door te doen wat God niet gedaan heeft. Er is niet meer voor nodig dan één enkel woord – schuldig. Schuldig! SCHULDIG!'

Terwijl Jarves zijn slotpleidooi hield, had Harrison belangstellend toegekeken. Hij had zijn ogen vooral gericht gehouden op Jarves' uitverkorenen, de juryleden twee en zeven.

Jarves had ze.

Alles wat Harrison gehoord had over J.K. Jarves' reputatie was waar. De man wist hoe hij in de rechtszaal moest winnen. Achter de schermen was hij slinks, immoreel en onethisch – anders had hij niet zo'n indrukwekkende lijst overwinningen kunnen boeken – maar in de rechtszaal was hij beschaafd, welsprekend en briljant.

J.K. Jarves was in werkelijkheid beter dan Harrison in zijn eigen verbeelding was.

Het resultaat was duidelijk en – voor Harrison en voor de gedaagden – vernietigend. De juryleden zaten rechtop, bij de les, met hun borst vooruit, hun kin naar voren, ongeduldig om naar de jurykamer te gaan en precies te doen wat Jarves hun gevraagd had om te doen.

Harrison weerstond de verleiding om naar de tribune te kijken. Hij was benieuwd naar Tori's reactie op haar vaders slotpleidooi. Zelfs nu vocht hij nog tegen de drang om zich om te draaien.

'Meneer Shaw?' porde rechter Walsh. 'Als u iets te zeggen hebt, dan is het nu de tijd daarvoor.'

De rechtszaal giechelde om de berisping.

Harrison stond op. Uit de hoek van zijn oog zag hij hoe Whitney zijn mentor feliciteerde toen Jarves terugkeerde achter de tafel van de aanklager.

Nog een andere beweging ving zijn oog. Een beweging op de tribune. Tori stond. Harrison zag hoe ze uit de achterrij sloop en de rechtszaal uitliep. Ze verdween door de opgepakte menigte in de deuropening. Ze verliet de rechtszaal zonder om te kijken.

'Meneer Shaw?' Er was een zweem van irritatie in de stem van de rechter.

Waarom zou ze nu weggaan? Waarom zou ze weglopen juist nu hij zijn slotpleidooi ging houden?

'Meneer Shaw!'

'Ja, edelachtbare,' zei Harrison.

Hij liep naar het juryvak. Halverwege draaide hij zich om. Hij had zijn aantekeningen op tafel laten liggen.

De rechtszaal gonsde van ongeduld.

'Het spijt me, edelachtbare,' zei Harrison.

Hij liep opnieuw naar het juryvak.

'Heren van de jury…' Zijn stem begaf het. Hij schraapte zijn keel en begon opnieuw. 'Heren van de jury.' Hij zweeg. Hij wees naar de gedaagden en zei: 'U hoeft die mannen niet te vrezen. Noch hoeft u te vrezen voor wat zij vertegenwoordigen. De aanklager wil u laten geloven dat de mensheid 1858 jaren lang met een leugen geleefd heeft. Denkt u daar eens over na. 1858 jaren. Vergeeft u mij, heren van de jury, maar ik vind het moeilijk om te accepteren dat de mensheid zo dom is dat ze dezelfde vergissing maakt gedurende 1858 jaren!'

Hij wachtte op gelach. Het kwam niet.

'Ongetwijfeld bent u zelf opgevoed met waarheden die de aanklager afschildert als leugens. Ons land is gesticht op die waarheden. Ik heb het niet alleen over 1776 en over onze Founding Fathers. Lang daarvoor in de vroege jaren dertig van de zeventiende eeuw ontvluchtten Godvrezende mannen en vrouwen de onderdrukking in Engeland en kwamen naar onze kusten om een stad op een berg te stichten, een verwijzing naar een Amerikaans Jeruzalem. In andere woorden, ze wilden een land scheppen dat gebaseerd was op Goddelijke, Bijbelse principes en dat hebben ze gedaan.'

Harrison sprak de zinnen uit zoals hij ze geoefend had. Hij sprak rechtstreeks tot de juryleden en hoefde niet naar zijn aantekeningen te kijken. Hij liet zijn blik dwalen van jurylid naar jurylid tot hij bij jurylid twee kwam. Hun ogen hielden elkaar vast. De man hief zijn hand op naar zijn kaak alsof hij in gedachten was en toonde een ring met een barnsteen. Het verstoorde Harrisons gedachten. Hij vergat hoe hij verder moest.

Hij keek neer op zijn aantekeningen en kon niet vinden waar hij was.

1776... Founding Fathers...

Amerikaans Jeruzalem...

Had hij dat al gehad?

'Meneer Jarves... de aanklager, heeft misschien een dochter verloren, dat is waar. Maar hij heeft haar verloren aan de waarheid en aan goedheid en aan redding. Ze heeft haar vader niet te schande gemaakt, noch is ze opgehouden hem te eren. Ze verschilt alleen met hem van mening. Want ze heeft troost gevonden in het christelijk geloof, zoals zovelen. En haar enige wens is dat haar vader op een dag de waarheid mag kennen zoals zij die kent.'

Hij probeerde op te kijken van zijn aantekeningen, maar hij durfde niet. Hij was één keer de plek kwijtgeraakt waar hij was en dat wilde hij niet nog een keer. Dus las hij.

'Wilt u echt de geschiedenis ingaan als de mannen die Amerika hebben vervreemd van zijn geestelijke wortels? Wilt u echt de geschiedenis ingaan als de mannen die er verantwoordelijk voor zijn dat ons land in een Goddeloos heidendom terechtkomt? Zeker niet.

De gedaagden zijn geen monsters. Zien ze er volgens u uit als machtswellustelingen? Deze mannen zijn niet de rijke despoten die meneer Jarves u wil laten geloven dat ze zijn. Nee! Het zijn goede mannen. Mannen van de kerk. Mannen van geloof. Wilt u hen daarvoor veroordelen?'

Harrison keek op.

Hij was klaar. Zijn slotpleidooi had veel langer geleken toen hij het geoefend had en veel overtuigender. Hij had het gevoel dat hij nog iets moest zeggen. Hij wilde nog iets zeggen. Maar wat?

Hij kon niets nieuws of inspirerends bedenken en daarom herhaalde hij zijn laatste zin.

'Wilt u hen daarvoor veroordelen?'

36

De bedenkingen kwamen zodra de juryleden de rechtszaal verlaten hadden om te beraadslagen. Harrison wilde dat hij het allemaal over kon doen. Het openingspleidooi, de getuigen, het slotpleidooi, alles. Hij had het gevoel dat hij nog niet de helft van de dingen gedaan had die hij tijdens zijn rechtenstudie geleerd had.

De gezichten van de juryleden achtervolgden hem. Toen hij daar gestaan had na zijn slotpleidooi, had hij nog één keer naar hen gekeken en hun gezichten gepeild. Ze keken verveeld, niet onder de indruk en onaangedaan door zijn pleidooi. Jarves had hen uitgedaagd om Amerikanen te zijn, trotse individualisten die niet bang zijn om stelling te nemen tegen verschrikkelijk onrecht. Waartoe had hij hen uitgedaagd? Om de Bijbellessen te geloven die ze in de kerk hadden gekregen. Om de dingen te houden zoals ze waren. Om bij het bekende te blijven.

Hij zuchtte. Hij kon er nu niets meer aan doen.

Jeremiah Lanphier klopte hem op de rug en zei dat hij zijn best gedaan had.

Zasser gromde: 'Je hebt die Schriftgedeelten niet voorgelezen die we je gegeven hebben.' Hij sloop weg.

Buiten het gerechtsgebouw vochten de verslaggevers om zijn gedachten.

Hij zei tegen hen: 'Het is nu in handen van de jury.'

Wat kon hij anders zeggen?

De menigte kerkleden die zich verzameld had om voor hem te bidden keek alsof ze de begrafenis van het christendom bijwoonden.

Harrison had maar één gedachte. Hij wilde Tori zien.

‘Tori ontvangt nu geen gasten,’ vertelde Patricia hem.

‘Weet ze dat de jury in beraad is?’

‘Dat weet ze.’

‘Als ik haar maar even kon zien,’ zei Harrison. ‘Kun je haar dat voor mij zeggen?’

Patricia trok een sympathiek grimas. ‘Dat heb ik al gedaan. Nu is het geen goed moment, Harrison. Misschien later.’

Harrison hoorde voetstappen achter zich. Hij draaide zich om.

Een vrouw van middelbare leeftijd, plomp om haar middel, begon de treden van de veranda op te klimmen. Op de tweede trede struikelde ze. Ze stak een hand uit en zei: ‘Alsjeblieft.’

Harrison hielp haar de treden op. Ze bedankte hem.

‘Ze zijn in de woonkamer, Lydia,’ zei Patricia tegen de vrouw. Ze stapte opzij om de vrouw het huis in te laten.

Harrison keek hoe de vrouw naar binnen ging waar hem de toegang was ontzegd.

Patricia deed de deur dicht.

Omdat hij nergens anders heen kon gaan, ging Harrison terug naar de kelder van de kerk. Het was er een rommel. Boeken en papieren lagen overal verspreid. Hij had niet meer schoongemaakt sinds het proces begonnen was.

De ruimte was nu anders. Alles was veranderd sinds die morgen. Harrison sloot een boek dat hij nu niet meer nodig had. Hij betwijfelde of hij het ooit weer nodig zou hebben. Het was een boek over het recht. Er bleef hem nu niets anders meer over dan nog één keer in de rechtszaal verschijnen en getuige zijn van de uitkomst. En zo zou zijn juridische carrière eindigen.

Hij ruimde zijn hok op. Hij gooide boeken en papieren aan de kant. Hij zou ze later wel uitzoeken. Nu wilde hij liggen, ook al was het al midden op de middag.

Hij was moe.

Harrison moest in slaap gevallen zijn, want hij werd wakker van een klop op de deur.

'De jury is terug!'

Toen hij opgestaan was en de deur opengedaan had, was de boodschapper al weg.

Harrison keek op zijn horloge. Hij had niet lang geslapen. Maar een paar minuten. De moed zonk hem in de schoenen. De jury had maar een uur beraadslaagd.

Dat kon niet goed zijn.

Het nieuws dat er een vonnis was, had zich als een lopend vuurtje over New York verspreid. Toen Harrison bij het gerechtsgebouw aankwam, was het gedrang zo sterk dat hij niet verder kon komen dan de derde trede.

Er verschenen twee politiemannen. 'Wij komen u begeleiden,' zei een van hen.

Met twee geüniformeerde agenten die een weg voor hem baanden, wist Harrison in de rechtszaal te komen. De tafel van de aanklager was leeg.

Zasser greep Harrisons mouw. 'Het was maar een uur. Is dat goed?'

'Dat is moeilijk te zeggen,' reageerde Harrison.

'Ik sprak een advocaat,' zei Zasser, 'een lid van de kerk – hij is gespecialiseerd in bedrijfsrecht – en hij zei dat hij dacht dat er nog steeds tijd was om de Bijbelverzen voor te lezen zodat ze in het verslag komen. Je hoeft alleen maar…'

Commotie kondigde de aankomst van J.K. Jarves aan. Ook hij had politiebegeleiding. Whitney Stuart III volgde hem op de hielen met zijn ogen wijd open.

Zasser hield nog steeds Harrisons ene mouw vast en Jarves greep zijn andere arm. Hij leunde dicht naar Harrisons oor. 'Na vandaag wil ik je niet meer betrappen in de buurt van mijn dochter. Probeer me niet uit.'

Rechter Walsh kwam de rechtszaal binnen. Hij fronste naar de lege stoelen van de juryleden.

'Waar zijn ze?' bulderde hij naar de suppoost.

Zonder te antwoorden ging de suppoost de rechtszaal uit.

De rechter sloeg met zijn hamer. Drie harde slagen. Hij sprak tegen de tribune. 'Bedenkt u dat u in deze rechtszaal bent onder mijn bevoegdheid,' zei hij hard genoeg om boven het geroezemoes uit gehoord te worden. 'Geen uitbarstingen en u zult zich volgens de regels gedragen. Ben ik duidelijk?'

Harrison rekte zijn nek. Er was geen teken van Tori. Het verbaasde hem niet, maar hij had er een gemengd gevoel bij. Ze bleef waarschijnlijk weg voor zijn bestwil. Dat ze er niet bij was verminderde een beetje de schande als hij verloor.

Als de zitting voorbij was, zou hij haar opzoeken.

Terwijl Zasser nog steeds ratelde over de lijst met Bijbelverzen, leunde Harrison achterover in zijn stoel. Hij vergat de ouderling, want het trof hem dat als hij Tori weer zag, het voor het laatst zou zijn.

Kon de dag nog zwarter worden? Het verlies van deze zaak drukte zwaar op hem, maar het was niets vergeleken met de gedachte dat hij na vandaag nooit meer een glimp zou opvangen van Victoria Jarves. Het was een verpletterende gedachte. Op hoeveel manieren had hij niet van deze vrouw gehouden?

Als een vriend, toen ze Mouser was.

Hij was dolverliefd geweest op Katie.

Hij was op een woedendmakende manier aangetrokken door Victoria Jarves.

Maar hij hield van Tori.

De gedachte haar te verliezen was overweldigend.

'Wat bedoel je dat ze nog niet klaar zijn?' schreeuwde rechter Walsh.

De suppoost fluisterde de rechter iets in zijn oor.

'Je hebt me verteld dat ze een vonnis hadden!' schreeuwde de rechter.

'Dat hadden ze ook!' hield de suppoost vol.

'Breng ze hier!'

Weer verliet de suppoost de zaal.

Er gingen vijf minuten voorbij.

Tien.

Rechter Walsh werd elke minuut kwader. Zijn kaak maalde heen en weer alsof hij herkauwde. Hij gaf een andere suppoost opdracht om de eerste suppoost te gaan zoeken.

Er gingen weer vijf minuten voorbij.

Toen kwamen beide suppoosten terug. Zonder de jury. Er werd een briefje aan de rechter gegeven.

Rechter Walsh las het. 'Wel alle... dit is te... breng ze hier!'

De suppoost leunde voorover om iets te fluisteren.

Rechter Walsh wuifde hem weg. 'Zeg het hardop zodat de raadslieden je kunnen horen. Ik wil dit niet later moeten uitleggen.'

De suppoost keek nerveus naar Jarves voor hij antwoordde. 'Ze hebben de deur op slot gedaan. Ze laten ons niet binnen. Ze komen niet naar buiten.'

'Hoe heb je dit briefje dan gekregen?' vroeg de rechter.

'Dat hebben ze onder de deur door geschoven.'

'Het is absurd!' schreeuwde de rechter. 'Raadslieden. In mijn kamer.' Tegen de suppoost: 'Breng de voorzitter van de jury naar mijn kamer. Geen excuses!'

Harrison duwde zijn stoel achteruit.

'Wat is er allemaal aan de hand?' vroeg Lanphier.

'Dat weet ik niet,' reageerde Harrison.

'Neem dit mee,' zei Zasser. Hij stak hem een stuk papier toe. 'Dat zijn de Schriftgedeelten.'

Harrison nam het blad aan. Hij stopte het in zijn zak en volgde Jarves door de deur van de juryleden, door de hal en naar de kamer van de rechter.

De kamer zag eruit zoals hij verwacht had dat de kamer van een rechter eruit zou zien. Planken vol met boeken. Een bureau vol met papieren. Een kapstok in de hoek waar een extra toga aan hing.

Rechter Walsh viel neer in zijn stoel achter het bureau. Jarves en Harrison stonden voor het bureau.

'Weet iemand van u hier iets van?' eiste Walsh. Hij wreef met zijn hand over zijn voorhoofd alsof hij hoofdpijn had.

Jarves schudde zijn hoofd en spreidde zijn armen uit.

'Nee, edelachtbare,' zei Harrison.

De drie mannen bewogen zich een paar minuten niet en keken elkaar niet aan.

De deur ging open. De suppoost verscheen.

'Ze komen niet naar buiten,' kondigde de gerechtsdienaar aan.

Rechter Walsh rolde geïrriteerd met zijn ogen. Hij duwde zichzelf op uit zijn stoel. 'In welke kamer zitten ze?' Hij stormde de kamer uit en liet Jarves en Harrison alleen achter.

Het was de eerste keer dat ze alleen in één ruimte waren sinds de dag dat Harrison de stage had opgegeven en Jarves de glazen bol met de klauwier naar hem gegooid had.

'Ben je met de jury aan het knoeien geweest, Harrison?' hoonde Jarves. 'De laatste snik van een wanhopig man.'

Harrison wilde reageren dat hij niets verkeerds gedaan had, maar hij bedacht zich. Hij was Jarves geen verklaring schuldig.

'Als ik ontdek dat je met de jury geknoeid hebt, dan zal ik je krijgen. Dat weet je toch?' waarschuwde Jarves. 'Je wint er misschien een nieuwe hoorzitting mee, maar de uitkomst zal hetzelfde zijn. En ik zal ervoor zorgen dat je voorgoed achter de tralies komt, misschien wel in dezelfde cel als die waarin ik je vriend George Bowen gestopt heb.'

De stem van een vloekende man ging vooraf aan de binnenkomst van rechter Edwin Walsh in de kamer. Hij viel neer in zijn stoel. Zijn ogen vlogen in gedachten heen en weer en zagen niets. 'U bent er zeker van dat u hier geen van beiden iets van afweet?'

'Nee, meneer.'

'Nee, edelachtbare.'

De rechter schudde zijn hoofd in afgrijzen. 'Ze hebben de suppoost verteld dat ze een vonnis hadden. Toen, terwijl het nieuws rondging, zijn ze weer gaan beraadslagen.'

'Nadat ze een vonnis hadden? Waarom?' vroeg Jarves.

De rechter keek hem aan alsof hij dat niet wilde zeggen, maar hij deed het toch. 'Nieuw bewijs.'

'Nieuw bewijs?' riep Jarves. 'Wat voor nieuw bewijs? Uit wat voor bron? Geknoei! Wat zou het anders kunnen zijn?'

Jarves keek naar Harrison. De rechter ook.

Harrison stak zijn handen op. 'Ik heb geen contact met de jury gehad, edelachtbare. Op mijn erewoord.'

Rechter Walsh leek niet overtuigd.

De rechter beval iedereen om te blijven wachten in de rechtszaal. Omdat hij niet in staat was om de jury de deur open te laten maken of om hun bedoelingen kenbaar te maken, beval hij iedereen te blijven zitten. Als de jury zou berichten dat ze een vonnis hadden, dan wilde hij hun geen tijd geven om opnieuw te gaan heroverwegen terwijl hij de raadslieden liet optrommelen.

Drie uur lang wachtten de raadslieden en de gedaagden in

de rechtszaal. Ze keken naar elkaar terwijl het op de tribune achter hen krioelde. Mensen kwamen en gingen, maar de tribune bleef vol. Eindelijk, aan het eind van de dag, met een paar vloeken, liet de rechter iedereen gaan.

De volgende morgen verwachtte Harrison dat hij nog tijdens de morgenuren weer naar het gerechtsgebouw geroepen zou worden. Dat gebeurde niet.

Hij ging Tori opzoeken. Patricia zei hem dat ze niet beschikbaar was en dat ze niet beschikbaar zou zijn tot het proces voorbij was. Ze wist niet dat, als het proces eenmaal voorbij was, Harrison haar niet meer zien kon.

Harrison liep door de straten en kwam terecht bij het gerechtsgebouw om redenen die hij niet kon doorgronden. Verslaggevers van kranten kampeerden op de stoep van het gerechtsgebouw en wisselden verhalen uit. Er was geen menigte, maar er waren groepjes mensen die niet te ver weg wilden lopen voor het geval er een vonnis was. Eén groep zat geknield te bidden. Harrison dacht erover om zich bij hen te voegen, maar hij dacht niet dat ze wilden bidden met de man die de berechting van de Heilige Geest had verloren.

Op de derde dag ging het proces verder. De jury berichtte dat ze klaar waren om naar buiten te komen. Weer werd Harrison onder politiebegeleiding in de rechtszaal afgeleverd. Alles verliep net zoals de eerste keer dat de jury had aangekondigd dat ze een vonnis hadden.

Lanphier en Zasser zaten op hem te wachten aan de tafel van de verdediging. Zasser gaf hem voor de derde keer een exemplaar van de Schriftgedeelten, voor het geval Harrison vergeten had zijn exemplaar mee te nemen naar de rechtbank.

Net als de vorige keer zorgde Jarves' aankomst voor grote commotie. Zijn voormalige mentor bleef lang genoeg staan om Harrison fluisterend te herinneren aan zijn bedreiging. Aan de tafel van de aanklager zette Whitney de klauwier klaar en richtte hem op Harrison.

Harrison stak zijn nek uit en zocht Tori. Ze was niet op de tribune.

Toen werd het patroon doorbroken. In plaats van dat de rechter verscheen, riep de suppoost de raadslieden. De rechter wilde hen in zijn kamer zien.

De woede van rechter Walsh was wat bekoeld sinds Harrison hem het laatst gezien had, maar hij was nog steeds prikkelbaar.

'Zeg me niet dat ze zich weer bedacht hebben,' zei Jarves.

Rechter Walsh leunde achterover in zijn stoel, zijn handen gevouwen op zijn buik. 'De suppoost heeft me verteld dat ze klaar zijn om naar buiten te komen. Ik heb hem opdracht gegeven om de voorzitter bij me te brengen. Ik wilde uitzoeken wat er aan de hand was. De voorzitter weigerde. Hij stuurde me een briefje, getekend door alle twaalf juryleden. Daarin stond dat ze een unaniem besluit genomen hebben, dat ze in de rechtszaal zullen onthullen in aanwezigheid van hen allemaal. Verder stond erin dat ze daarover niet zullen onderhandelen. Zo staan de zaken.'

'Ze willen niet onderhandelen? Wat betekent dat? Wie denken ze wel dat ze zijn?' schreeuwde Jarves. 'Dus u zegt dat we een opstandige jury hebben?'

'Ik zeg niets,' reageerde de rechter. 'Ik vertel u alleen hoe de zaken staan. Wat wilt u, heren?'

'Verklaar het proces nietig,' drong Jarves aan.

'Dat is voorbarig,' reageerde Harrison. Dat Jarves een nietigverklaring wilde, was voor hem reden genoeg om dat niet te willen. 'Op welke gronden? Minachting? Mogelijk. Maar een nietigverklaring... Laten we eerst uitzoeken wat er aan de hand is en dan een beslissing nemen.'

Persoonlijk was Harrison het niet helemaal eens met zijn eigen advies. Een nietigverklaring zou hem een tweede kans geven – aangenomen dat de gedaagden hem als hun raadsman hielden – maar de gedachte dat hij de laatste weken nog een keer moest meemaken vormde geen aangenaam vooruitzicht. Het beste aan een nietigverklaring was dat hij Tori weer kon zien. Een deel van hem hoopte dat de rechter een beslissing zou nemen in het voordeel van Jarves.

'Ik ben het met meneer Shaw eens,' zei de rechter. 'Laten we maar eens kijken wat ze te zeggen hebben.'

Vreemd, dacht Harrison. Het was de eerste keer dat rechter Walsh zijn kant koos en het kon hem mogelijk bij Tori weghouden en zijn ondergang bespoedigen.

De rechter stond op als teken dat de bespreking afgelopen was. De raadslieden gingen terug naar de rechtszaal. Even later kwam de rechter de rechtszaal binnen. Toen, net als eerder, wachtten ze op de jury.

Er gingen twee minuten voorbij.

Toen drie.

Rechter Walsh werd elke seconde bozer. Hij blafte naar de suppoost dat hij de jury in de rechtszaal moest brengen zelfs al moest hij de deur openbreken.

Juist toen ging de deur open en verschenen de juryleden. Ze liepen in een rij de rechtszaal in.

Ieder van hen ging zitten zonder met iemand oogcontact te maken. Harrison had geleerd dat zulk gedrag meestal een teken was dat de jury tot een schuldigverklaring besloten had. In zulke gevallen hadden juryleden de neiging om niet naar de veroordeelde partij te kijken voor het vonnis was voorgelezen.

Toch was er nog iets aan hen. Iets anders. Harrison kon zijn vinger er niet op leggen.

Eindelijk was alles zoals het moest zijn. De juryleden zaten.

De tribune werd stil. Harrison haalde diep adem en bereidde zich voor op het verwachte vonnis.

Rechter Walsh zei: 'Meneer de voorzitter, is de jury tot een vonnis gekomen?'

Jurylid twee, die voorzitter was, stond op. 'We zijn tot een besluit gekomen, edelachtbare.'

'Een vonnis,' verbeterde de rechter hem.

De voorzitter huiverde even en wreef over zijn kin, die hij drie dagen niet geschoren had.

Iets ving Harrisons oog. De hand van jurylid twee. Hij droeg geen ring meer met een barnsteen.

'Nee, edelachtbare,' verduidelijkte de voorzitter. 'We zijn tot een *besluit* gekomen.'

Rechter Walsh fronste. 'Leg uit!'

'Nou, meneer,' zei de voorzitter, 'ik verzoek om in deze zaak gediskwalificeerd te worden als jurylid.'

Harrison keek naar Jarves, die fronste naar zijn jurylid.

'Sterker nog,' zei de voorzitter, 'wij verzoeken allemaal dat we in deze zaak gediskwalificeerd worden als jurylid.'

De twee rijen juryleden knikten zonder uitzondering.

'We hebben deze verklaring ondertekend, edelachtbare.' De voorzitter bood een opgevouwen blad papier aan.

De rechter negeerde het. 'Wat is er in die kamer gebeurd?' donderde hij. 'U hebt de suppoost bericht dat u tot een vonnis was gekomen.'

'Ja, edelachtbare, dat klopt.'

'Wel? Geef het!'

De voorzitter keek zenuwachtig naar de andere juryleden en toen weer naar de rechter. 'Dat kunnen we niet, edelachtbare.'

'Waarom niet?'

'Nou, edelachtbare, we zijn op andere gedachten gekomen... of beter' – hij keek naar de andere juryleden – 'we hebben andere gedachten gekregen, toch?'

De andere juryleden knikten.

'Geknoei! Ik wist het!' schreeuwde Jarves. Hij draaide zich om om naar Harrison te kijken.

De rechter keek ook naar Harrison, maar richtte zijn volgende opmerkingen op de suppoost.

'Ik wil een lijst van alle personen die in die kamer geweest zijn.'

De suppoost stak hulpeloos zijn handen op. 'Ik zweer, edelachtbare, dat er niemand in die kamer geweest is behalve de juryleden. En er zijn geen geschreven brieven in of uit die kamer gekomen.'

Zijn antwoord bracht de rechter niet tot rust. Hij sloeg nadrukkelijk met zijn wijsvinger op de rechterstoel. 'Ik wil elk stuk papier zien dat in die kamer geweest is. Ik wil een verslag van elk woord. Begrijp je mij?'

De suppoost wist dat zijn carrière op het spel stond. Zijn gezicht toonde een combinatie van vrees en boosheid. 'Ja, edelachtbare.'

'Edelachtbare, de suppoost heeft niets verkeerds gedaan,' zei de voorzitter. 'Het is zijn fout niet.'

De rechter leunde voorover en verplaatste zijn woede naar de voorzitter. 'Als het zijn fout niet is, wiens fout is het dan wel? U zei dat u tot een vonnis gekomen was. Wie heeft u op andere gedachten gebracht?'

Harrison werd nerveus onder de druk van de verdenking. Zelfs al wist hij dat hij hierin onschuldig was, toch voelde hij dat iedereen verwachtte dat zijn naam het eerstvolgende woord zou zijn dat uit de mond van de voorzitter zou komen. Hij had het zien aankomen. Het had alle kenmerken van Jarves' tactiek – verrassing, misleiding en dan... *BAM!* Een fatale klap uit het niets. Harrison wist zo zeker als dat hij daar zat dat hij deze rechtszaal niet als vrij man zou verlaten.

De voorzitter was niet snel met zijn antwoord. Hij bestudeerde zijn vingers. 'Nou, edelachtbare...'

'Beantwoord mijn vraag!' Rechter Walsh bulderde. 'Wie

heeft u overgehaald om op andere gedachten te komen?'

'De Geest, meneer,' zei de voorzitter zacht.

'De geest? Wat voor geest? Wat zit u nu te bazelen?'

'De Heilige Geest, meneer.'

Harrison keek naar de gezichten van de juryleden. Dat was wat er anders aan hen was! Het waren niet meer dezelfde gezichten als die hij tijdens het proces had bestudeerd. Ze waren veranderd. Er was iets van verwondering over hen. Het waren de gezichten van mannen die gezien hadden dat de broden en de vis vermenigvuldigd waren op de berghelling, die gezien hadden dat blinden weer konden zien en dat er vuur uit de hemel kwam.

Jeremiah Lanphier stootte Harrison aan. Hij had het ook gezien. Het waren dezelfde gezichtsuitdrukkingen als op de gebedssamenkomsten – een mengsel van ontzetting en vreugde – de gezichtsuitdrukkingen van mannen die vernederd waren in een ontmoeting met de Almachtige God.

'Voor ik u allemaal in de cel gooi wegens minachting van het hof,' blafte de rechter, 'kunt u me beter precies vertellen wat er in die kamer gebeurd is.'

De voorzitter – jurylid twee, die tijdens het proces nooit zoiets gedaan had als lachen – begon te grijnzen, zo breed dat het bijna komisch leek. 'Thomkins – jurylid negen – was de eerste. We hadden juist gestemd en dachten dat we een vonnis hadden. Dus dat berichtte ik de suppoost. Wanneer was dat? Eén, twee dagen geleden? Toen zomaar opeens viel Thomkins op zijn knieën. We dachten allemaal dat hij een beroerte of zoiets had.'

De andere juryleden knikten en glimlachten om hun verkeerde gedachte.

De voorzitter ging verder. 'Hij hield zijn buik vast en wiegde heen en weer alsof hij pijn had. Het lukte ons om hem in een stoel te krijgen. Hij keek naar boven naar het plafond en hij bleef iets mompelen wat we eerst niet verstonden. Toen –

ik denk dat het Smythe was, jurylid vier – begreep hem het eerst. Hij zei: "Onwaardig, onwaardig," steeds en steeds weer.'

Zelfs nu mompelde Thomkins de woorden terwijl de voorzitter ze uitsprak.

'We wilden net een dokter laten roepen toen Stoddard het kreeg.'

'Wat kreeg hij?' schreeuwde de rechter.

'Dat probeer ik u te vertellen, edelachtbare. De Heilige Geest.'

De rechter stak in afgrijzen zijn handen op.

'Het overkwam ons allemaal,' hield de voorzitter vol. Hij huilde bijna.

'Waarom hebt u geen dokter laten roepen?' riep de rechter.

'We hadden geen dokter nodig.'

De rechter keek naar Jarves, die achter de tafel van de aanklager zat met ogen die wel van brons leken, net als die van de leeuwenklopper op zijn voordeur. Ze waren gericht op jurylid twee.

'Dat verklaart wat we al die tijd gedaan hebben, edelachtbare,' verklaarde de voorzitter.

'Het verklaart niets! Wat hebt u de afgelopen drie dagen precies gedaan?'

De voorzitter glimlachte warm naar de andere juryleden alsof ze familie waren. 'We hebben gepraat, dingen gedeeld, gehuild, we zijn blij geweest. Maar we hebben vooral gebeden. We hebben iets buitengewoons gedeeld in die kamer, edelachtbare. Eerst was het net alsof er een enorme kei op ons gelegd was – een ongelofelijk gewicht dat we niet konden dragen. Maar dat was het vreemde. Het was geen fysieke kracht, hè?' Hij wendde zich tot de andere juryleden.

'Dat was het wel en dat was het niet,' probeerde Thomkins uit te leggen.

'Het was iets wat we van binnen voelden,' zei de voorzitter. 'Een zwart gevoel dat onze harten aangreep en ons hulpeloos maakte en hopeloos.'

'Onwaardig,' zei Thomkins.

'Onwaardig.' Het woord echode van mond tot mond onder de juryleden.

'Daarom hebben we dit papier getekend, edelachtbare,' zei de voorzitter. Hij bood het de rechter voor de tweede keer aan.

Hij gaf het aan de suppoost en die gaf het aan de rechter. Toen de rechter geen poging deed om het aan te pakken, legde de suppoost het op de rechterstoel neer.

'Hoe dan ook,' zei de voorzitter, 'we zijn tot de conclusie gekomen dat we nu we de Geest hadden ontvangen, geen onpartijdig vonnis konden vellen, edelachtbare, omdat de aanklager gewoon ronduit fout zit. We weten dat nu, zonder twijfel.'

'Amen,' zei een van de juryleden.

'God bestaat. En Hij is hier. We weten wat zijn dochter voelt en het is niet slecht. En misschien zei God niets in de getuigenbank, maar Hij sprak luid en duidelijk tot ons in die kamer.'

De juryleden lachten.

'Ja. Dat deed Hij,' zei een van hen.

Omdat hij geen andere mogelijkheid zag, verklaarde rechter Walsh het proces nietig omdat er met de jury geknoeid was. Hij beval een onmiddellijk onderzoek.

Een storm van verslaggevers sloeg over Harrison heen zodra hij de rechtszaal uit kwam. Hij keek langs hen heen en zocht in de menigte naar Tori. Een zee van gezichten keek terug naar hem. Geen daarvan was het gezicht dat hij zocht.

'Meneer Shaw! Kunt u verklaren wat er vandaag in de rechtszaal gebeurd is? Hebt u er iets mee te maken?'

'Nee, ik heb er niets mee te maken,' zei Harrison. 'En wat betreft een verklaring, wat valt er te verklaren? U hebt de voorzitter gehoord. Maar ik kan u dit zeggen: wat er in die jurykamer gebeurd is, gebeurt in kerken en kantoren en theaters overal in het land. Het is een opwekking, heren. Een spontane beweging van de Geest van God.'

'Neemt u hun verhaal echt helemaal serieus?' vroeg een verslaggever.

Als reactie las Harrison Shaw voor van Herbert Zassers papier met Schriftgedeelten.

Toen ze om meer vroegen, zei hij: 'Wat er in die kamer gebeurd is, past precies bij het karakter van God zoals geopenbaard in de Bijbel. Waarom vindt u het zo moeilijk om te geloven dat de God van het Oude en Nieuwe Testament Zich vandaag in Zijn macht kan openbaren, net zoals Hij dat in het verleden gedaan heeft? Hij is niet met pensioen, heren...'

'Wat denkt u dat het onderzoek naar geknoei met de jury zal opleveren?'

'Dat de juryleden precies ervaren hebben wat ze zeggen dat ze ervaren hebben.'

'Is er geknoeid?'

Harrison verstrakte. 'Kijk naar de feiten. De deur van de jurykamer was op slot. Er stond voortdurend een suppoost voor de deur opgesteld. Er mocht niemand in of uit.' Hij zweeg even voor het effect, een les die hij van J.K. Jarves geleerd had. 'Natuurlijk is er geknoeid. Het is iemand gelukt om bij die mannen te komen.'

'Wat denkt u dat rechter Walsh zou moeten doen?'

Harrison glimlachte. 'Een arrestatiebevel uit laten gaan voor de Heilige Geest.'

Toen de verslaggevers zichzelf begonnen te herhalen, maakte Harrison zich van hen los. Hij had maar één gedachte. Hij wilde Tori zien en haar het nieuws vertellen.

Hij hoefde niet ver te gaan. Ze stond op hem te wachten aan de rand van de menigte. Toen ze hem zag, deed ze iets waarvan Harrison Shaw nooit gedacht had dat Victoria Jarves het zou doen. Ze vloog in zijn armen.

'Ik heb het gehoord! Ik heb het gehoord! Is het niet schitterend?'

Het was een moment dat Harrison Shaw in de rest van zijn leven een miljoen keer zou herbeleven. Hij had nooit gedacht dat hij haar weer zou zien. Toch was ze er, in zijn armen en ze drukte hem net zo stevig tegen zich aan als hij haar tegen zich aan drukte. Haar gezicht, nat van tranen, was tegen zijn hals gedrukt en haar adem voelde warm aan zijn oor als ze sprak. Hun lichamen drukten tegen elkaar en het voelde natuurlijk, alsof ze voor elkaar gemaakt waren. Op dat moment wist Harrison dat God dat al die tijd al zo bedoeld had.

Ze trok zich terug. Ergens achter in zijn gedachten wist hij dat ze elkaar ooit los moesten laten. Hoe konden ze anders naar huis lopen? Maar het weten en het accepteren waren twee verschillende dingen. Hij wilde haar niet laten gaan. Niet zo snel. Misschien over een jaar of twee, maar niet nu.

Haar ogen – die bruine bollen die hem zo gegrepen hadden toen ze Katie was – stonden levendig en blij en ze liepen over van liefde. Harrison moest moeite doen om te voorkomen dat hij haar weer tegen zich aan drukte. Want als hij dat deed, wist hij dat hij haar nooit meer los zou laten.

Tori hield hem op een armlengte afstand. 'Hoeveel?'

Hij begreep haar vraag niet. 'Hoeveel wat?'

'De mannen. De juryleden.'

'Het waren er twaalf.'

Maar ze wist dat een jury uit twaalf mannen bestond. Wat bedoelde ze?

'Alle twaalf?' schreeuwde ze. Ze bedekte haar mond met haar handen.

Niet ver bij hen vandaan herkende Harrison een van de vrouwen die hij Patricia's huis had zien binnengaan. Hij zag hoe ze de stoep van het gerechtsgebouw oprende en een man in de armen vloog.

Jurylid zeven.

'Jij hebt dit gedaan!' riep Harrison.

Door haar tranen heen knikte Tori. 'De vrouwen en God hebben dit gedaan.'

Harrison had de verslaggevers verteld dat hij niets te maken had met de uitkomst van het proces, maar tot dit moment had hij niet geweten hoe waar zijn opmerking was. Vanaf het begin had hij gedacht dat de uitkomst afhing van hem. Tori had het beter geweten. Zij had geweten dat Jarves niet op zijn eigen manier verslagen kon worden. En ze had ook geweten dat dat niet hoefde.

Harrison voelde zich een sukkel. Al die tijd had hij geprobeerd om God te verdedigen. Het hele idee was belachelijk. *God is volkomen in staat om Zichzelf te verdedigen.*

'De vrouwen van de juryleden,' zei hij. Hij schudde vol bewondering zijn hoofd. 'Jij hebt ze bij elkaar gebracht om te bidden voor hun echtgenoten.'

'Net zoals Polly en Patricia voor hun echtgenoten gebeden hebben,' zei Tori.

'Daar ben je dus al die tijd mee bezig geweest. Daarom weigerde je om te getuigen.'

Tori glimlachte. 'Toen we ons realiseerden dat het een geestelijke strijd was...'

'Zijn jullie gaan vechten met geestelijke wapens,' maakte Harrison de zin af.

'Meneer Shaw. Kan ik u even spreken?'

Er klonk een bekende stem achter Harrison. Hij wist dat hij de persoon die bij die stem hoorde, ooit een keer moest ontmoeten. Moest het nu? Hij draaide zich toch maar om.

J.K. Jarves schreed de stoep van het gerechtsgebouw af. Hij was alleen.

'Victoria.' Jarves groette zijn dochter koel. Het was duidelijk dat hij haar tranen zag en te oordelen naar de uitdrukking op zijn gezicht gaf hij Harrison daar de schuld van.

Tori ving haar vader op. Ze omhelsde hem. Jarves leek niet te weten wat hij met dat openbare vertoon van genegenheid aan moest. Hij onderging haar omhelzing gelaten en richtte zijn aandacht toen op zijn zaken.

'Meneer Shaw, ik weet niet hoe u bij hen bent gekomen,' zei Jarves, 'maar gelooft u me, als ik erachter kom hoe u het gedaan hebt – en ik zal erachter komen – dan zult u in staat van beschuldiging gesteld worden. Ik raad u aan om uw zaken in orde te brengen, want u zult binnenkort Bowen gezelschap houden in de gevangenis. Dat beloof ik u.'

Harrison wilde Jarves vertellen dat hij niet verantwoordelijk was voor wat er in de rechtszaal gebeurd was – dat het de verdienste van zijn dochter was. Maar Jarves zou het niet begrijpen, dus zei Harrison: 'Ik heb er alle vertrouwen in dat het onderzoek mij van alle blaam zal zuiveren.' Toen voegde hij eraan toe: 'Er zijn hier krachten aan het werk die machtiger zijn dan u weet, meneer Jarves.'

Jarves keek hem lang aan. 'Mijn troost is dat u ondanks al uw zelfrechtvaardiging toch de toevlucht hebt moeten nemen tot mijn eigen tactieken om uw huid te redden.'

'Ik heb niet met de jury geknoeid,' zei Harrison ferm.

'Dat is de tweede keer dat u mij op mijn eigen manier verslagen hebt, meneer Shaw. Het zal niet weer gebeuren.'

Epiloog

De verslaggeefster Nellie Bly had de roze waaier in haar handen.

Harrison ging zo op in het vertellen van het verhaal van zijn vrouw, dat de oudere rechter vergeten was dat zijn morgenroutine verstoord was. Het bureau was bezaaid met krantenartikelen over de gebeurtenissen rond de opwekking van 1857-1858.

'Het bleek uiteindelijk,' zei rechter Harrison Shaw, 'dat rechter Walsh ons hielp door het proces nietig te verklaren en een onderzoek in te stellen.'

'Hij had geen andere keus,' zei juffrouw Bly.

Harrison schudde belerend zijn vinger naar haar. 'Laat dat een les voor u zijn, juffrouw Bly. Laat mensen maar het allerslechtste doen. Uiteindelijk zal God de daden van verdorven mensen tegen hen gebruiken tot Zijn eigen eer.'

'Heeft rechter Walsh een arrestatiebevel uit laten gaan tegen de Heilige Geest?'

Harrison lachte. 'Dat had hij moeten doen. Er was genoeg bewijsmateriaal. Tijdens het onderzoek werd bewezen dat de suppoosten mannen waren met een voorbeeldige staat van dienst. Ze beweerden dat alleen zij contact gehad hadden met de jury. Zoals je zou verwachten haalden de verklaringen van de juryleden alle kranten. Tori schreef een paar van die artikelen zelf.

Aan het eind van het onderzoek werd geconcludeerd dat de jury inderdaad beïnvloed was. Maar door wie? Al het bewijs wees op de Heilige Geest. Door het proces nietig te verklaren zorgde rechter Walsh er ongewild voor dat in een rechtbank werd vastgesteld dat de Heilige Geest een persoon is die zich met menselijke zaken inlaat.'

'Is het proces ooit overgedaan?' vroeg juffrouw Bly.

'Nee.' Harrison zuchtte. 'Jarves had andere zorgen. Een paar maanden na het proces pleegde een coalitie van drie mannen een aanslag tegen hem met de bedoeling om hem te gronde te richten. Hij was zo druk met het beschermen van zijn zaak, zijn reputatie en zijn belangen dat hij weinig tijd overhad om zich druk te maken over mij.'

'Een coalitie van drie. Wie?'

'Voormalige stagiairs.'

'Was Whitney Stuart III een van hen?'

'Hij was de drijvende kracht.'

'Slaagden ze?'

Harrison knikte. 'Er werden een paar jaar lang over en weer processen gevoerd. Uiteindelijk werd Jarves uit de advocatuur gezet en werden hem al zijn bezittingen afgenomen. Ongeveer een jaar later stierf hij.'

'Waarom? Waarom zouden ze zoiets doen? Hij was hun mentor.'

'Zo doen roofdieren, juffrouw Bly.'

'Dus eigenlijk heeft hij zijn eigen moordenaars opgeleid.'

'Dat is de natuur van het kwaad, juffrouw Bly. De natuur van het kwaad.'

Nellie Bly gaf de roze waaier terug aan de rechter. Ze keek haar aantekeningen door. 'Het is duidelijk dat u en Victoria getrouwd zijn. En u hebt een zoon.'

Harrison glimlachte. 'Een advocaat in Washington. Hij is gespecialiseerd in constitutioneel recht.'

Ze wees naar de bovenkant van zijn cilinderbureau.

'Is dat een foto van uw vrouw?'

Rechter Shaw pakte de foto en gaf hem aan haar. 'Die gaf ze me na het proces. Hij is genomen door de man van Patricia.'

'De man die ook de foto van haar verkleed als Mouser had genomen?'

'Dezelfde.'

Juffrouw Bly bestudeerde het beeld van Victoria Jarves. Ze keek op. 'Hebt u die andere foto nog?'

'O, die moet hier wel ergens zijn,' zei Harrison. Hij zwaaide met een hand over het bureau. 'Maar die ga ik u niet laten zien.'

Nellie Bly was al meer dan een halfuur weg.

Harrison Shaw zat alleen achter zijn bureau. Hij had nog steeds de foto van zijn vrouw in zijn handen. De roze waaier lag op zijn schoot.

Hij haalde de foto uit de lijst. Er zat een andere foto achter, ook van Tori. Ze was verkleed als Mouser.

Harrison glimlachte ernaar door zijn tranen heen.

In 1887 werd Amerika opgeschrikt door een gewaagd stuk onderzoeksjournalistiek in de *New York World*. Nellie Bly, een vrouwelijke verslaggever, had een vernietigend verslag uit de eerste hand geschreven over de wreedheden die begaan werden aan patiënten in het gesticht op Blackwell's Island. Om het verhaal te krijgen was ze de instelling binnengedrongen als een patiënte die leed aan krankzinnigheid.

In diezelfde editie van de krant stond het overlijdensbericht van rechter Harrison Quincy Shaw. Juffrouw Bly glimlachte toen ze het las en vroeg zich af welke vermomming Tori gebruikt had om Harrison bij zijn aankomst in de hemel te begroeten.

Aantekeningen van de auteurs

Het proces dat hier is beschreven is fictief, evenals de belangrijkste personages – Harrison Shaw, Victoria Jarves en haar vader, J.K. Jarves. George Bowen, de Newboys' Lodge en zijn bewoners zijn ook fictief. Maar alles, ook de uitkomst van het proces, geeft een indruk van de wonderlijke historische gebeurtenissen tijdens de opwekking van 1857-1858.

Het verslag van de opwekking, inclusief de gebedssamenkomst in Fulton Street, de krantenberichten en de opwekkingsverhalen die onderzocht zijn door de personages in het verhaal, is gebaseerd op echte verslagen.

Jeremiah Lanphier en de oude North Dutch Church zijn historisch. Ook Five Points is historisch. De beschrijving daarvan in deze roman is ontleend aan verslagen van hen die door de straten gelopen hebben en de gebouwen bezocht hebben.

Nellie Bly (1867-1922) was een baanbrekende vrouwelijke krantenverslaggever die krankzinnigheid voorwendde om in het gesticht op Blackwell's Island te komen. Haar ontmaskering zorgde voor de nodige hervormingen. Ze werd een beroemdheid door Phileas Foggs recordtijd om de wereld rond te reizen te verbeteren. Foggs' verslag was de inspiratiebron voor Jules Vernes *Een reis om de wereld in tachtig dagen*. Juffrouw Bly's tijd: 72 dagen, 6 uur, 11 minuten en 14 seconden.

Voor meer informatie over de Grote Opwekkingen kunt u op internet kijken: www.thegreatawakenings.com.

Over auteur Bill Bright

Geschreven door zijn echtgenote Vonette Bright

Naast onze Here Jezus Christus en zijn liefhebbende familie had Bill Bright in zijn leven twee grote passies: (1) helpen om de Grote Opdracht te vervullen en (2) een geestelijke opwekking en réveil in Amerika en in de wereld aanmoedigen.

Bill vastte en bad jarenlang dat hij in deze twee passies een vervulling zou meemaken. In elk van zijn laatste negen jaren vastte hij veertig dagen om te bidden om en te smachten naar de opwekking die naar zijn overtuiging zou komen.

De toestand in de wereld en haar gebrek aan berouw en geloof in onze Heiland greep hem aan. Hij ging gebukt onder de kracht van de zonde en de pijn van de mensen die hij zag. Toch geloofde hij in de macht van aanhoudend gebed en dat God Zelf echt verlangt om een opwekking te zenden en genade te verlenen in antwoord op het aanhoudend pleiten van Zijn volk.

Vanaf 1994 sponsorde Bill jaarlijkse, nationale bijeenkomsten om te vasten en te bidden, waar duizenden christelijke leiders en gewone gelovigen bij elkaar gebracht werden. In zijn boek uit 1995, *Vasten en bidden voor een opwekking*, schreef Bill: 'Ik nodig u uit om met mij te bidden dat God deze bijeenkomsten van vasten en bidden zal blijven gebruiken als een vonkje dat helpt om het Lichaam van Christus in vuur en vlam te zetten op dit meest dringende en kritieke moment in de geschiedenis van ons geliefde land en van de Kerk van onze Here Jezus Christus overal ter wereld.' Ook vandaag zou hij dat nog willen vragen.

Vele jaren lang spoorde Bill mensen aan om te vasten en te bidden om een geestelijke opwekking en réveil. Sterker nog, toen hij in 1996 de Templeton Award ontving, gaf hij direct elke dollar van de prijs van één miljoen weg om de beweging wereldwijd te promoten. Eens merkte hij op dat hij 'de kortstondigste miljonair in de geschiedenis' geweest was.

Toen zijn gezondheid afnam als gevolg van de longfibrose die hem uiteindelijk in 2003 het leven zou kosten en in de wetenschap dat zijn tijd kort was, vormde hij een team met Jack Cavanaugh om een serie romans op te zetten met verhalen over opwekkingsperioden uit de Amerikaanse geschiedenis. Hij wist dat die boeken waarschijnlijk niet meer tijdens zijn leven zouden verschijnen.

In deze romans zien we, in zijn eigen woorden, 'christenen die grote gelovigen, grote hopers, grote doeners en grote lijders waren'. Die kenmerken karakteriseren zijn eigen leven en hij herkende en erkende die kwaliteiten in anderen.

Bill bad elke dag dat er een opwekking door het land zou gaan en ik wil geloven dat hij nog steeds voor ons land pleit. Ik denk graag dat zijn passie voor Amerika niet verminderd is, alleen omdat hij nu in de hemel woont.

Het was Bills hevig verlangen dat deze romanserie zou zorgen voor een honger in de harten van de Amerikanen naar een opwekking; dat mensen tot God zouden gaan roepen; en dat God hun gebeden zou verhoren en ons land opnieuw zou zegenen met een geweldige uitstorting van Zijn genade en macht.

Dankbetuigingen

Onze hartelijke dank gaat uit naar Helmut Teichert, omdat hij onze wederzijdse passie voor een nationale opwekking en ons geloof in de kracht van fictie herkende – als Helmut er niet geweest was, zou dit boek niet geschreven zijn, want hij is degene die ons bij elkaar bracht; naar Tom McKennett en Tim Grissom, omdat zij de resultaten van hun historisch onderzoek naar opwekkingen in Amerika met ons deelden – jullie onderzoek is niet alleen van hoge kwaliteit, maar ook inspirerend; naar Steve Laube, onze vriend en agent, altijd trouw en behulpzaam; en naar Howard Publishing, omdat zij onze visie deelden.